2025年度版

よくわかる社労士

合格するための過去10年本試験問題集

3 健保・社一

TAC社会保険労務士講座◉編著

JN039457

TAC出版
TAC PUBLISHING Group

はじめに

社労士試験は10科目と出題範囲も広く、また内容もかなり細かくなってきています。その結果、多くの受験生が学習の的を絞れずに困惑しているのが現状ではないでしょうか。ところが、過去10年間の試験問題を子細に分析・検討してみると、各科目とも、内容の類似した、極端な場合には全く同じ問題がくり返し出題されていることがわかります。したがって過去の出題傾向をしっかり把握しておけば、ムダのない的を絞った学習が可能となるわけです。

以上のことを踏まえ本書は、過去10年間の本試験問題を、科目ごとに項目別に「一問一答形式」にまとめました。ここ最近の択一式試験では、「組合せ問題」や正解の個数を選ばせる「個数問題」も出題されていますが、一問一答形式で学習を進めていけば、どのような出題方式にも対応しうる力をつけることができます。また、選択式問題では、本試験の出題形式のまま載せてありますので、実践的な演習が行えます。

さらに、本書の解説においては、過去問を「解く」だけでなく、あわせて確認しておきたい「ポイント」や「プラスα」の知識も充実させました。また、同シリーズの『合格テキスト』と併用していただくと、より学習効果が高まります。

以上のような特徴をもった本書を学習することにより、「社労士本試験において何が求められているか」を明確につかむことができ、自信をもって本試験に臨むことができるはずです。

受験生の皆さんが本書を利用され、限られた学習時間を少しでも有効に活用されて、所期の志を達成されることを心よりお祈りいたします。

2024年９月

TAC社会保険労務士講座
教材制作チーム一同

本書は、2024年８月29日現在において公布され、かつ、2025年本試験受験案内が発表されるまで施行されることが確定しているものに基づいて作成しております。

なお、2024年８月30日以降に法改正のあるもの、また法改正はなされているが、施行規則等で未だ細目について定められていないものについては、2025年２月上旬より、小社ホームページにて「法改正情報」を順次公開いたします。

TAC出版書籍販売サイト「サイバーブックストア」
https://bookstore.tac-school.co.jp

本書の構成と効果的な活用法

本書の構成要素

令和６年度の本試験問題を各項目の冒頭に掲載し、最新の本試験傾向が把握しやすい構成となっています。
その他は年度に関係なく、同シリーズの『合格テキスト』にあわせた順に掲載しています。

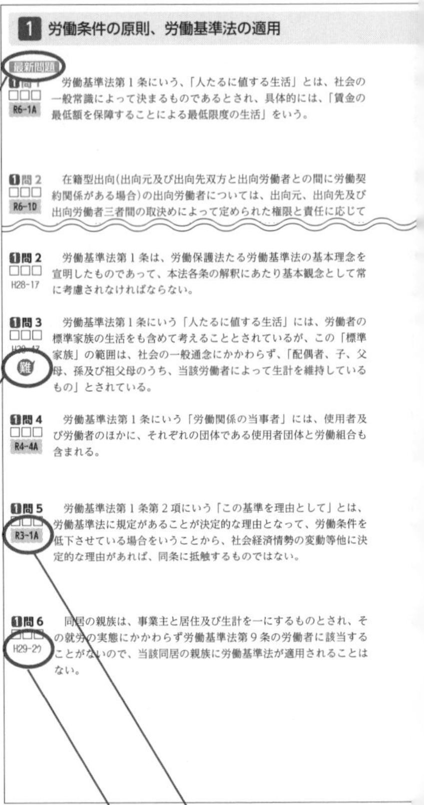
1 労働条件の原則、労働基準法の適用

最新問題
1 問 1 □□□ R6-1A　労働基準法第１条にいう、「人たるに値する生活」とは、社会の一般常識によって決まるものであるとされ、具体的には、「賃金の最低額を保障することによる最低限度の生活」をいう。

1 問 2 □□□ R6-1D　在籍型出向(出向元及び出向先双方と出向労働者との間に労働契約関係がある場合)の出向労働者については、出向元、出向先及び出向労働者三者間の取決めによって定められた権限と責任に応じて

1 問 2 □□□ H28-17　労働基準法第１条は、労働保護法たる労働基準法の基本理念を宣明したものであって、本法各条の解釈にあたり基本観念として常に考慮されなければならない。

1 問 3 □□□ 難　労働基準法第１条にいう「人たるに値する生活」には、労働者の標準家族の生活をも含めて考えることとされているが、この「標準家族」の範囲は、社会の一般通念にかかわらず、「配偶者、子、父母、孫及び祖父母のうち、当該労働者によって生計を維持しているもの」とされている。

1 問 4 □□□ R4-4A　労働基準法第１条にいう「労働関係の当事者」には、使用者及び労働者のほかに、それぞれの団体である使用者団体と労働組合も含まれる。

1 問 5 □□□ R3-1A　労働基準法第１条第２項にいう「この基準を理由として」とは、労働基準法に規定があることが決定的な理由となって、労働条件を低下させている場合をいうことから、社会経済情勢の変動等他に決定的な理由があれば、同条に抵触するものではない。

1 問 6 □□□ H29-2イ　同居の親族は、事業主と居住及び生計を一にするものとされ、その就労の実態にかかわらず労働基準法第９条の労働者に該当することがないので、当該同居の親族に労働基準法が適用されることはない。

難問マーク
この問題は、最初は解けなくても不安になる必要はありません。解説をみて、最終的に解けるようになることを目標に進めていきましょう。

【出題年度と問題番号の見方】
全問、出題年度と問題番号つきです。年度マークの見方は次のとおりです。
R5-1A　令和５年の択一式、問１のＡ肢で出題
R5-選　令和５年の選択式で出題題
※出題年度・問題番号に「改」と表示している問題は、法改正等により、一部改題が入っているものです。

なお、出題年度によって、年度マークを太字と細字で分けて表示しています。
令和６年～令和２年の直近５年分は太字で強調(例 **R5-1A**)。さらにさかのぼった６～10年前の問題(令和元年～平成27年)は細字(例H30-1A)となっています。
※労働保険の保険料の徴収等に関する法律については、労働者災害補償保険法の問８～10、雇用保険法の問８～10に分けて出題されることから、以下のように表示しています。
H30-災8A　平成30年の択一式、労働者災害補償保険法、問８のＡ肢で出題
H30-雇8A　平成30年の択一式、雇用保険法、問８のＡ肢で出題

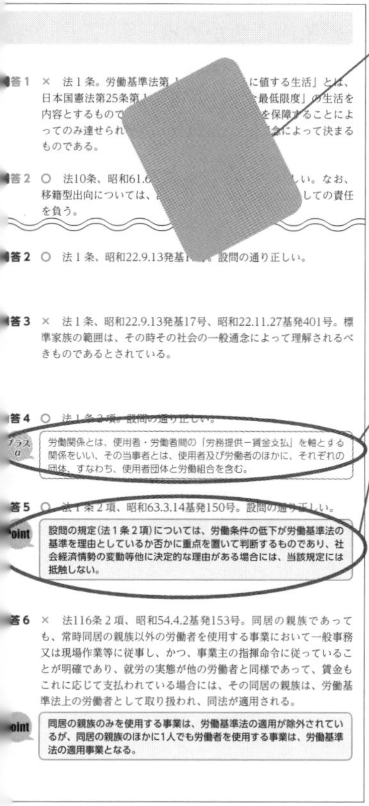

答1　×　法１条。労働基準法第１…に値する生活」とは、日本国憲法第25条第１…最低限度」の生活を内容とするもので…を保障することによってのみ達せられ…念によって決まるものである。

答2　○　法10条、昭和61.6…しい。なお、移籍型出向については、…しての責任を負う。

答2　○　法１条、昭和22.9.13発基17号。設問の通り正しい。

答3　×　法１条、昭和22.9.13発基17号、昭和22.11.27基発401号。標準家族の範囲は、その時その社会の一般通念によって理解されるべきものであるとされている。

答4　○　法１条２項。設問の通り正しい。

プラスα　労働関係とは、使用者・労働者間の「労務提供－賃金支払」を軸とする関係をいい、その当事者とは、使用者及び労働者のほかに、それぞれの団体、すなわち、使用者団体と労働組合を含む。

答5　○　法１条２項、昭和63.3.14基発150号。設問の通り正しい。

Point　設問の規定(法１条２項)については、労働条件の低下が労働基準法の基準を理由としているか否かに重点を置いて判断するものであり、社会経済情勢の変動等他に決定的な理由がある場合には、当該規定には抵触しない。

答6　×　法116条２項、昭和54.4.2基発153号。同居の親族であっても、常時同居の親族以外の労働者を使用する事業において一般事務又は現場作業等に従事し、かつ、事業主の指揮命令に従っていることが明確であり、就労の実態が他の労働者と同様であって、賃金もこれに応じて支払われている場合には、その同居の親族は、労働基準法上の労働者として取り扱われ、同法が適用される。

Point　同居の親族のみを使用する事業は、労働基準法の適用が除外されているが、同居の親族のほかに1人でも労働者を使用する事業は、労働基準法の適用事業となる。

付属の「こたえかくすシート」で解答を隠しながら学習することができるので、とても便利です。

【解答の見方】
TACの過去10の解答は、問題の論点をおさえるだけでなく、周辺知識のインプットも効果的に行えるよう、解説にとくにこだわっています。

Point　**超重要事項のまとめです。**

プラスα　**問題と一緒に確認しておきたい内容です。**

まず１周目は、問題を解き、解答をあわせていくことに専念し、２周目以降は、解説を読みながら、知識の拡充をしていってください。

ここが便利！

過去問検索索引
本書の索引は過去問の番号から該当頁の検索ができるように組み立てられています。解きたい問題がすぐに探し出せて便利です。

効果的な活用法

○受験経験のある方は、年度順に解きましょう！

①　まずはR6～2問題を解く(年度マークが太字の問題)
②　終わったらR元～H27問題を解く(年度マークが細字の問題)
③　間違えた問題を中心によく復習。同シリーズの『合格テキスト』も併用し、全体をマスターしましょう！

○初学者の方は、優先順位の高いものから順に解きましょう！

①　マーク無し問題を解く
②　①が確実に解けるようになったら(難)マークのある問題にチャレンジ！

参考　**学習スケジュールのイメージ**

	～３月	４月～６月	７月、８月
受験経験者	R6～2(太字)	R元～H27(細字)	間違えた問題を中心に繰り返し演習
初学者	マークなし	(難)問題	

よくわかる社労士シリーズの活用法

「よくわかる社労士」シリーズは、社労士試験の完全合格を実現するための、実践的シリーズです。過去10年分の本試験傾向を網羅的につかめる『合格するための過去10年本試験問題集』と、条文ベースの本文で確実に理解することができる『合格テキスト』を中心としたシリーズ構成で、常に変化していく試験傾向にも柔軟に対応できる力を身につけていくことができます。

学習の流れ

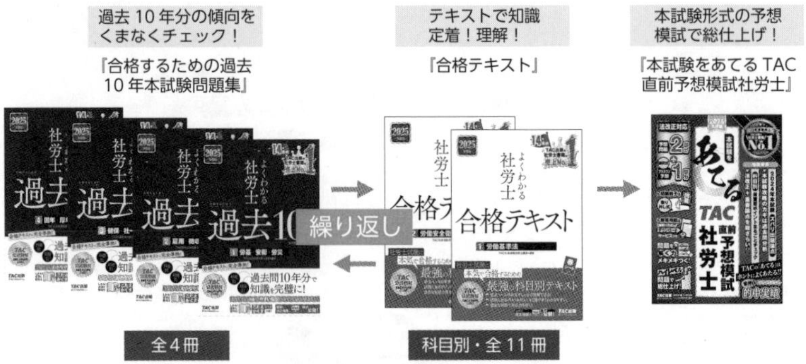

社会保険労務士試験の概要

試験概要・実施スケジュール

受験案内配布	4 月中旬～
受験申込受付期間	4 月中旬～ 5 月下旬(令和 6 年は 4 月15日～ 5 月31日) ※インターネット申込み、または郵送申込み
試験日程	8 月下旬(令和 6 年は 8 月25日)
合格発表	10月上旬(令和 6 年は10月 2 日)
受験料	15,000円

主な受験資格

学校教育法(昭和22年法律第26号)による大学、短期大学、専門職大学、専門職短期大学若しくは高等専門学校(5年制)を卒業した者(専攻の学部学科は問わない)
行政書士となる資格を有する者

※詳細は「全国社会保険労務士会連合会試験センター」のホームページにてご確認ください。

試験形式

選択式	８問出題(40点満点〈１問あたり空欄が５つ〉)　解答時間は80分 文章中の５つの空欄に、選択肢の中から正解番号を選び、マークシートに記入します。
択一式	70問出題(70点満点)　解答時間は210分 ５つの選択肢の中から、正解肢をマークシートに記入します。

合格基準

合格基準について、年度により多少の前後がありますが、例年総得点の７割程度となります。それぞれの試験における総得点の基準と、各科目ごとの基準との両方をクリアする必要があります。

参考　令和５年度本試験の合格基準

選択式：総得点26点以上、各科目３点以上
択一式：総得点45点以上、各科目４点以上

試験科目

科目名	選択式	択一式
労働基準法	２科目 混合問題で１問	７問
労働安全衛生法		３問
労働者災害補償保険法	１問	７問
雇用保険法	１問	７問
労働保険の保険料の徴収等に関する法律	なし	６問
労務管理その他の労働に関する一般常識	１問	10問
社会保険に関する一般常識	１問	
健康保険法	１問	10問
厚生年金保険法	１問	10問
国民年金法	１問	10問

過去５年間の受験者数・合格者数の推移

年　度	令和元年	令和２年	令和３年	令和４年	令和５年
受験申込者数	49,570人	49,250人	50,433人	52,251人	53,292人
受験者数	38,428人	34,845人	37,306人	40,633人	42,741人
合格者数	2,525人	2,237人	2,937人	2,134人	2,720人
合格率	6.6%	6.4%	7.9%	5.3%	6.4%

詳細の受験資格や受験申込み及びお問合せは
「全国社会保険労務士会連合会試験センター」へ
https://www.sharosi-siken.or.jp

● CONTENTS ●

2　社一（社会保険に関する一般常識）

1　健保
（健康保険法）

健康保険法

凡例

法	→健康保険法
令	→健康保険法施行令
則	→健康保険法施行規則
指定省令	→保険医療機関及び保険薬局の指定並びに保険医及び保険薬剤師の登録に関する省令
社審法	→社会保険審査官及び社会保険審査会法
保険発	→保険局保険課長名通知
保発	→保険局長名通知
庁保発	→社会保険庁医療部長又は保険部長名通知
保文発	→民間に対して出す保険局長名通知
社発	→社会局長名通知
厚労告	→厚生労働省告示〔平成12年以前：労働省告示(労告)〕

健保：目次

健保：択一式出題ランキング

1位　一般の被保険者等（38問）
2位　健康保険組合（25問）
2位　給付制限・損害賠償との調整（25問）

1 目的等

過去問

1問 1 □□□ R4-1A

被保険者又は被扶養者の業務災害(労災保険法第７条第１項第１号に規定する、労働者の業務上の負傷、疾病等をいう。)については健康保険法に基づく保険給付の対象外であり、労災保険法に規定する業務災害に係る請求が行われている場合には、健康保険の保険給付の申請はできない。

1問 2 □□□ H28-5D

被保険者が副業として行う請負業務中に負傷した場合等、労働者災害補償保険の給付を受けることのできない業務上の傷病等については、原則として健康保険の給付が行われる。

1問 3 □□□ R4-2A

被保険者の数が５人以上である適用事業所に使用される法人の役員としての業務(当該法人における従業員が従事する業務と同一であると認められるものに限る。)に起因する疾病、負傷又は死亡に関しては、傷病手当金を含めて健康保険から保険給付が行われる。

1問 4 □□□ R3-9E 難

被保険者又はその被扶養者において、業務災害(労災保険法第７条第１項第１号に規定する、労働者の業務上の負傷、疾病等をいう。)と疑われる事例で健康保険の被保険者証を使用した場合、保険者は、被保険者又はその被扶養者に対して、まずは労災保険法に基づく保険給付の請求を促し、健康保険法に基づく保険給付を留保することができる。

1問 5 □□□ H27-4ウ 難

犯罪の被害を受けたことにより生じた傷病は、一般の保険事故と同様に、健康保険の保険給付の対象とされており、犯罪の被害者である被保険者は、加害者が保険者に対し損害賠償責任を負う旨を記した誓約書を提出しなくとも健康保険の保険給付を受けられる。

❶答１ ×　法１条、平成24.6.20事務連絡、平成25.8.14事務連絡。被保険者又は被扶養者の業務災害については、健康保険法に基づく保険給付の対象外であるが、労災保険における審査の結果、業務外であることを理由に不支給となった場合は、原則として健康保険の給付対象となるため、労災保険法に規定する業務災害に係る請求が行われている場合であっても、健康保険の保険給付の支給申請を行うことは可能となっている。

❶答２ ○　法１条、平成25.8.14事務連絡。設問の通り正しい。業務上の傷病等であっても、労働者災害補償保険の給付対象とならない場合には、原則として健康保険の給付対象とされる。

❶答３ ×　法53条の２、則52条の２。設問の「５人以上」は、正しくは「５人未満」である。

❶答４ ○　法１条、平成25.8.14事務連絡。設問の通り正しい。

❶答５ ○　法１条、平成23.8.9保保発0809第３号。設問の通り正しい。設問にあるような誓約書は、医療保険の給付を行うために必要な条件ではないことから、提出がなくとも医療保険の給付は行われる。

1 問6 □□□ H30-10A
被保険者が５人未満である適用事業所に所属する法人の代表者は、業務遂行の過程において業務に起因して生じた傷病に関しても健康保険による保険給付の対象となる場合があるが、その対象となる業務は、当該法人における従業員(健康保険法第53条の２に規定する法人の役員以外の者をいう。)が従事する業務と同一であると認められるものとされている。

2 権限の委任等

最新問題

2 問1 □□□ R6-6A
健康保険組合の設立、合併又は分割を伴う健康保険組合が管掌する一般保険料率の変更においては、厚生労働大臣の権限を地方厚生局長に委任することができる。

過去問

2 問1 □□□ H28-5A
保険医又は保険薬剤師の登録及び登録取消に係る厚生労働大臣の権限は、地方厚生局長又は地方厚生支局長に委任されている。

2 問2 □□□ R3-2E
保険者は、社会保険診療報酬支払基金に対して、保険給付のうち、療養費、出産育児一時金、家族出産育児一時金並びに高額療養費及び高額介護合算療養費の支給に関する事務を委託することができる。

2 問3 □□□ H30-4E
全国健康保険協会管掌健康保険及び健康保険組合管掌健康保険について、適用事業所以外の事業所の任意適用の申請に対する厚生労働大臣の認可の権限は、日本年金機構に委任されている。

❶答6 ○ 法53条の２、則52条の２。設問の通り正しい。

❷答1 × 法160条13項、法205条１項、則159条１項８号。健康保険組合が管掌する健康保険の一般保険料率の変更における厚生労働大臣の権限（認可の権限）は、地方厚生局長に委任されているが、当該変更が健康保険組合の設立、合併又は分割を伴う場合は除かれている（委任されていない）。

---

❷答1 ○ 法64条、法81条、法205条、則159条１項５号の２。設問の通り正しい。

❷答2 ○ 法205条の4,1項１号、則159条の7,1号。設問の通り正しい。

❷答3 × 法31条、法204条１項３号カッコ書、法205条、則159条１項３号。健康保険組合管掌健康保険について、適用事業所以外の事業所の任意適用の申請に対する厚生労働大臣の認可の権限は、「地方厚生局長又は地方厚生支局長」に委任されている。なお、全国健康保険協会管掌健康保険について、適用事業所以外の事業所の任意適用の申請に対する厚生労働大臣の認可の権限に係る事務は、日本年金機構に委任されている。

3 保険者の種類等

過去問

3問1 □□□ H30-8ウ

全国健康保険協会管掌健康保険の特定適用事業所に使用される短時間労働者が被保険者としての要件を満たし、かつ、同時に健康保険組合管掌健康保険の特定適用事業所に使用される短時間労働者の被保険者としての要件を満たした場合は、全国健康保険協会が優先して、当該被保険者の健康保険を管掌する保険者となる。

※ 当該短時間労働者とは、1週間の所定労働時間が同一の事業所に使用される通常の労働者の1週間の所定労働時間の4分の3未満である者又は1か月間の所定労働日数が同一の事業所に使用される通常の労働者の1か月間の所定労働日数の4分の3未満である者のことをいう。

3問2 □□□ H27-8A

被保険者が同時に2事業所に使用される場合において、それぞれの適用事業所における保険者が異なる場合は、選択する保険者に対して保険者を選択する届出を提出しなければならないが、当該2事業所の保険者がいずれも全国健康保険協会であれば、日本年金機構の業務が2つの年金事務所に分掌されていても届出は必要ない。

4 全国健康保険協会

最新問題

4問1 □□□ R6-6B改 難

全国健康保険協会の定款記載事項である事務所の所在地を変更する場合、厚生労働大臣の認可を受けなければその効力を生じない。

4問2 □□□ R6-1A

全国健康保険協会(以下「協会」という。)は、厚生労働大臣から事業年度ごとの業績について評価を受け、その評価の結果を公表しなければならない。

3答1 ×　法３条１項９号、法７条、(24) 法附則46条１項、則１条の2,1項。設問の場合は、被保険者が、当該被保険者の保険を管掌する保険者を選択する。

3答2 ×　法７条、則１条の３、則２条１項、４項。２以上の事業所の保険者が、いずれも全国健康保険協会である場合であっても、日本年金機構の業務が２以上の年金事務所に分掌されている場合は、届出を提出しなければならない。

4答1 ×　法７条の6,2項、則２条の3,1号。全国健康保険協会の定款の変更は、厚生労働大臣の認可を受けなければ効力を生じないとするのが原則であるが、その変更が事務所の所在地の変更等の事項である場合には、認可を受けなくても効力を生ずる。なお、この場合は、遅滞なく、これを厚生労働大臣に届け出なければならない。

4答2 ×　法７条の30。全国健康保険協会の事業年度ごとの業績についての評価の結果を公表しなければならないとされているのは、「全国健康保険協会」ではなく、「厚生労働大臣」である。厚生労働大臣は、全国健康保険協会の事業年度ごとの業績について、評価を行わなければならないとされており、また、その評価を行ったときは、遅滞なく、全国健康保険協会に対し、当該評価の結果を通知するとともに、これを公表しなければならないとされている。

4 問3
□□□
R6-2D改
難

全国健康保険協会は、財務諸表、事業報告書(会計に関する部分に限る。)及び決算報告書について、監事の監査のほか、厚生労働大臣が選任する会計監査人である公認会計士又は監査法人から監査を受けなければならない。

4 問4
□□□
R6-8D改
難

全国健康保険協会の役員に対する報酬及び退職手当は、その役員の業績が考慮されるものでなければならない。全国健康保険協会は、その役員に対する報酬及び退職手当の支給の基準を定め、これを厚生労働大臣に届け出て、その承認を得た後、それを公表しなければならない。これを変更したときも、同様とする。

過去問

4 問1
□□□
H29-1C

任意継続被保険者の保険料の徴収に係る業務は、保険者が全国健康保険協会の場合は厚生労働大臣が行い、保険者が健康保険組合の場合は健康保険組合が行う。

4 問2
□□□
H29-1A

全国健康保険協会の常勤役員は、厚生労働大臣の承認を受けたときを除き、営利を目的とする団体の役員となり、又は自ら営利事業に従事してはならない。

4 問3
□□□
R4-5A
難

健康保険法第７条の14によると、厚生労働大臣又は全国健康保険協会理事長は、それぞれその任命に係る全国健康保険協会の役員が、心身の故障のため職務の遂行に堪えないと認められるとき、又は職務上の義務違反があるときのいずれかに該当するとき、その他役員たるに適しないと認めるときは、その役員を解任することができる。また、全国健康保険協会理事長は、当該規定により全国健康保険協会理事を解任したときは、遅滞なく、厚生労働大臣に届け出るとともに、これを公表しなければならない。

4 問4
□□□
R元-1A

全国健康保険協会(以下本問において「協会」という。)と協会の理事長又は理事との利益が相反する事項については、これらの者は代表権を有しない。この場合には、協会の監事が協会を代表することとされている。

4答3 ○ 法７条の29,1項～３項。設問の通り正しい。

4答4 × 法７条の35。設問後半部分が誤りである。全国健康保険協会は、その役員に対する報酬及び退職手当の支給の基準を定めるに当たっては、これを厚生労働大臣に届け出るとともに、公表しなければならないが、厚生労働大臣の承認を受ける旨は規定されていない。

4答1 × 法５条２項、法155条。任意継続被保険者の保険料の徴収に係る業務は、保険者が全国健康保険協会の場合は、「全国健康保険協会」が行う。

4答2 ○ 法７条の15。設問の通り正しい。全国健康保険協会の業務は、健康保険組合に加入しない適用事業所の被保険者を管掌し、特定の業種の利益に偏らない業務運営が求められることから、常勤の役員が、営利企業の役員等を兼業することや、報酬を得て事業に従事することを制限している。

4答3 ○ 法７条の14,2項、３項。設問の通り正しい。

4答4 ○ 法７条の16。設問の通り正しい。

プラスα

協会には、役員として、理事長１人、理事６人以内及び監事２人が置かれる。

4問5
□□□
H30-1ア
難

全国健康保険協会の運営委員会の委員は、9人以内とし、事業主、被保険者及び全国健康保険協会の業務の適正な運営に必要な学識経験を有する者のうちから、厚生労働大臣が各同数を任命することとされており、運営委員会は委員の総数の3分の2以上又は事業主、被保険者及び学識経験を有する者である委員の各3分の1以上が出席しなければ、議事を開くことができないとされている。

4問6
□□□
R5-1C改
難

全国健康保険協会は、役員として、理事長1人、理事6人以内及び監事2人を置く。役員の任期は3年とする。理事長に事故があるとき、又は理事長が欠けたときは、理事の互選により選ばれた者がその職務を代理し、又はその職務を行う。

4問7
□□□
R元-1D改

全国健康保険協会の理事長、理事及び監事の任期は3年、全国健康保険協会の運営委員会の委員の任期は2年とされている。

4問8
□□□
R元-1E改

全国健康保険協会は、毎事業年度、財務諸表を作成し、これに当該事業年度の事業報告書及び決算報告書を添え、監事及び厚生労働大臣が選任する会計監査人の意見を付けて、決算完結後2か月以内に厚生労働大臣に提出し、その承認を受けなければならない。

4問9
□□□
H30-1オ

厚生労働大臣は、全国健康保険協会の事業年度ごとの業績について、評価を行わなければならず、この評価を行ったときは、遅滞なく、全国健康保険協会に対し、当該評価の結果を通知するとともに、これを公表しなければならない。

4問10
□□□
R2-7B

全国健康保険協会の短期借入金は、当該事業年度内に償還しなければならないが、資金の不足のため償還することができないときは、その償還することができない金額に限り、厚生労働大臣の認可を受けて、これを借り換えることができる。この借り換えた短期借入金は、1年以内に償還しなければならない。

4答5 ○　法７条の18,2項、則２条の4,5項。設問の通り正しい。

4答6 ×　法７条の９、法７条の10,2項、法７条の12,1項。全国健康保険協会の理事長に事故があるとき、又は理事長が欠けたときは、「理事のうちから、あらかじめ理事長が指定する者」がその職務を代理し、又はその職務を行うこととされている。なお、設問のその他の記述は正しい。

4答7 ○　法７条の９、法７条の12,1項、法７条の18,3項。設問の通り正しい。

4答8 ○　法７条の28,2項、法７条の29,2項。設問の通り正しい。なお、全国健康保険協会は、毎事業年度の決算を翌事業年度の**5月31日**までに完結しなければならない。

4答9 ○　法７条の30。設問の通り正しい。

4答10 ○　法７条の31,2項、３項。設問の通り正しい。

4問11
□□□
H28-1オ改

全国健康保険協会は、毎事業年度において、当該事業年度及びその直前の２事業年度内において行った保険給付に要した費用の額の１事業年度当たりの平均額の３分の１に相当する額までは、当該事業年度の剰余金の額を準備金として積み立てなければならない。なお、保険給付に要した費用の額は、前期高齢者納付金(前期高齢者交付金がある場合には、これを控除した額)を含み、出産育児交付金の額及び国庫補助の額を除くものとする。

4問12
□□□
R3-2D
難

全国健康保険協会は、⑴国債、地方債、政府保証債その他厚生労働大臣の指定する有価証券の取得、⑵銀行その他厚生労働大臣の指定する金融機関への預金、のいずれかの方法により、業務上の余裕金を運用することが認められているが、上記の２つ以外の方法で運用することは認められていない。

4問13
□□□
H30-1ウ
難

全国健康保険協会が業務上の余裕金で国債、地方債を購入し、運用を行うことは一切できないとされている。

4問14
□□□
R4-4E

全国健康保険協会の役員若しくは役職員又はこれらの職にあった者は、健康保険事業に関して職務上知り得た秘密を正当な理由がなく漏らしてはならず、健康保険法の規定に違反して秘密を漏らした者は、１年以下の懲役又は100万円以下の罰金に処すると定められている。

4答11 × 法160条の２、令46条１項。設問前段の「３分の１」は、正しくは「12分の１」であり、設問後段の「前期高齢者納付金」は、正しくは「前期高齢者納付金等、後期高齢者支援金等及び日雇拠出金、介護納付金並びに流行初期医療確保拠出金等」である。なお、設問文１行目の「毎事業年度」は、厳密には「毎事業年度末」である。

4答12 × 法７条の33、令１条の２。設問の方法のほかに、「信託業務を営む金融機関（金融機関の信託業務の兼営等に関する法律第１条第１項の認可を受けた金融機関をいう。）への金銭信託」により運用することも認められている。

Point

全国健康保険協会の業務上の余裕金の運用は、事業の目的及び資金の性質に応じ、安全かつ効率的にしなければならないとされており、次の①～③の方法による場合を除くほか、業務上の余裕金を運用してはならないとされている。
①国債、地方債、政府保証債その他厚生労働大臣の指定する有価証券の取得
②銀行その他厚生労働大臣の指定する金融機関への預金
③信託業務を営む金融機関への金銭信託

4答13 × 法７条の33、令１条の２,１号。全国健康保険協会が業務上の余裕金で国債、地方債を購入し、運用を行うことはできるとされている。**4答12**の**Point**参照。

4答14 ○ 法７条の37,1項、法207条の２。設問の通り正しい。

4問15 □□□ R5-1B 難

厚生労働大臣は、全国健康保険協会(以下本問において「協会」という。)の事業若しくは財産の管理若しくは執行が法令、定款若しくは厚生労働大臣の処分に違反していると認めるときは、期間を定めて、協会又はその役員に対し、その事業若しくは財産の管理若しくは執行について違反の是正又は改善のため必要な措置を採るべき旨を命ずることができる。協会又はその役員が上記の是正・改善命令に違反したときは、厚生労働大臣は協会に対し、期間を定めて、理事長及び当該違反に係る役員の解任を命ずることができる。

5 健康保険組合

最新問題

5問1 □□□ R6-4D

健康保険組合は、毎年度終了後６か月以内に、厚生労働省令で定めるところにより、事業及び決算に関する報告書を作成し、厚生労働大臣に提出しなければならない。

5問2 □□□ R6-3ア改 難

健康保険組合が解散したとき、全国健康保険協会が健康保険組合の権利義務を承継する。健康保険組合が解散したときに未払い傷病手当金及びその他、付加給付等があれば、健康保険組合解散後においても支給される。しかし、解散後に引き続き発生した事由による傷病手当金の分については、組合員として受け取ることができる傷病手当金の請求権とは認められないので、全国健康保険協会に移管の場合は、これを全国健康保険協会への請求分として支給し、付加給付は認められない。

5問3 □□□ R6-4C

健康保険法第28条第１項に規定する健康保険組合による健全化計画は、同項の規定による指定の日の属する年度の翌年度を初年度とする３か年間の計画となり、事業及び財産の現状、財政の健全化の目標、その目標を達成するために必要な具体的措置及びこれに伴う収入支出の増減の見込額に関して記載しなければならない。

4答15 × 法７条の39,1項、２項。設問の後段が誤り。設問の場合、厚生労働大臣は協会に対し、期間を定めて、当該違反に係る役員の全部又は一部の解任を命ずることができるのであるから、理事長についても、当該違反に係る場合にのみ解任を命ずることができる。

5答1 ○ 令24条１項。設問の通り正しい。

5答2 ○ 法26条４項、昭和25.6.21保文発1420号。設問の通り正しい。

5答3 ○ 令30条。設問の通り正しい。

過去問

5問1 □□□ R3-3C

健康保険組合は、適用事業所の事業主、その適用事業所に使用される被保険者及び特例退職被保険者をもって組織する。

5問2 □□□ R4-5B

適用事業所の事業主は、健康保険組合を設立しようとするときは、健康保険組合を設立しようとする適用事業所に使用される被保険者の２分の１以上の同意を得て、規約を作り、厚生労働大臣の認可を受けなければならない。また、２以上の適用事業所について健康保険組合を設立しようとする場合においては、被保険者の同意は、各適用事業所について得なければならない。

5問3 □□□ H27-7ウ

健康保険組合の設立の認可に係る厚生労働大臣の権限は、地方厚生局長又は地方厚生支局長に委任されている。

5問4 □□□ R2-7D

健康保険組合の設立を命ぜられた事業主が、正当な理由がなくて厚生労働大臣が指定する期日までに設立の認可を申請しなかったとき、その手続の遅延した期間、その負担すべき保険料額の２倍に相当する金額以下の過料に処する旨の罰則が定められている。

5問5 □□□ R元-1C

健康保険組合の理事の定数は偶数とし、その半数は健康保険組合が設立された適用事業所(以下「設立事業所」という。)の事業主の選定した組合会議員において、他の半数は被保険者である組合員の互選した組合会議員において、それぞれ互選する。理事のうち１人を理事長とし、設立事業所の事業主の選定した組合会議員である理事のうちから、事業主が選定する。

5問6 □□□ R4-5C

健康保険組合の監事は、組合会において、健康保険組合が設立された適用事業所(設立事業所)の事業主の選定した組合会議員及び被保険者である組合員の互選した組合会議員のうちから、それぞれ１人を選挙で選出する。なお、監事は、健康保険組合の理事又は健康保険組合の職員と兼ねることができない。

5答1　×　法８条。健康保険組合は、適用事業所の事業主、その適用事業所に使用される被保険者及び「任意継続被保険者」（特定健康保険組合である場合には、これらに加えて特例退職被保険者）をもって組織する。

5答2　○　法12条。設問の通り正しい。

5答3　×　法205条、則159条１項。健康保険組合の設立の認可に係る厚生労働大臣の権限は、地方厚生局長又は地方厚生支局長に委任されていない。

5答4　○　法218条。設問の通り正しい。

5答5　×　法21条２項、３項。設問の前段は正しいが、設問の後段については、「事業主が選定する」のではなく、「理事が選挙する」。

5答6　○　法21条４項、５項。設問の通り正しい。

5問7 □□□ R2-8C

健康保険組合の組合会は、理事長が招集するが、組合会議員の定数の３分の２以上の者が会議に付議すべき事項及び招集の理由を記載した書面を理事長に提出して組合会の招集を請求したときは、理事長は、その請求のあった日から30日以内に組合会を招集しなければならない。

5問8 □□□ R4-1B 難

健康保険組合の理事長は、規約の定めるところにより、毎年度２回通常組合会を招集しなければならない。また、理事長は、必要があるときは、いつでも臨時組合会を招集することができる。

5問9 □□□ R5-7B

健康保険組合は、毎年度終了後６か月以内に、厚生労働省令で定めるところにより、事業及び決算に関する報告書を作成し、厚生労働大臣に提出しなければならず、当該報告書は健康保険組合の主たる事務所に備え付けて置かなければならない。

5問10 □□□ R5-4C改

健康保険組合は、毎事業年度末において、当該事業年度及びその直前の２事業年度内において行った保険給付に要した費用の額(被保険者又はその被扶養者が健康保険法第63条第３項第３号に掲げる健康保険組合が開設した病院若しくは診療所又は薬局から受けた療養に係る保険給付に要した費用の額及び出産育児交付金の額を除く。)の１事業年度当たりの平均額の12分の３(当分の間12分の２)に相当する額と当該事業年度及びその直前の２事業年度内において行った前期高齢者納付金等、後期高齢者支援金等及び日雇拠出金、介護納付金並びに流行初期医療確保拠出金等の納付に要した費用の額(前期高齢者交付金がある場合には、これを控除した額)の１事業年度当たりの平均額の12分の２に相当する額とを合算した額に達するまでは、当該事業年度の剰余金の額を準備金として積み立てなければならない。

5問11 □□□ H30-5イ 難

健康保険組合は、予算超過の支出又は予算外の支出に充てるため、予備費を設けなければならないが、この予備費は、組合会の否決した使途に充てることができない。

5答7 ×　法30条、令7条1項。設問の「3分の2以上」は正しくは「3分の1以上」であり、「30日以内」は正しくは「20日以内」である。

5答8 ×　令7条2項、3項。健康保険組合の理事長は、規約で定めるところにより、「毎年度1回」通常組合会を招集しなければならない。なお、設問後半部分については、その通り正しい。

5答9 ○　令24条1項、2項。設問の通り正しい。

5答10 ×　令46条2項、令附則5条。設問中の前期高齢者納付金等、後期高齢者支援金等及び日雇拠出金、介護納付金並びに流行初期医療確保拠出金等の納付に要した費用の額に係る準備金の積立額の部分が誤りである。当該額は、前期高齢者納付金等、後期高齢者支援金等及び日雇拠出金、介護納付金並びに流行初期医療確保拠出金等の納付に要した費用の額(前期高齢者交付金がある場合には、これを控除した額)の1事業年度当たりの平均額の「12分の1」に相当する額とされている。なお、設問のその他の記述については正しい。

5答11 ○　法30条、令18条。設問の通り正しい。

5 問12 □□□ H30-7B

健康保険組合は、支払上現金に不足を生じたときは、準備金に属する現金を繰替使用し、又は一時借入金をすることができるが、この繰替使用した金額及び一時借入金は、やむを得ない場合であっても、翌会計年度内に返還しなければならない。

5 問13 □□□ H30-5ア

健康保険組合は、組合債を起こし、又は起債の方法、利率若しくは償還の方法を変更しようとするときは、厚生労働大臣の認可を受けなければならないが、厚生労働省令で定める軽微な変更をしようとするときは、この限りでない。健康保険組合は、この厚生労働省令で定める軽微な変更をしたときは、遅滞なく、その旨を厚生労働大臣に届け出なければならない。

5 問14 □□□ R3-7A

健康保険組合は、組合債を起こし、又は起債の方法、利率若しくは償還の方法を変更しようとするときは、厚生労働大臣の認可を受けなければならないが、組合債の金額の変更(減少に係る場合に限る。)又は組合債の利息の定率の変更(低減に係る場合に限る。)をしようとするときは、この限りではない。

5 問15 □□□ H30-1エ

健康保険組合は、分割しようとするときは、当該健康保険組合に係る適用事業所に使用される被保険者の４分の３以上の多数により議決し、厚生労働大臣の認可を受けなければならない。

5 問16 □□□ H29-1D

健康保険組合が解散により消滅した場合、全国健康保険協会が消滅した健康保険組合の権利義務を承継する。

5 問17 □□□ H28-1ア

健康保険組合がその設立事業所を増加させ、又は減少させようとするときは、その増加又は減少に係る適用事業所の事業主の全部の同意を得なければならないが、併せて、その適用事業所に使用される被保険者の２分の１以上の同意も得なければならない。

5 問18 □□□ R3-2B

健康保険組合がその設立事業所を増加させ、又は減少させようとするときは、その増加又は減少に係る適用事業所の事業主の全部及びその適用事業所に使用される被保険者の２分の１以上の同意を得なければならない。

5答12 ×　法30条、令21条。繰替使用した金額及び一時借入金は、「当該会計年度内」に返還しなければならない。

5答13 ○　法30条、令22条。設問の通り正しい。なお、厚生労働大臣の認可を受けることを要しない軽微な変更とは次の事項に係る変更である。
①組合債の金額(減少に係る場合に限る。)
②組合債の利息の定率(低減に係る場合に限る。)

5答14 ○　令22条１項、則11条。設問の通り正しい。**5問13**参照。

5答15 ×　法24条１項。健康保険組合は、分割しようとするときは、「当該健康保険組合に係る適用事業所に使用される被保険者」ではなく、「組合会において組合会議員の定数」の４分の３以上の多数により議決し、厚生労働大臣の認可を受けなければならない。

5答16 ○　法26条４項。設問の通り正しい。

5答17 ○　法25条１項。設問の通り正しい。

プラスα

健康保険組合が設立事業所を減少させるときは、健康保険組合の被保険者である組合員の数が、設立事業所を減少させた後においても、健康保険組合を設立する場合に必要とされる数(単一組合は常時700人、総合組合は合算して常時3,000人)以上でなければならない。

5答18 ○　法25条１項。設問の通り正しい。

5 問19 □□□ R3-4イ

健康保険組合が解散する場合において、その財産をもって債務を完済することができないときは、当該健康保険組合は、設立事業所の事業主に対し、政令で定めるところにより、当該債務を完済するために要する費用の全部又は一部を負担することを求めることができる。

5 問20 □□□ H27-7オ 難

健康保険法第28条第２項では、指定健康保険組合は健全化計画に従い、事業を行わなければならないこととされているが、この規定に違反した指定健康保険組合の事業又は財産の状況により、その事業の継続が困難であると認めるときは、厚生労働大臣は、当該健康保険組合の解散を命ずることができる。

5 問21 □□□ H30-4A

健康保険事業の収支が均衡しない健康保険組合であって、政令で定める要件に該当するものとして厚生労働大臣より指定を受けた健康保険組合は、財政の健全化に関する計画を作成し、厚生労働大臣の承認を受けたうえで、当該計画に従い、その事業を行わなければならない。この計画に従わない場合は、厚生労働大臣は当該健康保険組合と地域型健康保険組合との合併を命ずることができる。

5 問22 □□□ R5-1D

健康保険組合の役員若しくは職員又はこれらの職にあった者は、健康保険事業に関して職務上知り得た秘密をその理由の如何を問わず漏らしてはならない。

5答19 ○　法26条３項。設問の通り正しい。

5答20 ○　法29条２項。設問の通り正しい。厚生労働大臣は、①健康保険組合がその事業若しくは財産の管理若しくは執行について違反の是正又は改善のための必要な措置を採るべき旨の命令に違反したとき、又は②法第28条第２項の健全化計画に従いその事業を行わなければならない旨の規定に違反した指定健康保険組合、同条第３項の厚生労働大臣による健全化計画変更の求めに応じない指定健康保険組合その他政令で定める指定健康保険組合の事業若しくは財産の状況によりその事業の継続が困難であると認めるときは、当該健康保険組合の解散を命ずることができる。

5答21 ×　法28条１項、２項、法29条２項。設問文後段の「この計画に従わない場合は、厚生労働大臣は当該健康保険組合と地域型健康保険組合との合併を命ずることができる」という規定はない。なお、厚生労働大臣は、この計画に従い事業を行っていない健康保険組合について、事業又は財産の状況によりその事業の継続が困難であると認めるときは、当該健康保険組合の解散を命ずることができるとされている。

5答22 ×　法22条の２。健康保険組合の役員若しくは職員又はこれらの職にあった者は、健康保険事業に関して職務上知り得た秘密を「正当な理由がなく」漏らしてはならない。

6 強制適用事業所及び任意適用事業所

過去問

6問1 □□□ R元-4ア

代表者が１人の法人の事業所であって、代表者以外に従業員を雇用していないものについては、適用事業所とはならない。

6問2 □□□ R5-8A

令和４年10月１日より、弁護士、公認会計士その他政令で定める者が法令の規定に基づき行うこととされている法律又は会計に係る業務を行う事業に該当する個人事業所のうち、常時５人以上の従業員を雇用している事業所は、健康保険の適用事業所となったが、外国法事務弁護士はこの適用の対象となる事業に含まれない。

6問3 □□□ R5-1A

適用業種である事業の事業所であって、常時５人以上の従業員を使用する事業所は適用事業所とされるが、事業所における従業員の員数の算定においては、適用除外の規定によって被保険者とすることができない者であっても、当該事業所に常時使用されている者は含まれる。

6問4 □□□ H28-1ウ 難

外国の在日大使館が健康保険法第31条第１項の規定に基づく任意適用の認可を厚生労働大臣に申請したときは、当該大使館が健康保険法上の事業主となり、保険料の納付、資格の得喪に係る届の提出等、健康保険法の事業主としての諸義務を遵守する旨の覚書を取り交わされることを条件として、これが認可され、その使用する日本人並びに派遣国官吏又は武官でない外国人(当該派遣国の健康保険に相当する保障を受ける者を除く。)に健康保険法を適用して被保険者として取り扱われる。

6問5 □□□ H27-5A

強制適用事業所が、健康保険法第３条第３項各号に定める強制適用事業所の要件に該当しなくなったとき、被保険者の２分の１以上が希望した場合には、事業主は厚生労働大臣に任意適用事業所の認可を申請しなければならない。

6答1 × 法３条３項２号、昭和24.7.28保発74号。常時１人以上の従業員を使用する法人の事業所は適用事業所となるが、法人の代表者であっても、法人から労働の対償として報酬を受けている場合には、その法人に使用される者として被保険者となるため、設問の事業所については適用事業所となり得る。

6答2 × 法３条３項１号レ、令１条９号。「外国法事務弁護士」は、健康保険の適用対象となる事業に含まれる。

6答3 ○ 法３条３項１号、昭和18.4.5保発905号。設問の通り正しい。

6答4 ○ 法31条１項、昭和30.7.25発保123号の２。設問の通り正しい。

6答5 × 法32条。強制適用事業所が、法第３条第３項各号に定める強制適用事業所の要件に該当しなくなったときは、法第31条第１項の認可（任意適用事業所の認可）があったものとみなされるため、設問のような手続は必要とされない（任意適用の擬制）。

6 問6
□□□
R5-8B

強制適用事業所が、健康保険法第３条第３項各号に定める強制適用事業所の要件に該当しなくなった場合において、当該事業所の被保険者の２分の１以上が任意適用事業所となることを希望したときは、当該事業所の事業主は改めて厚生労働大臣に任意適用の認可を申請しなければならない。

6 問7
□□□
H28-1イ

任意適用事業所に使用される者（被保険者である者に限る。）の４分の３以上が事業主に対して任意適用取消しの申請を求めた場合には、事業主は当該申請を厚生労働大臣に対して行わなければならない。

6 問8
□□□
R2-10C

任意適用事業所において被保険者の４分の３以上の申出があった場合、事業主は当該事業所を適用事業所でなくするための認可の申請をしなければならない。

6 問9
□□□
H27-9A
難

本社と支社がともに適用事業所であり、人事、労務及び給与の管理（以下本問において「人事管理等」という。）を別に行っている会社において、本社における被保険者が転勤により支社に異動しても、引き続きその者の人事管理等を本社で行っている場合には、本社の被保険者として取り扱うことができる。

6答6 × 法32条。適用事業所が健康保険法３条３項各号に定める強制適用事業所の要件に該当しなくなったときは、任意適用に係る厚生労働大臣の認可があったものとみなされる(任意適用の擬制)ため、任意適用の認可の申請を行わなくても、引き続き、健康保険の任意適用事業所に移行することとなる。

6答7 × 法33条。任意適用事業所に使用される者からの希望がある場合であっても、事業主には任意適用取消しの申請をすべき義務は生じない。

Point

- 労災保険や雇用保険と同様に、労働者の一定割合の者から希望があっても、事業主に、健康保険や厚生年金保険の任意適用事業所の取消しに係る申請を行う義務はない。
- 労災保険や雇用保険とは異なり、労働者の一定割合の者から希望があっても、事業主に、健康保険や厚生年金保険の任意加入に係る申請を行う義務はない。

6答8 × 法33条。被保険者からの申出がある場合でも、事業主に適用事業所でなくするための認可の申請をする義務は生じない。**6問7**参照。

6答9 ○ 法34条、平成18.3.15庁保険発0315002号。設問の通り正しい。設問は、いわゆる「本社管理」に関する問題である。社会保険の適用については、各事業所単位に適用することを原則とするが、同一の企業において本社、支店等の複数の適用事業所がある場合の社会保険の適用については、被保険者に対する人事管理等が本社で行われている場合には、その者が勤務する事業所に関わらず、本社における被保険者として取り扱うこととされている。この取り扱いを「本社管理」といい、本社から支社へ転勤した場合であっても、被保険者資格の得喪は生じないものである。

プラスα

「本社管理」の取扱いは、一括適用事業所の承認要件を満たさない事業所、又は満たしていても一括適用の申請を希望しない事業所について、支社等の被保険者の人事管理等を本社で一括して行っている場合には、当該被保険者の社会保険の手続を本社で一括して行うことができるものである。

7 適用事業所に関する届出

最新問題

7問1
□□□
R6-3ウ

適用事業所の事業主は、廃止、休止その他の事情により適用事業所に該当しなくなったときは、健康保険法施行規則第22条の規定により申請する場合を除き、当該事実があった日から5日以内に、所定の事項(事業主の氏名又は名称及び住所、事業所の名称及び所在地、適用事業所に該当しなくなった年月日及びその理由)を記載した届書を厚生労働大臣又は健康保険組合に提出しなければならない。

過去問

7問1
□□□
H29-5C

厚生労働大臣は、全国健康保険協会管掌健康保険の適用事業所に係る名称及び所在地、特定適用事業所であるか否かの別を、インターネットを利用して公衆の閲覧に供する方法により公表することができる。

7問2
□□□
H28-6E

適用事業所の事業主に変更があったときは、変更後の事業主は、①事業所の名称及び所在地、②変更前の事業主及び変更後の事業主の氏名又は名称及び住所、③変更の年月日を記載した届書を厚生労働大臣又は健康保険組合に5日以内に提出しなければならない。

7答1　○　則20条1項。設問の通り正しい。なお、「健康保険法施行規則第22条の規定により申請する場合」とは、任意適用事業所の取消に係る認可申請を行う場合のことである。

7答1　○　則159条の11,1項。設問の通り正しい。

7答2　○　則31条。設問の通り正しい。

8 一般の被保険者等

最新問題

8 問1 □□□ R6-10D

被保険者丙は令和6年1月1日に週3日午前9時から午後1時まで勤務のパートタイムスタッフとして社員数30名の会社(正社員は週5日午前9時始業、午後6時終業、途中で1時間の昼休憩あり)に入社した。その後、雇用契約の見直しが行われ、令和6年4月15日付けで週4日午前9時から午後6時まで(途中で1時間の昼休憩あり)の勤務形態に変更となったため、被保険者資格取得届の提出が行われ、令和6年4月15日から健康保険の被保険者となった。

8 問2 □□□ R6-2A

被保険者の総数が常時100人以下の企業であっても、健康保険に加入することについての労使の合意(被用者の2分の1以上と事業主の合意)がなされた場合、1週間の所定労働時間が20時間以上であること、月額賃金が8.8万円以上であること、2か月を超える雇用の見込みがあること、学生でないことという要件をすべて満たす短時間労働者は、企業単位で健康保険の被保険者となる。

8 問3 □□□ R6-10E

健康保険法に定める特定適用事業所以外の適用事業所の事業主は、労働組合がない場合であっても、当該事業主の1又は2以上の適用事業所に使用される2分の1以上同意対象者の過半数を代表する者の同意又は2分の1以上同意対象者の2分の1以上の同意を得ることによって、保険者等に当該事業主の1又は2以上の適用事業所に使用される特定4分の3未満短時間労働者について一般の被保険者とは異なる短時間被保険者の資格取得の申出をすることができる。

8 問4 □□□ R6-6C

被保険者(任意継続被保険者を除く。)は、適用事業所に使用されるに至った日若しくはその使用される事業所が適用事業所となった日又は適用除外の規定に該当しなくなった日から、被保険者の資格を取得する。この使用されるに至った日とは、事業主と被保険者との間において事実上の使用関係の発生した日ではない。

8答1 ○　法3条1項9号。設問の通り正しい。設問の被保険者丙は、令和6年1月1日の入社当時は、週所定労働時間が4時間×3日＝12時間であり、当該会社の正社員の週所定労働時間が8時間×5日＝40時間であるから、いわゆる4分の3基準を満たす30時間に満たないため、被保険者の資格を取得しなかった。その後、被保険者丙の週所定労働時間は令和6年4月15日から8時間×4日＝32時間となったため、当該4分の3基準を満たすことになった。そのため、被保険者丙は、同日から被保険者の資格を取得するに至ることとなる。なお、本問は、適用除外の要件のうち、短時間労働者に係る週所定労働時間のみに着目した問題であるとして正しい肢と判断している。

8答2 ○　法3条1項2号ロ、9号、(24)法附則46条5項、7項、12項、令和4.9.28保保発0928第6号。設問の通り正しい。

8答3 ×　(46)附則46条5項、令和4.9.28保保発0928第5号・第6号。設問の「一般の被保険者とは異なる短時間被保険者」という考え方はない。設問の手続きを採ることによって、保険者等に対して当該事業主の1又は2以上の適用事業所に使用される特定4分の3未満短時間労働者について「一般の被保険者」の資格取得の申出(任意特定適用事業所の申出)をすることができる。

8答4 ×　法35条、昭和2.2.15保理983号、昭和3.7.3保発480号。被保険者資格取得に係る「使用されるに至った日」とは、事業主と被保険者との間において「事実上の使用関係が発生した日」である。

8 問5 □□□ R6-1C
一般労働者派遣事業の事業所に雇用される登録型派遣労働者が、派遣就業に係る雇用契約の終了後、1か月以内に同一の派遣元事業主のもとでの派遣就業に係る次回の雇用契約が締結されなかった場合には、その雇用契約が締結されないことが確実になった日又は当該1か月を経過した日のいずれか遅い日をもって使用関係が終了したものとし、その使用関係終了日から5日以内に事業主は被保険者資格喪失届を提出する義務が生じるものであって、派遣就業に係る雇用契約の終了時に遡って被保険者資格を喪失させるものではない。

過去問

8 問1 □□□ R3-5B
被保険者が、その雇用又は使用されている事業所の労働組合（法人格を有しないものとする。）の専従者となっている場合は、当該専従者は、専従する労働組合が適用事業所とならなくとも、従前の事業主との関係においては被保険者の資格を継続しつつ、労働組合に雇用又は使用される者として被保険者となることができる。

8 問2 □□□ H27-5B 難
学生が卒業後の4月1日に就職する予定である適用事業所において、在学中の同年3月1日から職業実習をし、事実上の就職と解される場合であっても、在学中であれば被保険者の資格を取得しない。

8 問3 □□□ R2-9E
適用事業所に期間の定めなく採用された者は、採用当初の2か月が試用期間として定められていた場合であっても、当該試用期間を経過した日から被保険者となるのではなく、採用日に被保険者となる。

8 問4 □□□ R4-6D 難
健康保険の適用事業所と技能養成工との関係が技能の養成のみを目的とするものではなく、稼働日数、労務報酬等からみて、実体的に使用関係が認められる場合は、当該技能養成工は被保険者資格を取得する。

8 問5 □□□ H29-5B
従業員が3人の任意適用事業所で従業員と同じような仕事に従事している個人事業所の事業主は、健康保険の被保険者となることができる。

8答5 × 法36条2号、則29条1項、平成27.9.30保保発0930第9号。設問の場合には、その雇用契約が締結されないことが確実となった日又は当該1月を経過した日のいずれか「早い」日をもって使用関係が終了したものとして取り扱う。なお、設問のその他の記述については正しい。

※ 設問の「一般労働者派遣事業」は、現行法では「労働者派遣事業」となっている。

8答1 × 法3条1項、昭和24.7.7職発921号。労働組合の専従者は、従前の事業主との関係においては被保険者の資格を喪失し、当該労働組合が適用事業所である場合には、当該労働組合に雇用又は使用される者として被保険者となる。

8答2 × 法3条1項、法35条、昭和16.12.22社発1580号。卒業後就職予定先の適用事業所で、在学中職業実習を行う者は、事実上の就職と解されれば、在学中であっても被保険者の資格を取得する。

8答3 ○ 法3条1項、法35条、昭和13.10.22社庶229号、昭和26.11.28保文発5177号。設問の通り正しい。

8答4 ○ 法3条1項、昭和26.11.2保文発4602号。設問の通り正しい。

8答5 × 法3条1項。個人事業所の事業主は、使用される者に該当しないので健康保険の被保険者となることはない。

8 問6 □□□ H28-10D

国民健康保険組合の被保険者である者が、全国健康保険協会管掌健康保険の適用事業所に使用されることとなった場合であっても、健康保険法第３条第１項第８号の規定により健康保険の適用除外の申請をし、その承認を受けることにより、健康保険の適用除外者となることができる。

8 問7 □□□ H27-1A 難

適用事業所に臨時に使用され、日々雇い入れられている者が、連続して１か月間労務に服し、なお引き続き労務に服したときは一般の被保険者の資格を取得する。この場合、当該事業所の公休日は、労務に服したものとみなされず、当該期間の計算から除かれる。

8 問8 □□□ R5-7E

適用事業所に臨時に使用される者で、当初の雇用期間が２か月以内の期間を定めて使用される者であっても、就業規則や雇用契約書その他の書面において、その雇用契約が更新される旨又は更新される場合がある旨が明示されていることなどから、２か月以内の雇用契約が更新されることが見込まれる場合には、最初の雇用契約期間の開始時から被保険者となる。

8 問9 □□□ R2-3エ

所在地が一定しない事業所に使用される者で、継続して６か月を超えて使用される場合は、その使用される当初から被保険者になる。

8 問10 □□□ R2-5ウ

季節的業務に使用される者について、当初４か月以内の期間において使用される予定であったが業務の都合その他の事情により、継続して４か月を超えて使用された場合には使用された当初から一般の被保険者となる。

以下の**8 問11**、**8 問12**及び**8 問14**から**8 問17**における短時間労働者とは、１週間の所定労働時間が同一の事業所に使用される通常の労働者の１週間の所定労働時間の４分の３未満である者又は１か月間の所定労働日数が同一の事業所に使用される通常の労働者の１か月間の所定労働日数の４分の３未満である者のことをいうものとする。

8答6 ○　法３条１項８号。設問の通り正しい。厚生労働大臣、健康保険組合又は共済組合の承認を受けた者(健康保険の被保険者でないことにより国民健康保険の被保険者であるべき期間に限る。)については、健康保険の適用除外者とされる。

8答7 ×　法３条１項２号イ、昭和3.3.30保理302号。日々雇い入れられる者が、連続して１か月間労務に服し、なお引き続き労務に服したときは一般の被保険者の資格を取得するが、この場合において、当該事業所の公休日は、労務に服したものとみなして、「連続して１か月間」の期間の計算に加えるものとされている。

8答8 ○　法３条１項２号ロ、令和4.9.9保保発0909第１号。設問の通り正しい。臨時に使用される者であって、２月以内の雇用期間を定めて使用される者であり、かつ、当該期間を超えて使用されることが見込まれないものについては、当該期間を超えて引き続き使用されるに至った場合を除き、適用除外とされているが、設問の場合には、当該２月以内で定めた期間を超えて使用されることが当初から見込まれるので、この適用除外に該当しないものとして、最初の雇用期間の開始時から被保険者となる。

8答9 ×　法３条１項３号。所在地が一定しない事業所に使用される者は、使用期間にかかわらず被保険者とはならない。

8答10 ×　法３条１項４号。設問の場合、一般の被保険者とはならない。季節的業務に４か月以内の期間を限って使用される者は、一般の被保険者とはならず、継続して４か月を超えて使用されることになっても、一般の被保険者とはならない。なお、当初から継続して４か月を超える予定で使用される者は、初めから一般の被保険者となる。

8 問11 □□□ H29-9ウ

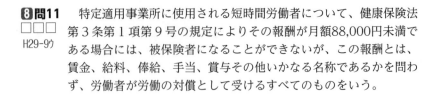

特定適用事業所に使用される短時間労働者について、健康保険法第３条第１項第９号の規定によりその報酬が月額88,000円未満である場合には、被保険者になることができないが、この報酬とは、賃金、給料、俸給、手当、賞与その他いかなる名称であるかを問わず、労働者が労働の対償として受けるすべてのものをいう。

8 問12 □□□ H30-8エ

特定適用事業所に使用される短時間労働者の被保険者資格の取得の要件の１つである、報酬の月額が88,000円以上であることの算定において、家族手当は報酬に含めず、通勤手当は報酬に含めて算定する。

8 問13 □□□ H29-9ア改

特定適用事業所とは、事業主が同一である１又は２以上の適用事業所であって、当該１又は２以上の適用事業所に使用される特定労働者の総数が常時50人を超えるものの各適用事業所のことをいう。

8 問14 □□□ H29-9オ改 難

特定適用事業所に使用される短時間労働者について、１週間の所定労働時間が20時間未満であるものの、事業主等に対する事情の聴取やタイムカード等の書類の確認を行った結果、実際の労働時間が直近２か月において週20時間以上である場合で、今後も同様の状態が続くと見込まれるときは、当該所定労働時間は週20時間以上であることとして取り扱われる。

8答11 × 法３条１項９号ロ、(24)法附則46条１項、則23条の４。設問の報酬とは、健康保険法３条５項に規定する報酬から、最低賃金法４条３項各号に掲げる賃金に相当するものとして厚生労働省令で定めるものを除いたものとされている。なお、当該厚生労働省令で定めるものは、次の通りである。
①臨時に支払われる賃金
②１月を超える期間ごとに支払われる賃金
③所定労働時間を超える時間の労働に対して支払われる賃金
④所定労働日以外の日の労働に対して支払われる賃金
⑤午後10時から午前５時まで(労働基準法37条４項の規定により厚生労働大臣が定める地域又は期間については、午後11時から午前６時まで)の間の労働に対して支払われる賃金のうち通常の労働時間の賃金の計算額を超える部分
⑥最低賃金において算入しないことを定める賃金(最低賃金法４条３項３号に掲げる賃金)

8答12 × 法３条１項９号ロ、(24)法附則46条１項、則23条の4,6号、令和4.9.28保保発0928第６号。報酬の月額が88,000円以上であることの算定において、最低賃金において算入しないことを定める賃金は報酬に含めないこととされているので、家族手当同様、通勤手当についても含めない。**8答11**参照。

8答13 ○ (24)法附則46条12項。設問の通り正しい。

8答14 ○ 法３条１項９号、(24)法附則46条１項、令和4.9.28保保発0928第６号。設問の通り正しい。設問は、４分の３基準を満たさない短時間労働者について被保険者とされる要件の１つである「１週間の所定労働時間が20時間以上であること」に関する取扱いである。

8 問15 □□□ H30-8ア 難
特定適用事業所に使用される短時間労働者の被保険者資格の取得の要件の１つである、１週間の所定労働時間が20時間以上であることの算定において、１週間の所定労働時間が短期的かつ周期的に変動し、通常の週の所定労働時間が一通りでない場合は、当該周期における１週間の所定労働時間の平均により算定された時間を１週間の所定労働時間として算定することとされている。

8 問16 □□□ H29-9イ
特定適用事業所に使用される短時間労働者の年収が130万円未満の場合、被保険者になるか、被保険者になることなく被保険者である配偶者の被扶養者になるかを選択することができる。

8 問17 □□□ H30-8イ改
短時間労働者を使用する特定適用事業所の被保険者の総数(短時間労働者を除く。)が常時50人以下になり、特定適用事業所の要件に該当しなくなった場合であっても、事業主が所定の労働組合等の同意を得て、当該短時間労働者について適用除外の規定の適用を受ける旨の申出をしないときは、当該短時間労働者の被保険者資格は喪失しない。

8 問18 □□□ R2-1D
特定適用事業所に使用される短時間労働者の被保険者資格の取得の要件である「１週間の所定労働時間が20時間以上であること」の算定において、短時間労働者の所定労働時間が１か月の単位で定められ、特定の月の所定労働時間が例外的に長く又は短く定められているときは、当該特定の月以外の通常の月の所定労働時間を12分の52で除して得た時間を１週間の所定労働時間とする。

8 問19 □□□ R3-8ア
同一の事業所に使用される通常の労働者の１日の所定労働時間が８時間であり、１週間の所定労働日数が５日、及び１か月の所定労働日数が20日である特定適用事業所において、当該事業所における短時間労働者の１日の所定労働時間が６時間であり、１週間の所定労働日数が３日、及び１か月の所定労働日数が12日の場合、当該短時間労働者の1週間の所定労働時間は18時間となり、通常の労働者の１週間の所定労働時間と１か月の所定労働日数のそれぞれ４分の３未満ではあるものの、１日の所定労働時間は４分の３以上であるため、当該短時間労働者は被保険者として取り扱わなければならない。

8答15 ○　法3条1項9号イ、(24)法附則46条1項、令和4.9.28保保発0928第6号。設問の通り正しい。

8答16 ×　法3条1項9号、(24)法附則46条1項、令和6.1.17事務連絡。年収が130万円未満であっても、被保険者としての要件を満たす場合は、被扶養者とはならず、被保険者となる。

8答17 ○　法3条1項9号、(24)法附則46条1項、2項、12項。設問の通り正しい。

8答18 ○　法3条1項9号イ、(24)法附則46条1項、令和4.9.28保保発0928第6号。設問の通り正しい。設問の短時間労働者について、所定労働時間が1か月の単位で定められている場合は、当該所定労働時間を**12分の52**で除して得た時間を1週間の所定労働時間とすることとされている。

> プラスα
> 所定労働時間が1年の単位で定められている場合は、当該所定労働時間を**52**で除して得た時間を1週間の所定労働時間とする。

8答19 ×　法3条1項9号イ、(24)法附則46条1項、令和4.9.28保保発0928第6号。設問の4分の3基準を満たさない短時間労働者が被保険者となるには、1週間の所定労働時間が20時間以上であること等一定の要件を満たさなければならないが、設問の短時間労働者の1週間の所定労働時間は18時間であるため、被保険者として取り扱われない。

8 問20 □□□ R3-4オ

短時間労働者の被保険者資格の取得基準においては、卒業を予定されている者であって適用事業所に使用されることとなっているもの、休学中の者及び定時制の課程等に在学する者その他これらに準ずる者は、学生でないこととして取り扱うこととしているが、この場合の「その他これらに準ずる者」とは、事業主との雇用関係の有無にかかわらず、事業主の命により又は事業主の承認を受け、大学院に在学する者(いわゆる社会人大学院生等)としている。

8 問21 □□□ H29-4エ改

事業主は、被保険者に係る4分の3未満短時間労働者に該当するか否かの区別の変更があったときは、当該事実のあった日から10日以内に被保険者の区別変更の届出を日本年金機構又は健康保険組合に提出しなければならない。なお、本問の4分の3未満短時間労働者とは、1週間の所定労働時間が同一の事業所に使用される通常の労働者の1週間の所定労働時間の4分の3未満である者又は1か月間の所定労働日数が同一の事業所に使用される通常の労働者の1か月間の所定労働日数の4分の3未満である者であって、健康保険法第3条第1項第9号イからハまでのいずれの要件にも該当しないものをいう。

8 問22 □□□ R元-3A

国に使用される被保険者であって、健康保険法の給付の種類及び程度以上である共済組合の組合員であるものに対しては、同法による保険給付を行わない。

8 問23 □□□ H30-10C 難

適用事業所に使用されるに至った日とは、事実上の使用関係の発生した日であるが、事業所調査の際に資格取得の届出もれが発見された場合は、調査の日を資格取得日としなければならない。

8 問24 □□□ R2-4E

新たに適用事業所に使用されることになった者が、当初から自宅待機とされた場合の被保険者資格については、雇用契約が成立しており、かつ、休業手当が支払われているときは、その休業手当の支払いの対象となった日の初日に被保険者の資格を取得するものとされる。

8答20 × 法３条１項９号ニ、令和4.9.28保保発0928第６号。設問の「その他これらに準ずる者」とは、事業主との雇用関係を存続した上で、事業主の命により又は事業主の承認を受け、大学院等に在学する者(いわゆる社会人大学院生等)としている。

8答21 × 則28条の３、則158条、則158条の3,39号。被保険者の区別変更の届出は、当該事実のあった日から「５日以内」に提出しなければならない。

8答22 ○ 法200条。設問の通り正しい。

8答23 × 法35条、昭和3.7.3保発480号、昭和5.11.6保規522号。適用事業所に使用されるに至った日とは、事実上の使用関係の発生した日であり、事業所調査の際に資格取得の届出のもれが発見された場合は、すべて事実上の使用関係の発生した日にさかのぼって資格取得させるべきものであるとされている。

8答24 ○ 法35条、昭和50.3.29保険発25号・庁保険発８号。設問の通り正しい。

8 問25 □□□ R2-5エ

実際には労務を提供せず労務の対償として報酬の支払いを受けていないにもかかわらず、偽って被保険者の資格を取得した者が、保険給付を受けたときには、その資格を取り消し、それまで受けた保険給付に要した費用を返還させることとされている。

8 問26 □□□ R元-9ウ

同一の事業所においては、雇用契約上一旦退職した者が１日の空白もなく引き続き再雇用された場合、退職金の支払いの有無又は身分関係若しくは職務内容の変更の有無にかかわらず、その者の事実上の使用関係は中断することなく存続しているものであるから、被保険者の資格も継続するものであるが、60歳以上の者であって、退職後継続して再雇用されるものについては、使用関係が一旦中断したものとみなし、当該事業所の事業主は、被保険者資格喪失届及び被保険者資格取得届を提出することができる。

8 問27 □□□ R5-5A

健康保険の被保険者が、労働協約又は就業規則により雇用関係は存続するが会社より賃金の支給を停止された場合、例えば病気休職であって実務に服する見込みがあるときは、賃金の支払停止は一時的なものであり使用関係は存続するものとみられるため、被保険者資格は喪失しない。

8 問28 □□□ R5-8C

事業所の休業にかかわらず、事業主が休業手当を健康保険の被保険者に支給する場合、当該被保険者の健康保険の被保険者資格は喪失する。

8答25 ○　法３条１項、法35条、法36条、昭和26.12.3保文発5255号。設問の通り正しい。

8答26 ○　法36条、平成25.1.25保保発0125第１号。設問の通り正しい。

Point

同一の事業所において雇用契約上いったん退職した者が１日の空白もなく引き続き再雇用された場合は、退職金の支払の有無又は身分関係若しくは職務内容の変更の有無にかかわらず、その者の事実上の使用関係は中断することなく存続しているものであるから、被保険者の資格も継続するが、60歳以上の者で、退職後継続して再雇用されるものについては、使用関係がいったん中断したものとみなし、事業主から被保険者資格喪失届及び被保険者資格取得届を提出させる取扱いとして差し支えない。

8答27 ○　法36条、昭和26.3.9保文発619号。設問の通り正しい。労働協約又は就業規則等により雇用関係は存続するが、会社から賃金の支給を停止されたような場合には、個々の具体的事情を勘案検討のうえ、実質は使用関係の消滅とみるのを相当とする場合、例えば被保険者の長期にわたる休職状態がつづき、実務に服する見込みがない場合又は公務に就任し、これに専従する場合等においては資格を喪失させることが妥当であるとされている。この趣旨から病気休職であって実務に服する見込みがあるときは、賃金の支払停止は一時的なものであり使用関係は存続するものとみられるため、被保険者資格は喪失しない。

8答28 ×　法36条、昭和25.4.14保発20号。事業所の休業にかかわらず、事業主が休業手当を被保険者に支給する場合、当該被保険者の健康保険の被保険者資格は継続させることとされている。

8 問29
□□□
H27-1B改

労働者派遣事業の事業所に雇用される登録型派遣労働者が、派遣就業に係る１つの雇用契約の終了後、１か月以内に次回の雇用契約が見込まれるため被保険者資格を喪失しなかった場合において、前回の雇用契約終了後10日目に１か月以内に次回の雇用契約が締結されないことが確実となったときは、前回の雇用契約終了後１か月を経過した日の翌日に被保険者資格を喪失する。

8 問30
□□□
R5-7D

一般労働者派遣事業の事業所に雇用される登録型派遣労働者は、派遣就業に係る１つの雇用契約の終了後、１か月以内に同一の派遣元事業主のもとでの派遣就業に係る次回の雇用契約(１か月以上のものに限る。)が確実に見込まれる場合であっても、前回の雇用契約を終了した日の翌日に被保険者資格を喪失する。

8 問31
□□□
R3-8I

労働者派遣事業の事業所に雇用される登録型派遣労働者が、派遣就業に係る１つの雇用契約の終了後、１か月以内に同一の派遣元事業主のもとにおける派遣就業に係る次回の雇用契約(１か月以上のものとする。)が確実に見込まれたため被保険者資格を喪失しなかったが、その１か月以内に次回の雇用契約が締結されなかった場合には、その雇用契約が締結されないことが確実となった日又は当該１か月を経過した日のいずれか早い日をもって使用関係が終了したものとして、事業主に資格喪失届を提出する義務が生じるものであって、派遣就業に係る雇用契約の終了時に遡って被保険者資格を喪失させる必要はない。

8答29 × 法３条１項、法36条、平成27.9.30保保発0930第９号。登録型派遣労働者について、派遣就業に係る１つの雇用契約の終了後、１か月以内に同一の派遣元事業主のもとで次回の雇用契約（１か月以上のものに限る。）が確実に見込まれるときは、使用関係が継続しているものとして取り扱い、被保険者資格は喪失させないものとして差し支えないとされているが、この場合において、１か月以内に次回の雇用契約が締結されなかった場合には、その雇用契約が締結されないことが確実となった日又は当該１か月を経過した日のいずれか早い日をもって使用関係が終了するものとされている。設問の場合には、前回の雇用契約終了後10日目に、１か月以内に次回の雇用契約が締結されないことが確実となったため、当該雇用契約終了後10日目をもって使用関係が終了したものとされ、その翌日に被保険者資格を喪失する。

8答30 × 法36条２号、平成27.9.30保保発0930第９号。設問の場合には、使用関係が継続しているものとして取り扱い、被保険者資格を喪失させないこととして差し支えないとされている。登録型派遣労働者（労働者派遣事業の事業所に雇用される派遣労働者のうち、常時雇用される労働者以外の者をいう。）については、派遣就業に係る１つの雇用契約の終了後、１か月以内に同一の派遣元事業主のもとでの派遣就業に係る次回の雇用契約（１か月以上のものに限る。）が確実に見込まれる場合には、使用関係が継続しているものとして取り扱い、被保険者資格を喪失させないこととして差し支えないこととされている。

※ 設問の「一般労働者派遣事業」は、現行法では「労働者派遣事業」となっている。

8答31 ○ 法３条１項、法36条、平成27.9.30保保発0930第９号。設問の通り正しい。**8問29**参照。

8 問32 □□□ H27-5D 難

被保険者が解雇され(労働法規又は労働協約に違反することが明らかな場合を除く。)、事業主から資格喪失届が提出された場合、労使双方の意見が対立し、当該解雇について裁判が提起されたときにおいても、裁判において解雇無効が確定するまでの間は、被保険者の資格を喪失したものとして取り扱われる。

8 問33 □□□ R2-10B 難

適用事業所が日本年金機構に被保険者資格喪失届及び被保険者報酬月額変更届を届け出る際、届出の受付年月日より60日以上遡る場合又は既に届出済である標準報酬月額を大幅に引き下げる場合は、当該事実を確認できる書類を添付しなければならない。

9 任意継続被保険者等

最新問題

9 問 1 □□□ R6-1B

任意継続被保険者は、任意継続被保険者でなくなることを希望する旨を、厚生労働省令で定めるところにより、保険者に申し出た場合において、その申し出た日の属する月の末日が到来するに至ったときは、その翌日から任意継続被保険者の資格を喪失する。

過去問

9 問 1 □□□ H28-6B

適用事業所に使用されなくなったため、被保険者(日雇特例被保険者を除く。)の資格を喪失した者であって、喪失の日の前日まで継続して２か月以上被保険者(日雇特例被保険者、任意継続被保険者、特例退職被保険者又は共済組合の組合員である被保険者を除く。)であった者は、保険者に申し出て、任意継続被保険者になることができる。ただし、船員保険の被保険者又は後期高齢者医療の被保険者等である者は任意継続被保険者となることができない。

8答32 ○　法36条２号、昭和25.10.9保発68号。設問の通り正しい。設問のように、解雇の効力について係争中の場合は、当該解雇行為が労働法規又は労働協約に違反することが明らかな場合を除き、裁判において解雇無効が確定するまでの間は、一応被保険者資格を喪失したものとして取り扱うものとされる。なお、裁判において解雇無効が確定し、その効力が発生したときは、さかのぼって、資格喪失の処理を取り消すものとされている。

8答33 ×　則26条１項、則29条１項、平成31.3.29年管管発0329第７号。設問の場合は、当該事実を確認できる書類の添付は必要ないとされている。かつては、被保険者資格喪失届及び被保険者報酬月額変更届の届出の受付年月日より60日以上遡る場合又は既に届出済である標準報酬月額を大幅に引き下げる場合は、当該事実を確認できる書類を添付しなければならなかったが、現在は、行政手続コスト削減により、添付書類は廃止されている。

9答１ ×　法38条７号。任意継続被保険者が任意継続被保険者でなくなることを保険者に申し出た場合において、その資格を喪失するのは、その「申出が受理された日」の属する月の末日が到来したときにおけるその翌日である。

9答１ ○　法３条４項、法附則３条６項。設問の通り正しい。なお、設問の申出は、原則として、被保険者の資格を喪失した日から20日以内にしなければならない。

9 問 2 □□□ R元-9ア

被保険者の１週間の所定労働時間の減少により資格喪失した者が、事業所を退職することなく引き続き労働者として就労している場合には、任意継続被保険者になることが一切できない。

9 問 3 □□□ R4-2D

任意継続被保険者となるためには、被保険者の資格喪失の日の前日まで継続して２か月以上被保険者（日雇特例被保険者、任意継続被保険者、特例退職被保険者又は共済組合の組合員である被保険者を除く。）でなければならず、任意継続被保険者に関する保険料は、任意継続被保険者となった月から算定する。

9 問 4 □□□ R2-5イ

任意継続被保険者の申出は、被保険者の資格を喪失した日から20日以内にしなければならず、保険者は、いかなる理由がある場合においても、この期間を経過した後の申出は受理することができない。

9 問 5 □□□ R3-5E

任意継続被保険者の申出をした者が、初めて納付すべき保険料をその納付期日までに納付しなかったときは、いかなる理由があろうとも、その者は、任意継続被保険者とならなかったものとみなされる。

9 問 6 □□□ H27-5E

任意継続被保険者が、保険料（初めて納付すべき保険料を除く。）を納付期日までに納付しなかったときは、納付の遅延について正当な理由があると保険者が認めた場合を除き、督促状により指定する期限の翌日にその資格を喪失する。

9 問 7 □□□ H30-10E

任意継続被保険者が75歳に達し、後期高齢者医療の被保険者になる要件を満たしたとしても、任意継続被保険者となった日から起算して２年を経過していない場合は、任意継続被保険者の資格が継続するため、後期高齢者医療の被保険者になることはできない。

9 問 8 □□□ R5-5D 難

任意継続被保険者が任意の資格喪失の申出をしたが、申出のあった日が保険料納付期日の10日より前であり、当該月の保険料をまだ納付していなかった場合、健康保険法第38条第３号の規定に基づき、当該月の保険料の納付期日の翌日から資格を喪失する。

9答2 ×　法３条４項。設問のように適用除外に該当するに至ったため一般の被保険者の資格を喪失した者であっても、所定の要件を満たし、資格喪失日から原則として20日以内に保険者に申し出た場合は、任意継続被保険者となることができる。

9答3 ○　法３条４項、法157条１項、法附則３条６項。設問の通り正しい。

9答4 ×　法37条１項。保険者は、正当な理由があると認めるときは、この期間を経過した後の申出であっても、受理することができる。

9答5 ×　法37条２項。保険料の納付の遅延について正当な理由があると保険者が認めたときは、任意継続被保険者となることができる。

9答6 ×　法38条３号。設問の場合は、「督促状により指定する期限の翌日」ではなく、「本来の納付期日（その月の10日）の翌日」に資格を喪失する。

9答7 ×　法38条６号。任意継続被保険者が75歳に達して後期高齢者医療の被保険者になる要件を満たした場合は、任意継続被保険者の資格を喪失し、後期高齢者医療の被保険者となる。

9答8 ○　法38条７号、令和3.12.27事務連絡。設問の通り正しい。**9答9**の**Point**参照。

9 問9 □□□ R元-9イ

任意継続被保険者が、健康保険の被保険者である家族の被扶養者となる要件を満たした場合、任意継続被保険者の資格喪失の申出をすることにより被扶養者になることができる。

9 問10 □□□ H27-1C 難

特例退職被保険者の資格取得の申出は、健康保険組合において正当の理由があると認めるときを除き、特例退職被保険者になろうとする者に係る年金証書等が到達した日の翌日（被用者年金給付の支給がその者の年齢を事由としてその全額について停止された者については、その停止すべき事由が消滅した日の翌日）から起算して20日以内にしなければならない。ただし、健康保険組合が新たに特定健康保険組合の認可を受けた場合は、この限りではない。

9 問11 □□□ R5-2E

特例退職被保険者が、特例退職被保険者でなくなることを希望する旨を、厚生労働省令で定めるところにより、特定健康保険組合に申し出た場合において、その申出が受理された日の属する月の末日が到来したときは、その日の翌日からその資格を喪失する。

9答9 × 法38条。任意継続被保険者は、任意継続被保険者でなくなることを希望する旨を保険者に申し出ることにより、その資格を喪失することができるが、「被扶養者となる要件を満たした場合」などといった、その申出に係る要件が定められているわけではない。

Point

任意継続被保険者は、次の(1)〜(7)のいずれかに該当するに至った日の翌日((4)〜(6)までのいずれかに該当するに至ったときは、その日)から、その資格を喪失する
(1)任意継続被保険者となった日から起算して2年を経過したとき
(2)死亡したとき
(3)保険料(初めて納付すべき保険料を除く。)を納付期日までに納付しなかったとき(納付の遅延について正当な理由があると保険者が認めたときを除く。)
(4)一般の被保険者となったとき
(5)船員保険の被保険者となったとき
(6)後期高齢者医療の被保険者等となったとき
(7)任意継続被保険者でなくなることを希望する旨を、厚生労働省令で定めるところにより、保険者に申し出た場合において、その申出が受理された日の属する月の末日が到来したとき

9答10 × 則168条4項。設問文中、「20日以内」は、正しくは「3月以内」である。

プラスα

健康保険組合が新たに特定健康保険組合の認可を受けた場合において、特例退職被保険者になろうとする者に係る年金証書等が既に到達したとき(被用者年金給付の支給がその者の年齢を事由としてその全額について停止された者については、その停止すべき事由が既に消滅したとき)は、原則として、当該認可があった日の翌日から起算して3月以内に資格取得の申出をしなければならない。

9答11 ○ 法38条7号、法附則3条6項。設問の通り正しい。

Point

特例退職被保険者は、次の(1)から(4)のいずれかに該当するに至った日の翌日〔(3)に該当するに至ったときは、その日〕から、その資格を喪失する。
(1)旧国民健康保険法に規定する退職被保険者であるべき者に該当しなくなったとき。
(2)保険料(初めて納付すべき保険料を除く。)を納付期日までに納付しなかったとき(納付の遅延について正当な理由があると特定健康保険組合が認めたときを除く。)。
(3)後期高齢者医療の被保険者等となったとき。
(4)特例退職被保険者でなくなることを希望する旨を、厚生労働省令で定めるところにより、特定健康保険組合に申し出た場合において、その申出が受理された日の属する月の末日が到来したとき。

9問12
□□□
R2-2C

特定健康保険組合とは、特例退職被保険者及びその被扶養者に係る健康保険事業の実施が将来にわたり当該健康保険組合の事業の運営に支障を及ぼさないこと等の一定の要件を満たしており、その旨を厚生労働大臣に届け出た健康保険組合をいい、特定健康保険組合となるためには、厚生労働大臣の認可を受ける必要はない。

10 被扶養者

最新問題

10問 1
□□□
R6-10B
難

独立して生計を営む子が、健康保険法の適用を受けない事業所に勤務していた間に、疾病のため失業し被保険者である父に扶養されるに至った場合、扶養の事実は保険事故発生当時の状況によって被扶養者となるかを決定すべきであるから、被扶養者となることはできない。

過去問

10問 1
□□□
H28-10A改

被保険者の直系尊属、配偶者、子、孫及び兄弟姉妹であって、日本国内に住所を有し、主としてその被保険者により生計を維持するものは被扶養者となることができるが、後期高齢者医療の被保険者である場合は被扶養者とならない。

10問 2
□□□
H29-2D改

被保険者の兄姉は、日本国内に住所を有し、主として被保険者により生計を維持している場合であっても、被保険者と同一世帯でなければ被扶養者とはならない。

10問 3
□□□
R2-3オ

被保険者(外国に赴任したことがない被保険者とする。)の被扶養者である配偶者に日本国外に居住し日本国籍を有しない父がいる場合、当該被保険者により生計を維持している事実があると認められるときは、当該父は被扶養者として認定される。

⑨答12 × 法附則３条１項、則163条。特定健康保険組合となるためには、厚生労働大臣の認可を受けなければならない。

⑩答１ × 法３条７項、昭和23.11.17保文発781号。被扶養者の認定に当たっては、保険事故発生時の状況によって被扶養者であるか否かを決するべきではなく、保険事故発生後においても、扶養の事実があれば被扶養者とすることができるとされている。

---

⑩答１ ○ 法３条７項１号。設問の通り正しい。後期高齢者医療の被保険者等その他健康保険法の適用を除外すべき特別の理由がある者として厚生労働省令で定める者は、被扶養者とならない。

⑩答２ × 法３条７項１号。被保険者の兄姉は、日本国内に住所を有し、主としてその被保険者により生計を維持している場合には、被保険者と同一世帯に属していなくても、被扶養者となることができる。

Point 被保険者の直系尊属、配偶者（届出をしていないが、事実上婚姻関係と同様の事情にある者を含む。）、子、孫及び兄弟姉妹については、同一世帯要件は問われない。

⑩答３ × 法３条７項１号、則37条の２。設問の配偶者の父は、被保険者と同一世帯に属しておらず、また、国内居住要件等も満たしていないため、被扶養者としては認められない。

⑩問 4 □□□ H30-10B改

被保険者の配偶者の63歳の母で、日本国内に住所を有するものが、遺族厚生年金を150万円受給しており、それ以外の収入が一切ない場合、被保険者がその額を超える仕送りをしていれば、被保険者と別居していたとしても被保険者の被扶養者に該当する。

⑩問 5 □□□ H29-2C改

被保険者と届出をしていないが事実上婚姻関係と同様の事情にある配偶者の兄で、被保険者とは別の世帯に属しているが、日本国内に住所を有し、被保険者により生計を維持する者は、被扶養者になることができる。

⑩問 6 □□□ R元-5B改

健康保険法の被扶養者には、被保険者の配偶者で届出をしていないが事実上婚姻関係と同様の事情にあるものの父母及び子であって、国内居住等の要件を満たし、その被保険者と同一の世帯に属し、主としてその被保険者により生計を維持するものを含む。

⑩問 7 □□□ R4-4B

被保険者の事実上の婚姻関係にある配偶者の養父母は、世帯は別にしていても主としてその被保険者によって生計が維持されていれば、被扶養者となる。

⑩問 8 □□□ H30-3E改

被保険者の配偶者で届出をしていないが事実上婚姻関係と同様の事情にあるものの父母及び子で、日本国内に住所を有するものであって、その被保険者と同一の世帯に属し、主として被保険者により生計を維持されてきたものについて、その配偶者で届出をしていないが事実上婚姻関係と同様の事情にあるものが死亡した場合、引き続きその被保険者と同一世帯に属し、主としてその被保険者によって生計を維持される当該父母及び子は被扶養者に認定される。

⑩問 9 □□□ H28-2A改

養子縁組をして養父母を被扶養者としている被保険者が、生家において実父が死亡したため日本国内に住所を有する実母を扶養することとなった。この場合、実母について被扶養者認定の申請があっても、養父母とあわせての被扶養者認定はされない。

⑩答4 ×　法３条７項２号、平成5.3.5保発15号・庁保発４号。被保険者の配偶者の母は、３親等内の親族に該当するため、被扶養者として認められるには、生計維持関係及び同一世帯要件を満たしていなければならず、被保険者と別居している場合には、被扶養者に該当しない。

⑩答5 ×　法３条７項３号。被保険者と届出をしていないが事実上婚姻関係と同様の事情にある配偶者の兄は、被扶養者になることはできない。

⑩答6 ○　法３条７項３号。設問の通り正しい。

⑩答7 ×　法３条７項３号。被保険者の事実上の婚姻関係にある配偶者の養父母に係る被扶養者の認定においては、同一世帯要件も問われることとなるので、世帯が別である場合には、被扶養者とならない。

⑩答8 ○　法３条７項３号、４号。設問の通り正しい。

⑩答9 ×　法３条７項１号。設問のような規定はない。設問の場合は、実母についても被扶養者認定はされる。

⑩問10 □□□ H27-1D改

被保険者の配偶者で届出をしていないが事実上婚姻関係と同様の事情にあるものの祖父母は、日本国内に住所を有し、その被保険者と同一の世帯に属し、主としてその被保険者により生計を維持する場合であっても、被扶養者とはならない。

⑩問11 □□□ R2-9A 難

被扶養者の認定において、被保険者が海外赴任することになり、被保険者の両親が同行する場合、「家族帯同ビザ」の確認により当該両親が被扶養者に該当するか判断することを基本とし、渡航先国で「家族帯同ビザ」の発行がない場合には、発行されたビザが就労目的でないか、渡航が海外赴任に付随するものであるかを踏まえ、個別に判断する。

⑩問12 □□□ R3-8オ

被扶養者の収入の確認に当たり、被扶養者の年間収入は、被扶養者の過去の収入、現時点の収入又は将来の収入の見込みなどから、今後１年間の収入を見込むものとされている。

⑩問13 □□□ H27-8B改

年収250万円の被保険者と同居している母で、日本国内に住所を有するもの(58歳であり障害者ではない。)は、年額100万円の遺族厚生年金を受給しながらパート労働しているが健康保険の被保険者にはなっていない。このとき、母のパート労働による給与の年間収入額が120万円であった場合、母は当該被保険者の被扶養者になることができる。

⑩答10 ○　法３条７項３号。設問の通り正しい。被保険者の配偶者で届出をしていないが事実上婚姻関係と同様の事情にあるものの「父母及び子」については、国内居住等の要件を満たし、その被保険者と同一の世帯に属し、かつ、主としてその被保険者により生計を維持している場合に、原則として被扶養者として認められるが、当該配偶者の「祖父母」については、被扶養者として認められることはない。

⑩答11 ○　法３条７項１号、則37条の2,2号、令和5.6.19保保発0619第１号。設問の通り正しい。外国に赴任する被保険者に同行する者については、日本国内に住所を有しないが、日本国内に生活の基礎があると認められる者として、国内居住要件の例外として取り扱われる。設問はその確認方法に関する問題である。

⑩答12 ○　法３条７項、平成5.3.5保発15号・庁保発４号、令和2.4.10事務連絡。設問の通り正しい。

⑩答13 ×　法３条７項１号、平成5.3.5保発15号・庁保発４号。設問の母は、当該被保険者の被扶養者になることはできない。収入がある者についての被扶養者の認定においては、その認定に係る者が被保険者と同一世帯に属している場合、原則として、年間収入が**130万円未満**（その認定に係る者が**60歳以上**又は概ね厚生年金保険法による障害厚生年金の受給要件に該当する程度の障害者である場合は**180万円未満**）であり、**かつ**、被保険者の年間収入の**２分の１未満**であるときは、生計維持要件を満たすものとされているが、設問の場合の母の年間収入は、遺族厚生年金の年額も合わせて220万円となるため、被扶養者になることはできない。

Point　年間収入には、公的年金や失業等給付による収入も含まれる。

⑩問14
□□□
R元-5C改

被扶養者としての届出に係る者(以下「認定対象者」という。)が日本国内に住所を有し、被保険者と同一世帯に属している場合、当該認定対象者の年間収入が130万円未満(認定対象者が60歳以上の者である場合又は概ね厚生年金保険法による障害厚生年金の受給要件に該当する程度の障害者である場合にあっては180万円未満)であって、かつ、被保険者の年間収入を上回らない場合には、当該世帯の生計の状況を総合的に勘案して、当該被保険者がその世帯の生計維持の中心的役割を果たしていると認められるときは、被扶養者に該当する。

⑩問15
□□□
H29-6C改

共に全国健康保険協会管掌健康保険の被保険者である夫婦が共同して扶養している者に係る被扶養者の認定においては、被扶養者とすべき者の人数にかかわらず、被保険者の年間収入の多い方の被扶養者とするが、夫婦双方の年間収入の差額が年間収入の多い方の１割以内である場合は、被扶養者の地位の安定を図るため、届出により、主として生計を維持する者の被扶養者とする。

⑩問16
□□□
R5-2A
難

夫婦共同扶養の場合における被扶養者の認定について、夫婦の一方が被用者保険の被保険者で、もう一方が国民健康保険の被保険者の場合には、被用者保険の被保険者については年間収入を、国民健康保険の被保険者については直近の年間所得で見込んだ年間収入を比較し、いずれか多い方を主として生計を維持する者とする。

⑩問17
□□□
R4-4A

夫婦共同扶養の場合における被扶養者の認定については、夫婦とも被用者保険の被保険者である場合には、被扶養者とすべき者の員数にかかわらず、健康保険被扶養者(異動)届が出された日の属する年の前年分の年間収入の多い方の被扶養者とする。

⑩問18
□□□
R2-5ア

被扶養者の要件として、被保険者と同一の世帯に属する者とは、被保険者と住居及び家計を共同にする者をいい、同一の戸籍内にあることは必ずしも必要ではないが、被保険者が世帯主でなければならない。

⑩答14 ○ 法３条７項、平成5.3.5保発15号・庁保発４号。設問の通り正しい。収入がある者についての被扶養者の認定においては、認定対象者が被保険者と同一世帯に属している場合、原則として、年間収入が130万円未満(認定対象者が60歳以上又は概ね厚生年金保険法による障害厚生年金の受給要件に該当する程度の障害者である場合は180万円未満)であり、かつ、被保険者の年間収入の２分の１未満であるときは、生計維持要件を満たすものとされているが、この条件に該当しない場合であっても、その認定対象者の年間収入が130万円(180万円)未満であって、かつ、被保険者の年間収入を上回らない場合には、その世帯の生計の状況を総合的に勘案して、被保険者がその世帯の生計維持の中心的役割を果たしていると認められるときは、生計維持要件を満たすものとされる。

⑩答15 ○ 法３条７項、令和3.4.30保保発0430第２号。設問の通り正しい。

⑩答16 ○ 法３条７項、令和3.4.30保保発0430第２号・保国発0430第１号。設問の通り正しい。

⑩答17 × 法３条７項、令和3.4.30保保発0430第２号。設問の場合には、被扶養者とすべき者の員数にかかわらず、原則として、被保険者の年間収入(過去の収入、現時点の収入、将来の収入等から今後１年間の収入を見込んだものとする。)が多い方の被扶養者とすることとされている。

⑩答18 × 法３条７項、昭和27.6.23保文発3533号。被保険者が世帯主である必要もない。

⑩問19 □□□ R3-5D

指定障害者支援施設に入所する被扶養者の認定に当たっては、当該施設への入所は一時的な別居とはみなされず、その他の要件に欠けるところがなくとも、被扶養者として認定されない。現に当該施設に入所している者の被扶養者の届出があった場合についても、これに準じて取り扱う。

11 資格の得喪の確認及び届出等

最新問題

⑪問1 □□□ R6-5E

適用事業所の事業主は、厚生労働省令で定めるところにより、被保険者の資格の取得に関する事項を保険者等に届け出なければならない。この届出については、被保険者の住所等を記載した被保険者資格取得届を提出することによって行うこととされているが、当該被保険者が健康保険組合が管掌する健康保険の被保険者であって、当該健康保険組合が当該被保険者の住所に係る情報を求めないときは、被保険者の住所は記載が不要である。

過去問

⑪問1 □□□ H30-2C

任意適用事業所の適用の取消しによる被保険者の資格の喪失並びに任意継続被保険者及び特例退職被保険者の資格の喪失の要件に該当した場合は、被保険者が保険者等に資格喪失の届書を提出しなければならず、当該資格喪失の効力は、保険者等の確認によって生ずる。

⑪問2 □□□ R元-1B

保険者等は被保険者の資格の取得及び喪失の確認又は標準報酬の決定若しくは改定を行ったときは、当該被保険者に係る適用事業所の事業主にその旨を通知し、この通知を受けた事業主は速やかにこれを被保険者又は被保険者であった者に通知しなければならない。

⑩答19 × 法３条７項、平成11.3.19保険発24号・庁保険発４号。被保険者と同一の世帯に属することが被扶養者としての要件である者(従来被保険者と住居を共にしていた者に限る。)が、設問の施設に入所することとなった場合においては、病院又は診療所に入院する場合と同様に、一時的な別居であると考えられることから、なお被保険者と住居を共にしていることとして取り扱い、その他の要件に欠けるところがなければ、被扶養者の認定を取り消す必要がない。現に当該施設に入所している者(かつて、被保険者と住居を共にしていた者に限る。)の被扶養者の届出があった場合についても、これに準じて取り扱う。

⑪答１ × 法48条、則24条１項９号。設問後半部分が誤りである。被保険者資格取得届における住所の記載について、「当該被保険者が健康保険組合が管掌する健康保険の被保険者であって、当該健康保険組合が当該被保険者の住所に係る情報を求めないときは、被保険者の住所は記載が不要である。」旨の規定はない。

---

⑪答１ × 法39条１項、法附則３条６項。任意適用事業所の適用の取消しによる資格喪失並びに任意継続被保険者及び特例退職被保険者の資格喪失については、保険者等による確認は行われず、資格喪失の関係が生じるとその効力が生じる。

⑪答２ ○ 法49条１項、２項。設問の通り正しい。

⑪問３
□□□
H30-4C

全国健康保険協会管掌健康保険の任意継続被保険者の妻が被扶養者となった場合は、５日以内に、被保険者は所定の事項を記入した被扶養者届を、事業主を経由して全国健康保険協会に提出しなければならない。

⑪問４
□□□
H28-2E

一般の被保険者は、その住所を変更したときは、速やかに、変更後の住所を事業主に申し出るとともに、被保険者証を事業主に提出しなければならない。事業主は、その申出を受けたときは、遅滞なく、変更後の住所を被保険者証を添えて厚生労働大臣又は健康保険組合に届け出なければならない。

⑪問５
□□□
H29-6D

50歳である一般の被保険者は、当該被保険者又はその被扶養者が介護保険第２号被保険者に該当しなくなったときは、遅滞なく、所定の事項を記載した届書を事業主を経由して厚生労働大臣又は健康保険組合に届け出なければならないが、事業主の命により被保険者が外国に勤務することとなったため、いずれの市町村又は特別区の区域内にも住所を有しなくなったときは、当該事業主は、被保険者に代わってこの届書を厚生労働大臣又は健康保険組合に届け出ることができる。

⑪問６
□□□
R4-7A

被保険者は、被保険者又はその被扶養者が65歳に達したことにより、介護保険第２号被保険者（介護保険法第９条第２号に該当する被保険者をいう。）に該当しなくなったときは、遅滞なく、事業所整理記号及び被保険者整理番号等を記載した届書を事業主を経由して厚生労働大臣又は健康保険組合に届け出なければならない。

⑪問７
□□□
H29-2A

被保険者は、被保険者又はその被扶養者が40歳に達したことにより介護保険第２号被保険者に該当するに至ったときは、遅滞なく、所定の事項を記載した届書を事業主を経由して日本年金機構又は健康保険組合に届け出なければならない。

⑪答３　×　則38条５項。任意継続被保険者に係る設問の届出は、事業主を経由せず、任意継続被保険者本人が直接全国健康保険協会に提出しなければならない。

⑪答４　×　則28条の2,1項、則36条の２。設問の場合、被保険者は、被保険者証を事業主に提出する必要はなく、また同様に、その申出を受けた事業主は、変更後の住所を届け出る際に被保険者証を添える必要はない。

⑪答５　○　則40条１項、３項。設問の通り正しい。

⑪答６　×　則40条１項。被保険者又はその被扶養者が65歳に達したことにより介護保険第２号被保険者に該当しなくなったときは、設問の届出は必要とされない。

⑪答７　×　則41条１項、則158条の3,16号。被保険者又はその被扶養者が**40歳**に達したことにより介護保険第２号被保険者に該当するに至ったときは、設問の届出は不要である。

Point　介護保険第２号被保険者に該当しない被保険者又は被扶養者が介護保険第２号被保険者に該当するに至ったときは、遅滞なく、所定の事項を記載した届書を、事業主を経由して厚生労働大臣又は健康保険組合に届け出なければならないが、被保険者又はその被扶養者が**40歳**に達したことにより介護保険第２号被保険者に該当したときは、この限りでない。

12 被保険者証等

過去問

⑫問1 □□□ R4-2E
保険者は、被保険者(任意継続被保険者を除く。)に被保険者証を交付しようとするときは、これを事業主に送付しなければならないとされているが、保険者が支障がないと認めるときは、これを被保険者に送付することができる。

⑫問2 □□□ H27-1E
特例退職被保険者が被保険者証を紛失した場合の被保険者証の再交付申請は、一般の被保険者であったときの事業主を経由して行う。ただし、災害その他やむを得ない事情により、当該事業主を経由して行うことが困難であると保険者が認めるときは、事業主を経由することを要しない。

⑫問3 □□□ H27-5C
健康保険法施行規則においては、保険者は３年ごとに一定の期日を定め、被扶養者に係る確認をすることができることを規定している。

⑫問4 □□□ R元-8C
保険者は、毎年一定の期日を定め、被保険者証の検認又は更新をすることができるが、この検認又は更新を行った場合において、その検認又は更新を受けない被保険者証は無効である。

⑫問5 □□□ R4-1C
事業主は、被保険者が資格を喪失したときは、遅滞なく被保険者証を回収して、これを保険者に返納しなければならないが、テレワークの普及等に対応した事務手続きの簡素化を図るため、被保険者は、被保険者証を事業主を経由せずに直接保険者に返納することが可能になった。

⑫問6 □□□ H27-8D 難
資格を取得する際に厚生労働大臣から被保険者資格証明書の交付を受けた被保険者に対して被保険者証が交付されたときは、当該資格証明書はその被保険者に係る適用事業所の事業主が回収し、破棄しなければならない。

⑫答1　○　則47条1項、3項。設問の通り正しい。

⑫答2　×　則170条。特例退職被保険者の被保険者証の再交付申請は、事業主を経由して行うことはできず、直接保険者に対して行うこととなる。

⑫答3　×　則50条1項。健康保険法施行規則においては、保険者は、「3年ごとに」ではなく、「毎年」一定の期日を定め、被扶養者に係る確認をすることができると規定されている。

⑫答4　○　則50条1項、9項。設問の通り正しい。

⑫答5　×　則51条1項、4項。被保険者証を返納する場合は、事業主を経由して行わなければならず、被保険者から直接保険者に返納することはできない。

⑫答6　×　則50条の2,3項。設問の場合、被保険者資格証明書の交付を受けた被保険者が、当該証明書を事業主を経由して厚生労働大臣に返納しなければならない。

⑫問7
□□□
R3-3D

全国健康保険協会(以下本問において「協会」という。)は、全国健康保険協会管掌健康保険の被保険者に対して被保険者証の交付、返付又は再交付が行われるまでの間、必ず被保険者資格証明書を有効期限を定めて交付しなければならない。また、被保険者資格証明書の交付を受けた被保険者に対して被保険者証が交付されたときは、当該被保険者は直ちに被保険者資格証明書を協会に返納しなければならない。

⑫問8
□□□
H28-2D
難

高齢受給者証を交付された特例退職被保険者は、高齢受給者証に記載されている一部負担金の割合が変更されるとき、当該被保険者は5日以内に高齢受給者証を返納しなければならないが、そのときは事業主を通じて保険者に返納しなければならない。

13 報酬等の定義

過去問

⑬問1
□□□
H30-4B

全国健康保険協会管掌健康保険において、事業主が負担すべき出張旅費を被保険者が立て替え、その立て替えた実費を弁償する目的で被保険者に出張旅費が支給された場合、当該出張旅費は労働の対償とは認められないため、報酬には該当しないものとして取り扱われる。

⑬問2
□□□
R4-7B
難

健康保険法第3条第5項によると、健康保険法において「報酬」とは、賃金、給料、俸給、手当、賞与その他いかなる名称であるかを問わず、労働者が、労働の対償として受けるすべてのものをいう。したがって、名称は異なっても同一性質を有すると認められるものが、年間を通じ4回以上支給される場合において、当該報酬の支給が給与規定、賃金協約等によって客観的に定められており、また、当該報酬の支給が1年間以上にわたって行われている場合は、報酬に該当する。

⑫答7 × 則50条の2,1項、3項。協会が管掌する健康保険の被保険者に対する被保険者資格証明書は、厚生労働大臣(日本年金機構)が、当該被保険者を使用する事業主又は当該被保険者から求めがあった場合において、当該被保険者又はその被扶養者が療養を受ける必要があると認めたときに限り、有効期間を定めて交付するものとされている。また、被保険者資格証明書の交付を受けた被保険者に対して被保険者証が交付されたときは、当該被保険者は直ちに被保険者資格証明書を「厚生労働大臣(日本年金機構)」に返納しなければならない。

⑫答8 × 則170条。設問の場合は、「事業主を通じて」返納するのではなく、特例退職被保険者本人が直接保険者に返納しなければならない。

⑬答1 ○ 法3条5項、令和5.6.27事務連絡。設問の通り正しい。事業主が負担すべきものを被保険者が立て替え、その実費弁償を受ける場合は、労働の対償とは認められないため、報酬に該当しない。

⑬答2 ○ 法3条5項、昭和36.1.26保発5号。設問の通り正しい。

⑬問３
□□□
R元-3B

保険料徴収の対象となる賞与とは、いかなる名称であるかを問わず、労働者が、労働の対償として３か月を超える期間ごとに支給されるものをいうが、６か月ごとに支給される通勤手当は、賞与ではなく報酬とされる。

⑬問４
□□□
H28-9オ

報酬又は賞与の全部又は一部が、通貨以外のもので支払われる場合においては、その価額は、その地方の時価によって、厚生労働大臣が定めるが、健康保険組合は、規約で別段の定めをすることができる。

⑬問５
□□□
R元-8A

退職を事由に支払われる退職金であって、退職時に支払われるものは報酬又は賞与として扱うものではないが、被保険者の在職時に、退職金相当額の全部又は一部を給与や賞与に上乗せするなど前払いされる場合は、労働の対償としての性格が明確であり、被保険者の通常の生計にあてられる経常的な収入としての意義を有することから、原則として、報酬又は賞与に該当する。

14 標準報酬月額

過去問

⑭問１
□□□
H29-2B

健康保険の標準報酬月額は、第１級の58,000円から第47級の1,210,000円までの等級区分となっている。

⑭問２
□□□
H28-2C

毎年３月31日における標準報酬月額等級の最高等級に該当する被保険者数の被保険者総数に占める割合が100分の1.5を超える場合において、その状態が継続すると認められるときは、その年の９月１日から、政令で、当該最高等級の上に更に等級を加える標準報酬月額の等級区分の改定を行うことができるが、その年の３月31日において、改定後の標準報酬月額等級の最高等級に該当する被保険者数の同日における被保険者総数に占める割合が100分の１を下回ってはならない。

⑬答3　○　法３条５項、６項、昭和27.12.4保文発7241号。設問の通り正しい。６か月ごとに支給される通勤手当は、単に支払上の便宜によるものであり、支給の実態は原則として毎月の通勤に対し支給され、被保険者の通常の生計費の一部に充てられているため、３か月を超える期間ごとに支給されるものであっても、報酬の範囲に含まれる。

⑬答4　○　法46条。設問の通り正しい。

⑬答5　○　法３条５項、６項、平成15.10.1保保発1001002号・庁保険発1001001号。設問の通り正しい。

Point

退職を事由に支払われる退職金であって、退職時に支払われるもの又は事業主の都合等により退職前に一時金として支払われるものについては、報酬又は賞与には該当しないが、被保険者の在職時に、退職金相当額の全部又は一部を給与や賞与に上乗せするなど前払いされる場合は、労働の対償としての性格が明確であり、被保険者の通常の生計に充てられる経常的な収入としての意義を有することから、原則として報酬又は賞与に該当するものとして取り扱われる。

⑭答1　×　法40条１項。健康保険の標準報酬月額は、第１級の58,000円から「第50級の1,390,000円」までの等級区分となっている。

⑭答2　×　法40条２項。設問後段の「100分の１」は、正しくは「100分の0.5」である。

15 定時決定

最新問題

15 問 1 □□□ R6-6D 難

一時帰休に伴い、就労していたならば受けられるであろう報酬よりも低額な休業手当等が支払われることとなった場合の標準報酬月額の決定については、標準報酬月額の定時決定の対象月に一時帰休に伴う休業手当等が支払われた場合、その休業手当等をもって報酬月額を算定して標準報酬月額を決定する。ただし、標準報酬月額の決定の際、既に一時帰休の状況が解消している場合は、当該定時決定を行う年の９月以後において受けるべき報酬をもって報酬月額を算定し、標準報酬月額を決定する。

過去問

15 問 1 □□□ H29-9エ

特定適用事業所において被保険者である短時間労働者の標準報酬月額の定時決定は、報酬支払いの基礎となった日数が11日未満である月があるときは、その月を除いて行う。また、標準報酬月額の随時改定は、継続した３か月間において、各月とも報酬支払いの基礎となった日数が11日以上でなければ、その対象とはならない。

※　当該短時間労働者とは、１週間の所定労働時間が同一の事業所に使用される通常の労働者の１週間の所定労働時間の４分の３未満である者又は１か月間の所定労働日数が同一の事業所に使用される通常の労働者の１か月間の所定労働日数の４分の３未満である者のことをいうものとする。

15 問 2 □□□ R3-8ウ

特定適用事業所に使用される短時間労働者の被保険者の報酬支払の基礎となった日数が４月は11日、５月は15日、６月は16日であった場合、報酬支払の基礎となった日数が15日以上の月である５月及び６月の報酬月額の平均額をもとにその年の標準報酬月額の定時決定を行う。

15 問 3 □□□ R元-10E

介護休業期間中の標準報酬月額は、その休業期間中に一定の介護休業手当の支給があったとしても、休業直前の標準報酬月額の算定の基礎となった報酬に基づき算定した額とされる。

健保

⑮答1　○　法41条１項、平成15.2.25保保発0225004号・庁保険発３号。設問の通り正しい。

⑮答1　○　法41条１項カッコ書、法43条、(24)法附則46条１項、則24条の２。設問の通り正しい。

⑮答2　×　法41条１項カッコ書、(24)法附則46条１項、則24条の２。設問の被保険者に係る定時決定については、報酬支払基礎日数が11日未満の月を算定対象月から除いて報酬月額を算定するため、設問の場合は、「４月」、５月及び６月の報酬月額の平均額をもとにその年の標準報酬月額の定時決定を行う。なお、設問の短時間労働者は、４分の３基準を満たさない短時間労働者を想定しているものと思われる。

⑮答3　○　平成11.3.31保険発46号・庁保険発９号。設問の通り正しい。

⑮問4
□□□
H28-9エ改

短時間労働者の標準報酬月額の定時決定について、４月、５月及び６月における算定対象となる報酬の支払基礎日数が、各月それぞれ16日であった場合、従前の標準報酬月額で決定される。

※　当該短時間労働者は、１週間の所定労働時間及び１月間の所定労働日数が同一の事業所に使用される通常の労働者の所定労働時間及び所定労働日数の４分の３以上である者とする。

⑮問5
□□□
H27-3A
難

給与規程が７月10日に改定され、その日以降の賞与の支給回数が年間を通じて４回から３回に変更された適用事業所における被保険者については、翌年の標準報酬月額の定時決定による標準報酬月額が適用されるまでの間において支給された賞与については、標準賞与額の決定は行われない。なお、当該事業所の全ての被保険者について標準報酬月額の随時改定は行われないものとする。

⑮問6
□□□
H28-10C

標準報酬月額の定時決定等における支払基礎日数の取扱いとして、月給者で欠勤日数分に応じ給与が差し引かれる場合にあっては、その月における暦日の数から当該欠勤日数を控除した日数を支払基礎日数とする。

⑮答4 × 法41条1項、平成18.5.12庁保険発0512001号。設問の場合は、4月、5月及び6月における報酬の支払基礎日数がいずれも15日以上17日未満であるため4月、5月及び6月の3か月の報酬月額の平均額をもとに標準報酬月額を決定する。設問は、4分の3基準を満たす短時間労働者についての定時決定に関する問題である。

⑮答5 ○ 法3条5項、6項、法45条1項、平成27.9.18保保発0918第1号。設問の通り正しい。標準賞与額の算定の対象となる法第3条第6項の「賞与」に該当するか否かは、毎年7月1日現在における支給実態により決まることとされ、毎年7月1日現在における支給実態が、①給与規程、賃金協約等の諸規定によって年間を通じ4回以上の支給につき客観的に定められているとき、又は②賞与の支給が7月1日前の1年間を通じ4回以上行われているときは、当該賞与は法第3条第5項の「報酬」に該当する。設問の場合は、7月10日に給与規程が改定されており、その年の7月1日現在においては、当該賞与は年間を通じ4回支給されるものと定められているため、法第3条第6項の「賞与」には該当せず、法第3条第5項の「報酬」に該当し、翌年の標準報酬月額の定時決定(7月、8月又は9月の随時改定を含む。)による標準報酬月額が適用されるまでの間は、標準賞与額の決定は行われない。

⑮答6 × 法41条1項、平成18.5.12庁保険発0512001号。設問の場合は、「就業規則、給与規程等に基づき事業所が定めた日数」から当該欠勤日数を控除した日数を支払基礎日数とする。

Point

標準報酬月額の定時決定等における報酬支払基礎日数の取扱いとしては、①月給者については、各月の暦日数によること、②月給者で欠勤日数分に応じ給与が差し引かれる場合にあっては、就業規則、給与規程等に基づき事業所が定めた日数から当該欠勤日数を控除した日数によること、③日給者については、各月の出勤日数によること、とされている。

⑮問７ □□□ R2-9B

給与の支払方法が月給制であり、毎月20日締め、同月末日払いの事業所において、被保険者の給与の締め日が４月より20日から25日に変更された場合、締め日が変更された４月のみ給与計算期間が３月21日から４月25日までとなるため、標準報酬月額の定時決定の際には、３月21日から３月25日までの給与を除外し、締め日変更後の給与制度で計算すべき期間(３月26日から４月25日まで)で算出された報酬を４月の報酬とする。

⑮問８ □□□ H30-8オ

全国健康保険協会管掌健康保険において、短時間労働者ではない被保険者は、給与締め日の変更によって給与支給日数が減少した場合であっても、支払基礎日数が17日以上であれば、通常の定時決定の方法によって標準報酬月額を算定するものとして取り扱われる。

※　当該短時間労働者とは、１週間の所定労働時間が同一の事業所に使用される通常の労働者の１週間の所定労働時間の４分の３未満である者又は１か月間の所定労働日数が同一の事業所に使用される通常の労働者の１か月間の所定労働日数の４分の３未満である者のことをいう。

⑮問９ □□□ R4-8B

被保険者Ｂは、４月から６月の期間中、当該労働日における労働契約上の労務の提供地が自宅とされたことから、テレワーク勤務を行うこととなったが、業務命令により、週に２回事業所へ一時的に出社した。Ｂが事業所へ出社した際に支払った交通費を事業主が負担する場合、当該費用は報酬に含まれるため、標準報酬月額の定時決定の手続きにおいてこれらを含めて計算を行った。

⑮答7 ○　法41条１項、令和5.6.27事務連絡。設問の通り正しい。給与の締め日が変更になったため、支払基礎日数が暦日を超えて増加した場合は、通常受ける報酬以外の報酬を受けることとなるため、定時決定の際には、超過分の報酬を除外した上で、その他の月の報酬との平均を算出することとされている。

⑮答8 ○　法41条１項、令和5.6.27事務連絡。設問の通り正しい。なお、給与締め日の変更によって給与支給日数が減少し、支払基礎日数が17日未満となった場合には、その月を除外した上で報酬の平均を算出し、標準報酬月額を算定するものとされている。

⑮答9 ×　法41条１項、令和5.6.27事務連絡。労働契約上の労務の提供地が自宅の場合、業務命令により事務所等に一時的に出社し、その移動に係る実費を事業主が負担するときは、当該費用は原則として実費弁償と認められ「報酬」には含まれない。したがって、当該費用は標準報酬月額の定時決定の手続きにおいては、これを計算に含めない。

Point

在宅勤務・テレワークにおける交通費の取扱い

在宅勤務・テレワークを導入し、被保険者が一時的に出社する際に要する費用を事業主が負担する場合、基本的に、その日における労働契約上の労務の提供地が自宅か事業所かに応じて、それぞれ下表のように取り扱われる。

その日における労働契約上の労務の提供地	「自宅－事業所」間の移動に要する費用の取扱い
自宅	業務として一時的に出社する場合は実費弁償に当たり、「報酬等」に該当しない。
事業所	通勤手当(「報酬等」)に該当する。

⑮問10 □□□ R4-8C 難

事業所が、在宅勤務に通常必要な費用として金銭を仮払いした後に、被保険者Cが業務のために使用した通信費や電気料金を精算したものの、仮払い金額が業務に使用した部分の金額を超過していたが、当該超過部分を事業所に返還しなかった。これら超過して支払った分も含め、仮払い金は、経費であり、標準報酬月額の定時決定の手続きにおける報酬には該当しないため、定時決定の手続きの際に報酬には含めず算定した。

⑮問11 □□□ H29-10D

標準報酬月額の定時決定について、賃金計算の締切日が末日であって、その月の25日に賃金が支払われる適用事業所において、6月1日に被保険者資格を取得した者については6月25日に支給される賃金を報酬月額として定時決定が行われるが、7月1日に被保険者資格を取得した者については、その年に限り定時決定が行われない。

⑮問12 □□□ R3-10B

7月から9月までのいずれかの月から標準報酬月額が改定され、又は改定されるべき被保険者については、その年における標準報酬月額の定時決定を行わないが、7月から9月までのいずれかの月に育児休業等を終了した際の標準報酬月額の改定若しくは産前産後休業を終了した際の標準報酬月額の改定が行われた場合は、その年の標準報酬月額の定時決定を行わなければならない。

⑮問13 □□□ H27-7エ

保険者が健康保険組合であるときは、健康保険法第44条第1項の規定による保険者算定の算定方法は、規約で定めなければならない。

⑮問14 □□□ H30-3D 難

全国健康保険協会管掌健康保険の被保険者について、標準報酬月額の定時決定に際し、4月、5月、6月のいずれかの1か月において休職し、事業所から低額の休職給を受けた場合、その休職給を受けた月を除いて報酬月額を算定する。

⑮答10 ×　法41条１項、令和5.6.27事務連絡。設問の仮払い金額のうち、被保険者Ｃが業務のために使用した通信費や電気料金の部分については、実費弁償に当たり「報酬」に含まれないため、定時決定の手続きにおいて計算に含める必要はないが、仮払い金額のうち使用しなかった金額については、事業所に返還する必要がないものであれば、「報酬」に含まれる。その場合、当該金額については、定時決定の手続きにおいて報酬に含めて計算しなければならない。

⑮答11 ×　法41条３項。**6月１日から７月１日**までの間に被保険者の資格を取得した者については、その年の定時決定は行われない。

⑮答12 ×　法41条３項。７月から９月までのいずれかの月に育児休業等を終了した際の標準報酬月額の改定若しくは産前産後休業を終了した際の標準報酬月額の改定が行われた場合についても、その年の標準報酬月額の定時決定は行わない。

⑮答13 ○　法44条２項。設問の通り正しい。

⑮答14 ○　法41条１項、法44条１項、昭和37.6.28保険発71号。設問の通り正しい。なお、当該３か月間のいずれの月も低額の休職給を受けた場合は、引き続き従前の報酬月額を用いる。

⑮問15 □□□ H27-8E 難

標準報酬月額の定時決定に際し、当年の4月、5月、6月の3か月間に受けた報酬の額に基づいて算出した標準報酬月額と、前年の7月から当年の6月までの間に受けた報酬の額に基づいて算出した標準報酬月額の間に2等級以上の差が生じ、この差が業務の性質上例年発生することが見込まれるため保険者算定に該当する場合の手続きはその被保険者が保険者算定の要件に該当すると考えられる理由を記載した申立書にその申立に関する被保険者の同意書を添付して提出する必要がある。

⑮問16 □□□ R元-9オ 難

4月、5月、6月における定時決定の対象月に一時帰休が実施されていた場合、7月1日の時点で一時帰休の状況が解消していれば、休業手当等を除いて標準報酬月額の定時決定を行う。例えば、4月及び5月は通常の給与の支払いを受けて6月のみ一時帰休による休業手当等が支払われ、7月1日の時点で一時帰休の状況が解消していた場合には、6月分を除いて4月及び5月の報酬月額を平均して標準報酬月額の定時決定を行う。

⑮問17 □□□ R3-5C

毎年7月1日現に使用する被保険者の標準報酬月額の定時決定の届出は、同月末日までに、健康保険被保険者報酬月額算定基礎届を日本年金機構又は健康保険組合に提出することによって行う。

⑮問18 □□□ R2-8A

健康保険被保険者報酬月額算定基礎届の届出は、事業年度開始の時における資本金の額が1億円を超える法人の事業所の事業主にあっては、電子情報処理組織を使用して行うものとする。ただし、電気通信回線の故障、災害その他の理由により電子情報処理組織を使用することが困難であると認められる場合で、かつ、電子情報処理組織を使用しないで当該届出を行うことができると認められる場合は、この限りでない。

⑮答15 ○ 法44条１項、平成30.3.1保発0301第８号。設問の通り正しい。当年の４月、５月及び６月の３か月間に受けた報酬の月平均額から算出した標準報酬月額と、前年の７月から当年の６月までの間に受けた報酬の月平均額(報酬の支払の基礎となった日数が17日未満である月があるときは、その月は除く。)から算出した標準報酬月額の間に２等級以上の差を生じた場合であって、この差が業務の性質上例年発生することが見込まれる場合については、保険者算定の対象とされる。この場合の保険者算定を申し立てるに当たっては、事業主は、日本年金機構(事業所が健康保険組合の設立事業所である場合には当該健康保険組合)に対して、その被保険者が保険者算定の要件に該当すると考えられる理由を記載した申立書を提出することとされている。

⑮答16 ○ 法41条１項、令和5.6.27事務連絡。設問の通り正しい。７月１日の時点で一時帰休の状況が解消している場合の定時決定においては、９月以降に受けるべき報酬月額により標準報酬月額を決定することとされているため、設問の場合は、４月及び５月の報酬月額の平均額を「９月以降に受けるべき報酬月額」として定時決定を行う。

⑮答17 × 則25条１項。設問中の「同月末日」は、正しくは、「同月10日」である。

⑮答18 ○ 則25条３項。設問の通り正しい。

16 資格取得時決定

過去問

⑯問1
□□□
H27-8C

月、週その他一定期間によって報酬が定められている被保険者に係る資格取得時の標準報酬月額は、被保険者の資格を取得した日現在の報酬の額をその期間における所定労働日数で除して得た額の30倍に相当する額を報酬月額として決定される。

⑯問2
□□□
R4-2B

適用事業所に新たに使用されることになったが、使用されるに至った日から自宅待機とされた場合は、雇用契約が成立しており、かつ、休業手当が支払われるときには、その休業手当の支払いの対象となった日の初日に被保険者の資格を取得する。また、当該資格取得時における標準報酬月額の決定については、現に支払われる休業手当等に基づき決定し、その後、自宅待機が解消したときは、標準報酬月額の随時改定の対象とする。

⑯問3
□□□
R2-9D
難

全国健康保険協会管掌健康保険の被保険者資格を取得した際の標準報酬月額の決定について、固定的賃金の算定誤りがあった場合には訂正することはできるが、残業代のような非固定的賃金について、その見込みが当初の算定額より増減した場合には訂正することができないとされている。

⑯問4
□□□
R元-2A

被保険者の資格を取得した際に決定された標準報酬月額は、その年の６月１日から12月31日までの間に被保険者の資格を取得した者については、翌年の９月までの各月の標準報酬月額とする。

17 随時改定

⑰問1
□□□
R3-10A
難

賃金が時間給で支給されている被保険者について、時間給の単価に変動はないが、労働契約上の１日の所定労働時間が８時間から６時間に変更になった場合、標準報酬月額の随時改定の要件の１つである固定的賃金の変動に該当する。

⑯答1 × 法42条１項１号。設問の場合の標準報酬月額は、被保険者の資格を取得した日現在の報酬の額をその期間における「**総日数**」で除して得た額の30倍に相当する額を報酬月額として決定される。

⑯答2 ○ 法35条、昭和50.3.29保険発25号・庁保険発８号、平成15.2.25保保発0225004号・庁保険発３号。設問の通り正しい。

⑯答3 ○ 法42条１項、令和5.6.27事務連絡。設問の通り正しい。

⑯答4 × 法42条２項。「翌年の９月まで」ではなく、「翌年の８月まで」である。なお、その年の１月１日から５月31日までの間に被保険者の資格を取得した者について、被保険者の資格を取得した際に決定された標準報酬月額は、その年の８月までの各月の標準報酬月額とする。

⑰答1 ○ 法43条１項、令和5.6.27事務連絡。設問の通り正しい。

⑰問2
□□□
H28-5E

被保険者が産前産後休業をする期間について、基本給は休業前と同様に支給するが、通勤の実績がないことにより、通勤手当が支給されない場合、その事業所の通勤手当の制度自体が廃止されたわけではないことから、賃金体系の変更にはあたらず、標準報酬月額の随時改定の対象とはならない。

⑰問3
□□□
H29-10E
難

全国健康保険協会管掌健康保険の被保険者が、報酬の一部を現物給与として受け取っている場合において、当該現物給与の標準価額が厚生労働大臣告示により改正されたときは、標準報酬月額の随時改定を行う要件である固定的賃金の変動に該当するものとして取り扱われる。

⑰問4
□□□
H30-9B
難

全国健康保険協会管掌健康保険において、給与計算期間の途中で昇給した場合、昇給した給与が実績として１か月分確保された月を固定的賃金の変動が報酬に反映された月として扱い、それ以後３か月間に受けた報酬を計算の基礎として随時改定に該当するか否かを判断するものとされている。

⑰問5
□□□
R2-9C
難

育児休業取得中の被保険者について、給与の支払いが一切ない育児休業取得中の期間において昇給があり、固定的賃金に変動があった場合、実際に報酬の支払いがないため、育児休業取得中や育児休業を終了した際に当該固定的賃金の変動を契機とした標準報酬月額の随時改定が行われることはない。

⑰問6
□□□
R4-7D
難

自動車通勤者に対してガソリン単価を設定して通勤手当を算定している事業所において、ガソリン単価の見直しが月単位で行われ、その結果、毎月ガソリン単価を変更し通勤手当を支給している場合、固定的賃金の変動には該当せず、標準報酬月額の随時改定の対象とならない。

⑰問7
□□□
R5-2C

Ｘ事業所では、新たに在宅勤務手当を設けることとしたが、当該手当は実費弁償分であることが明確にされている部分とそれ以外の部分があるものとなった。この場合には、当該実費弁償分については「報酬等」に含める必要はなく、それ以外の部分は「報酬等」に含まれる。また、当該手当について、月々の実費弁償分の算定に伴い実費弁償分以外の部分の金額に変動があったとしても、固定的賃金の変動に該当しないことから、随時改定の対象にはならない。

⑰答2　○　法43条1項、令和5.6.27事務連絡。設問の通り正しい。

⑰答3　○　法43条、法46条、令和5.6.27事務連絡。設問の通り正しい。なお、現物給与の価額に関して規約で別段の定めをしている健康保険組合が管掌する被保険者については、当該規約の定めによる価額の変更がなければ、随時改定の対象にはならない。

⑰答4　○　法43条1項、令和5.6.27事務連絡。設問の通り正しい。給与計算期間の途中で降給した場合も同様である。

⑰答5　×　法43条1項、令和5.6.27事務連絡。設問の場合、実際に変動後の報酬を受けた月を起算月として随時改定が行われる。

⑰答6　×　法43条1項、令和5.6.27事務連絡。設問のようにガソリン単価の変動が月ごとに生じる場合でも、固定的賃金の変動として取り扱うことになり、標準報酬月額の随時改定の対象となりうる。

⑰答7　○　法3条5項、令和5.6.27事務連絡。設問の通り正しい。

⑰問8
□□□
R4-8A

被保険者Aは、労働基準法第91条の規定により減給の制裁が6か月にわたり行われることになった。そのため、減給の制裁が行われた月から継続した3か月間(各月とも、報酬支払基礎日数が17日以上あるものとする。)に受けた報酬の総額を3で除して得た額が、その者の標準報酬月額の基礎となった従前の報酬月額に比べて2等級以上の差が生じたため、標準報酬月額の随時改定の手続きを行った。なお、減給の制裁が行われた月以降、他に報酬の変動がなかったものとする。

⑰問9
□□□
R4-8D

X事業所では、働き方改革の一環として、超過勤務を禁止することにしたため、X事業所の給与規定で定められていた超過勤務手当を廃止することにした。これにより、当該事業所に勤務する被保険者Dは、超過勤務手当の支給が廃止された月から継続した3か月間に受けた報酬の総額を3で除した額が、その者の標準報酬月額の基礎となった従前の報酬月額に比べて2等級以上の差が生じた。超過勤務手当の廃止をした月から継続する3か月間の報酬支払基礎日数はすべて17日以上であったが、超過勤務手当は非固定的賃金であるため、当該事業所は標準報酬月額の随時改定の手続きは行わなかった。なお、超過勤務手当の支給が廃止された月以降、他に報酬の変動がなかったものとする。

⑰問10
□□□
R4-8E

Y事業所では、給与規定の見直しを行うに当たり、同時に複数の変動的な手当の新設及び廃止が発生した。その結果、被保険者Eは当該変動的な手当の新設及び廃止が発生した月から継続した3か月間(各月とも、報酬支払基礎日数は17日以上あるものとする。)に受けた報酬の総額を3で除して得た額が、その者の標準報酬月額の基礎となった従前の報酬月額に比べて2等級以上の差が生じたため、標準報酬月額の随時改定の手続きを行った。なお、当該変動的な手当の新設及び廃止が発生した月以降、他に報酬の変動がなかったものとする。

⑰問11
□□□
H30-2D

標準報酬月額が1,330,000円(標準報酬月額等級第49級)である被保険者が、現に使用されている事業所において、固定的賃金の変動により変動月以降継続した3か月間(各月とも、報酬支払の基礎となった日数が、17日以上であるものとする。)に受けた報酬の総額を3で除して得た額が1,415,000円となった場合、随時改定の要件に該当する。

⑰答 8 × 法43条１項、令和5.6.27事務連絡。減給の制裁は、固定的賃金の変動に当たらないため、減給の制裁が行われた結果、２等級以上の差が生じた場合であっても、随時改定の対象とならない。

⑰答 9 × 法43条１項、令和5.6.27事務連絡。超過勤務手当等の非固定的手当が廃止された場合は、賃金体系の変更に当たるため、２等級以上の差が生じたときは、随時改定の対象となる。

⑰答10 ○ 法43条１項、令和5.6.27事務連絡。設問の通り正しい。非固定的手当の新設・廃止は、賃金体系の変更に当たるため、設問の変動的な手当の新設・廃止により２等級以上の差が生じたときは、随時改定の対象となる。

⑰答11 ○ 法43条１項、平成30.3.1保発0301第８号。設問の通り正しい。

⑰問12 □□□ R3-1A 難

一時帰休に伴い、就労していたならば受けられるであろう報酬よりも低額な休業手当が支払われることとなり、その状態が継続して３か月を超える場合には、固定的賃金の変動とみなされ、標準報酬月額の随時改定の対象となる。

⑰問13 □□□ R3-1B 難

賃金が月末締め月末払いの事業所において、２月19日から一時帰休で低額な休業手当等の支払いが行われ、５月１日に一時帰休の状況が解消した場合には、２月、３月、４月の報酬を平均して２等級以上の差が生じていれば、５月以降の標準報酬月額から随時改定を行う。

⑰問14 □□□ R元-9エ

３か月間の報酬の平均から算出した標準報酬月額(通常の随時改定の計算方法により算出した標準報酬月額。「標準報酬月額Ａ」という。)と、昇給月又は降給月以後の継続した３か月の間に受けた固定的賃金の月平均額に昇給月又は降給月前の継続した12か月及び昇給月又は降給月以後の継続した３か月の間に受けた非固定的賃金の月平均額を加えた額から算出した標準報酬月額(以下「標準報酬月額Ｂ」という。)との間に２等級以上の差があり、当該差が業務の性質上例年発生することが見込まれる場合であって、現在の標準報酬月額と標準報酬月額Ｂとの間に１等級以上の差がある場合は保険者算定の対象となる。

⑰問15 □□□ R元-10A 難

さかのぼって降給が発生した場合、その変動が反映された月(差額調整が行われた月)を起算月として、それ以後継続した３か月間(いずれの月も支払基礎日数が17日以上であるものとする。)に受けた報酬を基礎として、保険者算定による随時改定を行うこととなるが、超過支給分の報酬がその後の報酬から差額調整された場合、調整対象となった月の報酬は、本来受けるべき報酬よりも低額となるため、調整対象となった月に控除された降給差額分を含まず、差額調整前の報酬額で随時改定を行う。

⑰答12 ○　法43条１項、平成15.2.25保保発0225004号・庁保険発３号。設問の通り正しい。

⑰答13 ×　法43条１項、令和5.6.27事務連絡。一時帰休に伴う随時改定は、低額な休業手当等の支払いが継続して３か月を超える場合に行うこととなるが、当該３か月は暦日ではなく、月単位で計算する。したがって、２月19日を一時帰休の開始日とした場合、５月１日をもって「３か月を超える場合」に該当し、２月、３月、４月の報酬を平均して２等級以上の差が生じていれば、５月以降の標準報酬月額から随時改定を行う。ただし、設問のように、５月１日時点で一時帰休の状況が解消している場合には、３か月を超えていないため、随時改定は行わない。

⑰答14 ×　法43条１項、平成30.3.1保保発0301第２号。設問中「継続した12か月」は、正しくは、「継続した９か月」である。

プラスα

「業務の性質上例年発生することが見込まれる」とは、業種や職種の特性上、基本的に特定の３か月が繁忙期に当たるため、当該期間中の残業手当等が、他の期間と比べて多く支給されることなどを理由として、例年季節的な報酬変動の起こることが想定されることをいう。

⑰答15 ○　法43条１項、令和5.6.27事務連絡。設問の通り正しい。

⑰問16
□□□
R3-1C

その年の１月から６月までのいずれかの月に随時改定された標準報酬月額は、再度随時改定、育児休業等を終了した際の標準報酬月額の改定又は産前産後休業を終了した際の標準報酬月額の改定を受けない限り、その年の８月までの標準報酬月額となり、７月から12月までのいずれかの月に改定された標準報酬月額は、再度随時改定、育児休業等を終了した際の標準報酬月額の改定又は産前産後休業を終了した際の標準報酬月額の改定を受けない限り、翌年の８月までの標準報酬月額となる。

18 育児休業等終了時改定

過去問

⑱問１
□□□
R4-1E

育児休業等を終了した際の標準報酬月額の改定の要件に該当する被保険者の報酬月額に関する届出は、当該育児休業等を終了した日から５日以内に、当該被保険者が所属する適用事業所の事業主を経由して、所定の事項を記載した届書を日本年金機構又は健康保険組合に提出することによって行う。

19 産前産後休業終了時改定

⑲問１
□□□
H28-10E

産前産後休業を終了した際の改定は、固定的賃金に変動がなく残業手当の減少によって報酬月額が変動した場合も、その対象となる。

⑲問２
□□□
R5-3ア

産前産後休業終了時改定の規定によって改定された標準報酬月額は、産前産後休業終了日の翌日から起算して２か月を経過した日の属する月の翌月からその年の８月までの各月の標準報酬月額とされる。当該翌月が７月から12月までのいずれかの月である場合は、翌年８月までの各月の標準報酬月額とする。なお、当該期間中に、随時改定、育児休業等を終了した際の標準報酬月額の改定又は産前産後休業を終了した際の標準報酬月額の改定を受けないものとする。

⑰答16 ○ 法43条２項。設問の通り正しい。

⑱答１ × 法43条の2,1項、則26条の２。設問の届出は、「速やかに」、当該被保険者が所属する適用事業所の事業主を経由して、所定の事項を記載した届書を日本年金機構又は健康保険組合に提出することによって行う。

⑲答１ ○ 法43条の3,1項。設問の通り正しい。随時改定は、固定的賃金に変動がなければ他の賃金に変動があっても行われないが、産前産後休業を終了した際の改定は、固定的賃金の変動を伴う必要はなく、非固定的賃金の変動であっても行われる。

⑲答２ ○ 法43条の3,2項。設問の通り正しい。設問は、産前産後休業終了時改定の規定によって改定された標準報酬月額の有効期間の原則に関するものである。

20 任意継続被保険者等の標準報酬月額

最新問題

20問1
□□□
R6-1E

健康保険組合において、任意継続被保険者が被保険者の資格を喪失したときの標準報酬月額が、当該被保険者の属する健康保険組合の全被保険者における前年度の９月30日の標準報酬月額を平均した額を標準報酬月額の基礎となる報酬月額とみなしたときの標準報酬月額を超える場合は、規約で定めるところにより、資格喪失時の標準報酬月額をその者の標準報酬月額とすることができる。

20問2
□□□
R6-3エ

特例退職被保険者の標準報酬月額については、健康保険法第41条から同法第44条までの規定にかかわらず、当該特定健康保険組合が管掌する前年(１月から３月までの標準報酬月額については、前々年)の９月30日における特例退職被保険者を含む全被保険者の同月の標準報酬月額を平均した額の範囲内においてその規約で定めた額を標準報酬月額の基礎となる報酬月額とみなしたときの標準報酬月額となる。

過去問

20問1
□□□
H29-10B

任意継続被保険者の標準報酬月額は、原則として当該任意継続被保険者が被保険者の資格を喪失したときの標準報酬月額、又は前年(１月から３月までの標準報酬月額については、前々年)の９月30日における当該任意継続被保険者の属する保険者が管掌する全被保険者の標準報酬月額を平均した額を標準報酬月額の基礎となる報酬月額とみなしたときの標準報酬月額のいずれか少ない額とされるが、その保険者が健康保険組合の場合、当該平均した額の範囲内においてその規約で定めた額があるときは、当該任意継続被保険者が被保険者の資格を喪失したときの標準報酬月額又は当該規約で定めた額を標準報酬月額の基礎となる報酬月額とみなしたときの標準報酬月額のいずれか少ない額とすることができる。

⑳答１　○　法47条２項。設問の通り正しい。設問は、健康保険組合における任意継続被保険者の標準報酬月額の特例に関する問題である。

Point

任意継続被保険者の標準報酬月額は、①任意継続被保険者が一般の被保険者の資格を喪失した時の標準報酬月額と、②当該被保険者の属する保険者の全被保険者における前年度の９月30日の標準報酬月額を平均した額を標準報酬月額の基礎となる報酬月額とみなした時の標準報酬月額のいずれか少ない額をもってその者の標準報酬月額とするのを原則とする。ただし、健康保険組合においては、前記①の額が②の額を超える任意継続被保険者について、規約で定めるところにより、①の額をもってその者の標準報酬月額とすることができる。なお、①の額については、当該健康保険組合が、②の額を超え、①の額未満の額の範囲内においてその規約で定める額があるときは、当該規約で定めた額を標準報酬月額の基礎となる報酬月額とみなした時の標準報酬月額とすることができる。

⑳答２　×　法附則３条４項。特例退職被保険者の標準報酬月額については、当該特定健康保険組合が管掌する前年（１月から３月までの標準報酬月額については、前々年）の９月30日における特例退職被保険者「以外の」全被保険者の同月の標準報酬月額を平均した額の範囲内においてその規約で定めた額を標準報酬月額の基礎となる報酬月額とみなしたときの標準報酬月額とする。

---

⑳答１　○　法47条１項。設問の通り正しい。最新問題 ⑳答１の Point 参照。

21 標準賞与額

過去問

21問1 □□□ H27-9B

全国健康保険協会管掌健康保険の適用事業所であるA社で、3月に200万円、6月に280万円の賞与が支給され、それぞれ標準賞与額が200万円及び280万円に決定された被保険者が、A社を同年8月31日付で退職し、その翌日に資格喪失した。その後、同年9月11日に健康保険組合管掌健康保険の適用事業所であるB社で被保険者資格を取得し、同年12月に100万円の賞与の支給を受けた。この場合、「健康保険標準賞与額累計申出書」を当該健康保険組合に提出することにより、当該被保険者の標準賞与額は60万円と決定される。

21問2 □□□ H28-4C

保険者等は、被保険者が賞与を受けた月において、その月に当該被保険者が受けた賞与額に基づき、これに千円未満の端数を生じたときは、これを切り捨てて、その月における標準賞与額を決定する。ただし、その月に当該被保険者が受けた賞与によりその年度における標準賞与額の累計額が540万円(健康保険法第40条第2項の規定による標準報酬月額の等級区分の改定が行われたときは、政令で定める額。)を超えることとなる場合には、当該累計額が540万円となるようその月の標準賞与額を決定し、その年度においてその月の翌月以降に受ける賞与の標準賞与額は零とする。

21問3 □□□ R3-1D

前月から引き続き被保険者であり、12月10日に賞与を50万円支給された者が、同月20日に退職した場合、事業主は当該賞与に係る保険料を納付する義務はないが、標準賞与額として決定され、その年度における標準賞与額の累計額に含まれる。

21答1 × 法45条、平成18.8.18事務連絡。標準賞与額の上限は、年度（毎年４月１日から翌年３月31日までをいう。）の累計額として**573万円**であるため、設問の場合には、その年の３月に受けた賞与に係る標準賞与額は、その年の４月以降に受けた賞与に係る標準賞与額とは年度が異なり、累計されない。また、標準賞与額の累計は、保険者単位で行われるので、設問のＡ社の賞与に係る標準賞与額と、Ｂ社の賞与に係る標準賞与額は、累計されず、12月の標準賞与額は「100万円」と決定される。

21答2 × 法45条１項。設問文中「540万円」は、正しくは「573万円」である。

Point **標準賞与額は、年度（毎年４月１日から翌年３月31日）の累計額で573万円が上限とされている。**

21答3 ○ 法45条１項、法156条３項。設問の通り正しい。前月から引き続き被保険者である者がその資格を喪失した場合においては、その資格を喪失した月において支払われた賞与は、保険料賦課の対象にはならないが、標準賞与額として決定され、年度における標準賞与額の累計額に算入される。

㉑問4 □□□ R元-10D

全国健康保険協会管掌健康保険における同一の事業所において、賞与が７月150万円、12月250万円、翌年３月200万円であった場合の被保険者の標準賞与額は、７月150万円、12月250万円、３月173万円となる。一方、全国健康保険協会管掌健康保険の事業所において賞与が７月150万円であり、11月に健康保険組合管掌健康保険の事業所へ転職し、賞与が12月250万円、翌年３月200万円であった場合の被保険者の標準賞与額は、７月150万円、12月250万円、３月200万円となる。

㉑問5 □□□ R4-10D

育児休業期間中に賞与が支払われた者が、育児休業期間中につき保険料免除の取扱いが行われている場合は、当該賞与に係る保険料が徴収されることはないが、標準賞与額として決定され、その年度における標準賞与額の累計額に含めなければならない。

㉑問6 □□□ H28-10B

同時に２以上の事業所で報酬を受ける被保険者について、それぞれの事業所において同一月に賞与が支給された場合、その合算額をもって標準賞与額が決定される。

㉑問7 □□□ H30-3C

全国健康保険協会管掌健康保険の適用事業所の事業主は、被保険者に賞与を支払った場合は、支払った日から５日以内に、健康保険被保険者賞与支払届を日本年金機構に提出しなければならないとされている。

㉑答４ ○　法45条１項、平成18.8.18事務連絡。設問の通り正しい。なお、設問文後半(「一方」以降の部分)については、11月に転職し、全国健康保険協会管掌健康保険から健康保険組合管掌健康保険に異動しているため、その前後の標準賞与の額は累計されない。したがって、設問にある通り、全国健康保険協会管掌健康保険における標準賞与額は７月分について150万円として決定され、健康保険組合管掌健康保険における標準賞与額は、12月の250万円及び翌年３月の200万円を累計した450万円が上限額である573万円に満たないため、それぞれ250万円及び200万円として決定される。

Point 標準賞与額の累計は、保険者単位で行われる。

㉑答５ ○　法45条１項、法159条１項、平成19.1.31事務連絡。設問の通り正しい。賞与に関する保険料が保険料免除の規定によって徴収されない場合であっても、当該賞与に係る標準賞与額は、標準賞与額の累計(上限573万円)の対象となる。

㉑答６ ○　法45条２項。設問の通り正しい。

㉑答７ ○　則27条１項。設問の通り正しい。なお、特定法人の事業所の事業主にあっては、賞与を支払った場合の届出は、原則として、電子情報処理組織を使用して行うものとされている。

22 国庫負担等

最新問題

22問1 □□□ R6-2C

国庫は、毎年度、予算の範囲内において健康保険事業の事務の執行に要する費用を負担することになっており、健康保険組合に対して交付する国庫負担金は、各健康保険組合における被保険者数を基準として、厚生労働大臣が算定する。また、その国庫負担金は概算払いをすることができる。

過去問

22問1 □□□ H29-4ウ

健康保険事業の事務の執行に要する費用について、国庫は、全国健康保険協会に対して毎年度、予算の範囲内において負担しているが、健康保険組合に対しては負担を行っていない。

22問2 □□□ R3-2C

全国健康保険協会管掌健康保険の事業の執行に要する費用のうち、出産育児一時金、家族出産育児一時金、埋葬料(埋葬費)及び家族埋葬料の支給に要する費用については、国庫補助は行われない。

22問3 □□□ H30-4D

国庫は、予算の範囲内において、健康保険事業の執行に要する費用のうち、高齢者医療確保法の規定による特定健康診査及び特定保健指導の実施に要する費用の全部を補助することができる。

23 保険料

過去問

23問1 □□□ R2-4A

厚生労働大臣が健康保険料を徴収する場合において、適用事業所の事業主から健康保険料、厚生年金保険料及び子ども・子育て拠出金の一部の納付があったときは、当該事業主が納付すべき健康保険料、厚生年金保険料及び子ども・子育て拠出金の額を基準として按分した額に相当する健康保険料の額が納付されたものとされる。

22答1 ○　法151条、法152条。設問の通り正しい。

22答1 ×　法151条。健康保険組合に対しても、健康保険事業の事務の執行に要する費用について国庫負担が行われる。

22答2 ○　法153条。設問の通り正しい。

22答3 ×　法154条の２。国庫は、予算の範囲内において、健康保険事業の執行に要する費用のうち、高齢者医療確保法の規定による特定健康診査及び特定保健指導の実施に要する費用の「全部」ではなく、「一部」を補助することができる。

23答1 ○　法159条の２。設問の通り正しい。

㉓問 2 □□□ R元-6D

厚生労働大臣は、全国健康保険協会と協議を行い、効果的な保険料の徴収を行うために必要があると認めるときは、全国健康保険協会に保険料の滞納者に関する情報その他必要な情報を提供するとともに、当該滞納者に係る保険料の徴収を行わせることができる。

㉓問 3 □□□ R元-4オ 難

政令で定める要件に該当するものとして厚生労働大臣の承認を受けた健康保険組合は、介護保険第２号被保険者である被保険者に関する保険料額を、一般保険料額と特別介護保険料額との合算額とすることができる。

㉓問 4 □□□ H29-10C

前月から引き続き被保険者であり、７月10日に賞与を30万円支給された者が、その支給後である同月25日に退職し、同月26日に被保険者資格を喪失した。この場合、事業主は当該賞与に係る保険料を納付する義務はない。

24 保険料率

最新問題

㉔問 1 □□□ R6-3オ改

全国健康保険協会は、２年ごとに、翌事業年度以降の５年間についての全国健康保険協会が管掌する健康保険の被保険者数及び総報酬額の見通し並びに保険給付に要する費用の額、保険料の額(各事業年度において財政の均衡を保つことができる保険料率の水準を含む。)その他の健康保険事業の収支の見通しを作成し、厚生労働大臣に届け出るものとする。

過去問

㉔問 1 □□□ R4-3ウ

全国健康保険協会(以下本問において「協会」という。)が都道府県単位保険料率を変更しようとするときは、あらかじめ、協会の理事長が当該変更に係る都道府県に所在する協会支部の支部長の意見を聴いたうえで、運営委員会の議を経なければならない。その議を経た後、協会の理事長は、その変更について厚生労働大臣の認可を受けなければならない。

㉓答２　○　法181条の3,1項。設問の通り正しい。なお、設問の規定により全国健康保険協会が保険料を徴収したときは、その徴収した額に相当する額については、政府から全国健康保険協会に対し、交付されたものとみなされる。

㉓答３　○　法附則８条１項。設問の通り正しい。原則の介護保険料額は、標準報酬月額及び標準賞与額に定率の介護保険料率を乗じて算定されるが、特別介護保険料額は、所得段階別の定額の介護保険料額とされている。

㉓答４　○　法156条３項、法161条２項。設問の通り正しい。

㉔答１　×　法160条５項。設問の全国健康保険協会の健康保険事業の収支の見通しについては、全国健康保険協会に対して作成及び公表の義務について規定されているが、厚生労働大臣への届出については規定されていない。

㉔答１　○　法160条６項、８項。設問の通り正しい。

㉔問 2
□□□
R元-6A

全国健康保険協会は政府から独立した保険者であることから、厚生労働大臣は、事業の健全な運営に支障があると認める場合には、全国健康保険協会に対し、都道府県単位保険料率の変更の認可を申請すべきことを命ずることができるが、厚生労働大臣がその保険料率を変更することは一切できない。

㉔問 3
□□□
H27-7ア

健康保険組合が一般保険料率を変更しようとするときは、その変更について厚生労働大臣の認可を受けなければならず、一般保険料率と調整保険料率とを合算した率の変更が生じない一般保険料率の変更の決定についても、認可を受けることを要する。

㉔問 4
□□□
H28-2B

合併により設立された健康保険組合又は合併後存続する健康保険組合のうち一定の要件に該当する合併に係るものは、当該合併が行われた日の属する年度及びこれに続く５か年度に限り、1,000分の30から1,000分の130までの範囲内において、不均一の一般保険料率を決定することができる。

㉔問 5
□□□
H29-1B

小規模で財政の窮迫している健康保険組合が合併して設立される地域型健康保険組合は、合併前の健康保険組合の設立事業所が同一都道府県内であれば、企業、業種を超えた合併も認められている。

㉔問 6
□□□
R2-1E

地域型健康保険組合は、不均一の一般保険料率に係る厚生労働大臣の認可を受けようとするときは、合併前の健康保険組合を単位として不均一の一般保険料率を設定することとし、当該一般保険料率並びにこれを適用すべき被保険者の要件及び期間について、当該地域型健康保険組合の組合会において組合会議員の定数の３分の２以上の多数により議決しなければならない。

㉔答2　×　法160条10項、11項。厚生労働大臣は、都道府県単位保険料率が、当該都道府県における健康保険事業の収支の均衡を図る上で不適当であり、全国健康保険協会が管掌する健康保険の事業の健全な運営に支障があると認める場合には、全国健康保険協会に対し、相当の期間を定めて、当該都道府県単位保険料率の変更の認可を申請すべきことを命ずることができ、全国健康保険協会が当該期間内に申請をしないときは、社会保障審議会の議を経て、当該都道府県単位保険料率を変更することができる。

㉔答3　×　法160条13項、法附則2条8項。一般保険料率と調整保険料率とを合算した率の変更が生じない一般保険料率の変更の決定については、厚生労働大臣の認可を受けることは要せず、変更後の一般保険料率を厚生労働大臣に届け出ることで足りる。

プラスα
「調整保険料」とは、健康保険組合連合会が交付金の交付の事業を行うための拠出金の財源に充てるために徴収されるものである。

㉔答4　○　法附則3条の2,1項。設問の通り正しい。設問は、地域型健康保険組合に係る不均一の一般保険料率の決定に関するものである。

㉔答5　○　法附則3条の2,1項、平成18.9.14保保発0914010号。設問の通り正しい。

㉔答6　○　令25条の2。設問の通り正しい。

24 問 7
□□□
H29-47改

介護保険料率は、各年度において保険者が納付すべき介護納付金(日雇特例被保険者に係るものを除く。)の額を当該年度における当該保険者が管掌する介護保険第2号被保険者である被保険者の総報酬額の総額の見込額で除して得た率を基準として、保険者が定める。なお、本問において特定被保険者に関する介護保険料率の算定の特例を考慮する必要はない。

24 問 8
□□□
R4-4C

全国健康保険協会が管掌する健康保険の被保険者に係る介護保険料率は、各年度において保険者が納付すべき介護納付金(日雇特例被保険者に係るものを除く。)の額を、前年度における当該保険者が管掌する介護保険第2号被保険者である被保険者の標準報酬月額の総額及び標準賞与額の合算額で除して得た率を基準として、保険者が定める。

25 保険料の負担等

最新問題

25 問 1
□□□
R6-7A

健康保険組合は、規約で定めるところにより、事業主の負担すべき一般保険料額又は介護保険料額の負担の割合を増減することができる。

25 問 2
□□□
R6-10C

被保険者乙の配偶者が令和5年8月8日に双生児を出産したことから、被保険者乙は令和5年10月1日から令和5年12月31日まで育児休業を取得した。この場合、令和6年1月分の当該被保険者に関する保険料は徴収されない。

㉔答7 ○ 法160条16項。設問の通り正しい。

㉔答8 × 法160条16項。介護保険料率は、各年度において保険者が納付すべき介護納付金(日雇特例被保険者に係るものを除く。)の額を「当該年度」における当該保険者が管掌する介護保険第2号被保険者である被保険者の総報酬額(標準報酬月額及び標準賞与額の合計額)の総額「の見込額」で除して得た率を基準として、保険者が定める。

㉕答1 × 法162条。健康保険組合は、規約で定めるところにより、事業主の負担すべき一般保険料額又は介護保険料額の負担の割合を「増加」することができるのであり、設問のように「増減」することができるのではない。

㉕答2 × 法159条1項1号。設問の被保険者乙の育児休業は、その開始した日の属する月と終了する日の翌日が属する月が異なるので、育児休業等期間中の保険料免除の対象となる期間は、その育児休業を開始した日の属する月からその育児休業が終了する日の翌日が属する月の前月までとなる。設問の場合、令和5年12月31日に育児休業を終了しているので、その翌日が属する月の前月である令和5年12月までが、保険料免除の対象となる。したがって、令和6年1月分の当該被保険者に関する保険料は、育児休業等期間中の保険料免除の対象とならず、徴収される。過去問㉕答6のPoint参照。

過去問

㉕問1 □□□ R元-10B
被保険者の長期にわたる休職状態が続き実務に服する見込がない場合又は公務に就任しこれに専従する場合においては被保険者資格を喪失するが、被保険者の資格を喪失しない病気休職の場合は、賃金の支払停止は一時的であり、使用関係は存続しているため、事業主及び被保険者はそれぞれ賃金支給停止前の標準報酬に基づく保険料を折半負担し、事業主はその納付義務を負う。

㉕問2 □□□ R2-1B改
被保険者が同一疾病について通算して1年6か月間傷病手当金の支給を受けたが疾病が治癒せず、その療養のため労務に服することができず収入の途がない場合であっても、被保険者である間は保険料を負担する義務を負わなければならない。

㉕問3 □□□ H30-5オ
健康保険組合は、規約で定めるところにより、事業主の負担すべき一般保険料額又は介護保険料額の負担の割合を増加することができる。

㉕問4 □□□ H27-3D
被保険者が刑事施設に拘禁されたときは、原則として、疾病、負傷又は出産につき、その期間に係る保険給付は行われない。また、前月から引き続き一般の被保険者である者が刑事施設に拘禁された場合については、原則として、その翌月以後、拘禁されなくなった月までの期間、保険料は徴収されない。

㉕問5 □□□ H29-4オ
前月から引き続き任意継続被保険者である者が、刑事施設に拘禁されたときは、原則として、その月以後、拘禁されなくなった月までの期間、保険料は徴収されない。

㉕答１ ○　法36条、法161条１項、２項、昭和26.3.9保文発619号。設問の通り正しい。

㉕答２ ○　法99条４項、法161条１項、昭和2.9.2保理3240号。設問の通り正しい。

㉕答３ ○　法162条。設問の通り正しい。

㉕答４ ×　法118条１項２号、法158条。前月から引き続き一般の被保険者である者が刑事施設に拘禁された場合、保険料が免除される期間は、原則として、その月以後、拘禁されなくなった月の前月までの期間である。なお、設問前段部分については正しい。

㉕答５ ×　法158条カッコ書。任意継続被保険者が刑事施設に拘禁されている場合は、保険料免除の規定は適用されず、保険料は徴収される。

Point **任意継続被保険者及び特例退職被保険者には、保険料の免除に係る規定は適用されない。**

㉕問６ □□□ R5-9イ

被保険者乙の育児休業等開始日が令和５年１月10日で、育児休業等終了日が令和５年３月31日の場合は、令和５年１月から令和５年３月までの期間中の当該被保険者に関する保険料は徴収されない。

㉕問７ □□□ R5-9ウ

被保険者丙の育児休業等開始日が令和５年１月４日で、育児休業等終了日が令和５年１月16日の場合は、令和５年１月の当該被保険者に関する保険料は徴収されない。

㉕答6 ○　法159条1項1号。設問の通り正しい。育児休業等を開始した日の属する月とその育児休業等を終了する日の翌日が属する月とが異なる場合の育児休業等期間中の保険料の免除期間は、その育児休業等を開始した日の属する月（設問の場合、令和5年1月）から、その育児休業等が終了する日の翌日が属する月の前月（設問の場合、令和5年3月）までとされている。

Point
育児休業等をしている被保険者（産前産後休業期間中の保険料免除の適用を受けている被保険者を除く。）が使用される事業主が、保険者等に申出をしたときは、次の①、②に掲げる場合の区分に応じ、当該①、②に定める月の当該被保険者に関する保険料（その育児休業等の期間が1月以下である者については、標準報酬月額に係る保険料に限る。）は、徴収しない。

① その育児休業等を開始した日の属する月とその育児休業等が終了する日の翌日が属する月とが異なる場合
…その育児休業等を開始した日の属する月からその育児休業等が終了する日の翌日が属する月の前月までの月

② その育児休業等を開始した日の属する月とその育児休業等が終了する日の翌日が属する月とが同一であり、かつ、当該月における育児休業等の日数として厚生労働省令で定めるところにより計算した日数が14日以上である場合
…当該月

㉕答7 ×　法159条1項2号、則135条4項。育児休業等を開始した日の属する月と育児休業等を終了する日の翌日が属する月とが同一である場合は、当該月における育児休業等の日数が14日以上である場合に限り、当該月が育児休業等期間中の保険料の免除の対象となる。設問の場合、当該月における育児休業等の日数が14日に満たない〔設問の場合（育児休業等開始日が令和5年1月4日、育児休業等終了日が令和5年1月16日）の休業日数は13日となる。〕ため、当該月は育児休業等期間中の保険料の免除の対象とならない。㉕答6のPoint参照。

㉕問8
□□□
R2-10D改

育児休業等期間中の保険料の免除に係る申出をした事業主は、被保険者が育児休業等を終了する予定の日を変更したとき、又は育児休業等を終了する予定の日の前日までに育児休業等を終了したときは、速やかにこれを厚生労働大臣又は健康保険組合に届け出なければならないが、当該被保険者が育児休業等を終了する予定の日の前日までに産前産後休業期間中の保険料の免除の規定の適用を受ける産前産後休業を開始したことにより育児休業等を終了したときはこの限りでない。

㉕問9
□□□
R5-8E
難

保険料の免除期間について、育児休業等の期間と産前産後休業の期間が重複する場合は、産前産後休業期間中の保険料免除が優先されることから、育児休業等から引き続いて産前産後休業を取得した場合は、産前産後休業を開始した日の前日が育児休業等の終了日となる。この場合において、育児休業等の終了時の届出が必要である。

㉕問10
□□□
R元-8B

産前産後休業期間中における保険料の免除については、例えば、5月16日に出産(多胎妊娠を除く。)する予定の被保険者が3月25日から出産のため休業していた場合、当該保険料の免除対象は4月分からであるが、実際の出産日が5月10日であった場合は3月分から免除対象になる。

㉕問11
□□□
R5-9ア

被保険者甲の産前産後休業開始日が令和4年12月10日で、産前産後休業終了日が令和5年3月8日の場合は、令和4年12月から令和5年2月までの期間中の当該被保険者に関する保険料は徴収されない。

㉕答8 ○　法159条、則135条２項。設問の通り正しい。**㉕答6**の **Point** 参照。

㉕答9 ×　法159条１項、法159条の３、令和4.9.13保保発0913第２号。設問の場合においては、育児休業等の終了時の届出は不要である。

プラスα
「産前産後休業」とは、出産の日（出産の日が出産の予定日後であるときは、出産の予定日）以前42日（多胎妊娠の場合においては、98日）から出産の日後56日までの間において労務に服さないこと（妊娠又は出産に関する事由を理由として労務に服さない場合に限る。）をいう。

㉕答10 ○　法159条の３。設問の通り正しい。産前産後休業期間中の保険料の免除期間は、「産前産後休業を開始した日の属する月からその産前産後休業が終了する日の翌日が属する月の前月まで」であり、また、「産前産後休業」とは、出産の日（出産の日が出産の予定日後であるときは、出産の予定日）以前42日（多胎妊娠の場合においては、98日）から出産の日後56日までの間において労務に服さないこと（妊娠又は出産に関する事由を理由として労務に服さない場合に限る。）をいう。したがって、設問について、出産予定日が５月16日である場合は、出産予定日以前42日の４月５日が産前産後休業開始日となるため、４月分から保険料免除の対象となるが、出産予定日が５月16日で、実際の出産日が５月10日の場合は、実際の出産日以前42日の３月30日が産前産後休業開始日となるため、３月分から保険料免除の対象となる。

㉕答11 ○　法159条の３。設問の通り正しい。産前産後休業期間中の保険料の免除期間は、産前産後休業を開始した日の属する月（設問の場合、令和４年12月）から、その産前産後休業を終了する日の翌日が属する月の前月（設問の場合、令和５年２月）までの期間とされている。

㉕問12 □□□ H28-4B

被保険者である適用事業所の代表取締役は、産前産後休業期間中も育児休業期間中も保険料免除の対象から除外されている。

26 保険料の納付

過去問

㉖問1 □□□ H29-6B

事業主は、当該事業主が被保険者に対して支払うべき報酬額が保険料額に満たないため保険料額の一部のみを控除できた場合においては、当該控除できた額についてのみ保険者等に納付する義務を負う。

㉖問2 □□□ R2-5オ

事業主は、被保険者に支払う報酬がないため保険料を控除できない場合でも、被保険者の負担する保険料について納付する義務を負う。

㉖問3 □□□ R元-10C

給与計算の締切り日が毎月15日であって、その支払日が当該月の25日である場合、7月30日で退職し、被保険者資格を喪失した者の保険料は7月分まで生じ、8月25日支払いの給与(7月16日から7月30日までの期間に係るもの)まで保険料を控除する。

㉖問4 □□□ R3-10C

事業主は、被保険者に対して通貨をもって報酬を支払う場合においては、被保険者の負担すべき前月の標準報酬月額に係る保険料を報酬から控除することができる。ただし、被保険者がその事業所に使用されなくなった場合においては、前月及びその月の標準報酬月額に係る保険料を報酬から控除することができる。

㉕答12 × 法43条の2,1項、法43条の3,1項、法159条、法159条の３、昭和24.7.28保発74号、平成21.12.28雇児発1228第２号。設問の代表取締役は、育児休業期間中の保険料免除の対象とはならないが、産前産後休業期間中の保険料免除の対象とはなる。健康保険法における育児休業は、育児介護休業法に基づくものであり、育児介護休業法による育児休業は、労働基準法における労働者が対象となる。代表取締役は労働基準法における労働者には該当しないため、被保険者である代表取締役が育児休業を取得しても、育児介護休業法における育児休業とはならず、保険料免除の対象とはならない。一方、健康保険法における産前産後休業は、労働基準法に定める産前産後休業ではなく、健康保険法で独自に規定が設けられているため、被保険者である代表取締役が産前産後休業を取得した場合には、保険料免除の対象となる。

㉖答１ × 法161条２項、昭和2.2.14保理218号。事業主は、被保険者に支払う報酬から控除した被保険者の負担する保険料の額のいかんにかかわらず、保険料全額の納付義務がある。

㉖答２ ○ 法161条２項、昭和2.2.18保理578号、昭和4.1.18事発125号。設問の通り正しい。

㉖答３ × 法156条３項、法167条１項。前月から引き続き被保険者である者がその資格を喪失した場合においては、その月分の保険料は、算定しない。したがって、設問の場合、保険料は、資格喪失月の前月である「６月分」まで生じ、７月25日支払いの給与(６月16日から７月15日までの期間に係るもの)まで保険料を控除する。

㉖答４ ○ 法167条１項。設問の通り正しい。

㉖問5 □□□ R4-10C

４月１日にＡ社に入社し、全国健康保険協会管掌健康保険の被保険者資格を取得した被保険者Ｘが、４月15日に退職し被保険者資格を喪失した。この場合、同月得喪に該当し、Ａ社は、被保険者Ｘに支払う報酬から４月分としての一般保険料額を控除する。その後、Ｘは４月16日にＢ社に就職し、再び全国健康保険協会管掌健康保険の被保険者資格を取得し、５月以降も継続して被保険者である場合、Ｂ社は、当該被保険者Ｘに支払う報酬から４月分の一般保険料額を控除するが、この場合、Ａ社が徴収した一般保険料額は被保険者Ｘに返還されることはない。

㉖問6 □□□ R4-10B

６月25日に40歳に到達する被保険者に対し、６月10日に通貨をもって夏季賞与を支払った場合、当該標準賞与額から被保険者が負担すべき一般保険料額とともに介護保険料額を控除することができる。

㉖問7 □□□ H30-5エ

一般の被保険者に関する毎月の保険料は、翌月末日までに、納付しなければならない。任意継続被保険者に関する毎月の保険料は、その月の10日までに納付しなければならないが、初めて納付すべき保険料については、被保険者が任意継続被保険者の資格取得の申出をした日に納付しなければならない。

㉖問8 □□□ H29-2E

任意継続被保険者に関する保険料の納付期日は、初めて納付すべき保険料を除いてはその月の10日とされている。任意継続被保険者が初めて納付すべき保険料を除き、保険料を納付期日までに納めなかった場合は、納付の遅延について正当な理由があると保険者が認めたときを除き、その翌日に任意継続被保険者の資格を喪失する。

㉖答5　○　法156条3項、法167条1項、昭和19.6.6保発363号、昭和27.7.14保文発3917号。設問の通り正しい。被保険者資格の同月得喪の場合には、事業主（A社の事業主）は通貨をもって支払う報酬から、当該月（4月）の標準報酬月額に係る保険料を控除することができるが、その者がさらに同月に被保険者資格を取得し翌月以後（5月以後）も継続して被保険者である場合には、事業主（B社の事業主）は、被保険者資格取得に際して決定された標準報酬月額に係る当該月（4月）分の保険料を控除することができる（設問の場合は5月に通貨をもって支払う報酬から控除する。）。

㉖答6　○　法156条1項1号、法167条2項、介保法9条2号。設問の通り正しい。被保険者に関する保険料額は、各月につき算定されるので、40歳に到達した月に賞与が支払われた場合には、その支払日が介護保険第2号被保険者に該当するに至った日前であっても、当該標準賞与額から被保険者が負担すべき一般保険料額とともに介護保険料額を控除することができる。

㉖答7　×　法164条1項。任意継続被保険者に関する毎月の保険料のうち初めて納付すべき保険料については、「保険者が指定する日」までに納付しなければならない。

㉖答8　○　法38条3号、法164条1項。設問の通り正しい。

㉖問９ □□□ R3-7E

保険者等（被保険者が全国健康保険協会が管掌する健康保険の任意継続被保険者である場合は全国健康保険協会、被保険者が健康保険組合が管掌する健康保険の被保険者である場合は当該健康保険組合、これら以外の場合は厚生労働大臣をいう。）は、被保険者に関する保険料の納入の告知をした後に告知をした保険料額が当該納付義務者の納付すべき保険料額を超えていることを知ったとき、又は納付した被保険者に関する保険料額が当該納付義務者の納付すべき保険料額を超えていることを知ったときは、その超えている部分に関する納入の告知又は納付を、その告知又は納付の日の翌日から６か月以内の期日に納付されるべき保険料について納期を繰り上げてしたものとみなすことができる。

㉖問10 □□□ R2-7E

任意継続被保険者は、将来の一定期間の保険料を前納することができる。この場合において前納すべき額は、前納に係る期間の各月の保険料の額の合計額である。

㉖問11 □□□ R4-10A

３月31日に会社を退職し、翌日に健康保険の被保険者資格を喪失した者が、４月20日に任意継続被保険者の資格取得届を提出すると同時に、４月分から翌年３月分までの保険料をまとめて前納することを申し出た。この場合、４月分は前納保険料の対象とならないが、５月分から翌年の３月分までの保険料は、４月末日までに払い込むことで、前納に係る期間の各月の保険料の額の合計額から、その期間の各月の保険料の額を年４分の利率による複利現価法によって前納に係る期間の最初の月から当該各月までのそれぞれの期間に応じて割り引いた額の合計額（この額に１円未満の端数がある場合において、その端数金額が50銭未満であるときは、これを切り捨て、その端数金額が50銭以上であるときは、これを１円として計算する）を控除した額となる。

㉖問12 □□□ R5-3ウ

任意継続被保険者は、将来の一定期間の保険料を前納することができるが、前納された保険料については、前納に係る期間の各月の初日が到来したときに、それぞれその月の保険料が納付されたものとみなす。

㉖答９　○　法164条２項。設問の通り正しい。

㉖答10　×　法165条１項、２項、令49条。設問の場合において前納すべき額は、前納に係る期間の各月の保険料の額から、前納に係る期間の各月の保険料の額の合計額から、その期間の各月の保険料の額を年４分の利率による複利現価法によって前納に係る期間の最初の月から当該各月までのそれぞれの期間に応じて割り引いた額の合計額を控除した額を控除した額である。

㉖答11　×　法37条１項、法157条、法165条１項、２項、４項、令48条、令49条。前納する場合の保険料の額は、前納に係る期間の各月の保険料の額から「政令で定める額」を控除した額とされており、当該「政令で定める額」は、「前納に係る期間の各月の保険料の合計額から、その期間の各月の保険料の額を年４分の利率による複利現価法によって前納に係る期間の最初の月から当該各月までのそれぞれの期間に応じて割り引いた額の合計額（この額に１円未満の端数がある場合において、その端数金額が50銭未満であるときは、これを切り捨て、その端数金額が50銭以上であるときは、これを１円として計算する）を控除した額」とされていることから、本肢の「を控除した額となる」の部分は、「を控除した額を控除した額となる」とすべきであるため、本肢は誤りである。

㉖答12　○　法165条１項、３項。設問の通り正しい。健康保険の任意継続被保険者の前納保険料については、国民年金の第１号被保険者に係る前納保険料のように、前納に係る期間の各月が経過した際に、それぞれその月の保険料が納付されたものとみなされるものではないことに注意すること。

㉖問13 任意継続被保険者が保険料を前納する場合、４月から９月まで若しくは10月から翌年３月までの６か月間のみを単位として行わなければならない。
□□□
H30-6C

㉖問14 任意継続被保険者は、保険料が前納された後、前納に係る期間の経過前において任意継続被保険者に係る保険料の額の引上げが行われることとなった場合においては、当該保険料の額の引上げが行われることとなった後の期間に係る保険料に不足する額を、前納された保険料のうち当該保険料の額の引上げが行われることとなった後の期間に係るものが健康保険法施行令第50条の規定により当該期間の各月につき納付すべきこととなる保険料に順次充当されてもなお保険料に不足が生じる場合は、当該不足の生じる月の初日までに払い込まなければならない。
□□□
R元-6E
難

㉖問15 倒産、解雇などにより離職した者及び雇止めなどにより離職された者が任意継続被保険者となり、保険料を前納したが、その後に国民健康保険法施行令第29条の７の２に規定する国民健康保険料(税)の軽減制度について知った場合、当該任意継続被保険者が保険者に申し出ることにより、当該前納を初めからなかったものとすることができる。
□□□
R3-10D
難

26答13 ×　法165条１項、令48条。任意継続被保険者が保険料を前納する場合、設問の６月間の単位だけではなく、「４月から翌年３月までの12月間」を単位として行うこともできる。なお、当該６月間又は12月間の期間内において、任意継続被保険者の資格を取得した者については、資格取得月の翌月以降の期間の保険料について、任意継続被保険者の資格を喪失することが明らかな者については、資格喪失月の前月までの期間の保険料について、前納を行うことができる。

26答14 ×　則139条２項。「当該不足の生じる月の初日」ではなく、「当該不足の生じる月の10日」までに払い込まなければならない。

26答15 ○　法165条１項、平成22.3.24保保発0324第３号。設問の通り正しい。倒産、解雇などにより離職した者（雇用保険の特定受給資格者）及び雇止めなどにより離職した者（雇用保険の特定理由離職者）については、国民健康保険料（税）を軽減する制度が適用されるが、特定受給資格者等が任意継続被保険者となり、保険料を前納した後に当該国民健康保険料（税）を軽減する制度を知った場合は、当該任意継続被保険者の申出により、当該前納を初めからなかったものとすることができる。

27 調整保険料

過去問

27問1 □□□ H28-1エ

健康保険組合連合会は、全国健康保険協会の後期高齢者支援金に係る負担の不均衡を調整するために、全国健康保険協会に対する交付金の交付事業を行っている。

28 滞納に対する措置等

最新問題

28問1 □□□ R6-8A

保険料及びその他健康保険法の規定による徴収金を滞納する者に対して督促をしたときは、保険者は徴収金額に督促状の到達の翌日から徴収金完納又は財産差押えの日の前日までの期間の日数に応じて、年14.6％（当該督促が保険料に係るものであるときは、当該納期限の翌日から３か月を経過する日までの期間については、年7.3％）の割合を乗じて計算した延滞金を徴収する。

㉗答 1　×　法附則２条１項。健康保険組合連合会は、全国健康保険協会に対する交付金の交付事業は行っていない。健康保険組合連合会は、健康保険組合が管掌する健康保険の医療に関する給付、保健事業及び福祉事業の実施又は健康保険組合に係る前期高齢者納付金等、後期高齢者支援金等、日雇拠出金、介護納付金若しくは流行初期医療確保拠出金等の納付に要する費用の財源の不均衡を調整するため、会員である健康保険組合に対する交付金の交付事業を行っている。

㉘答 1　×　法181条１項。設問の延滞金は、徴収金額に、「督促状の到達」ではなく、「納期限」の翌日から徴収金完納又は財産差押えの日の前日までの期間の日数に応じて、設問の所定の割合を乗じて計算したものである。なお、設問中の「保険者」は、正しくは「保険者等」である。過去問㉘答６の Point 参照。

過去問

28 問1 □□□ R5-4D

保険料の納付義務者が、国税、地方税その他の公課の滞納により、滞納処分を受けるときは、保険者は、保険料の納期が到来したときに初めて強制的に保険料を徴収することができる。

28 問2 □□□ R5-5E

健康保険法第172条によると、保険料は、納付義務者が破産手続開始の決定を受けたときは、納期前であっても、すべて徴収することができる。

28 問3 □□□ H30-6B

工場の事業譲渡によって、被保険者を使用している事業主が変更した場合、保険料の繰上徴収が認められる事由に該当することはない。

28 問4 □□□ H27-3C 難

健康保険組合が保険料の納付義務者に対して所定の事項を記載した納入告知書で納入の告知をした後、健康保険法第172条の規定により納期日前に保険料のすべてを徴収しようとする場合、当該納期日の変更については、口頭で告知することができる。

28 問5 □□□ H30-5ウ

保険料その他健康保険法の規定による徴収金を滞納する者があるときは、原則として、保険者は期限を指定してこれを督促しなければならない。督促をしようとするときは、保険者は納付義務者に対して督促状を発する。督促状により指定する期限は、督促状を発する日から起算して14日以上を経過した日でなければならない。

28答1 × 法172条1号イ。保険料の納付義務者が、国税、地方税その他の公課の滞納により、滞納処分を受けるときは、保険料の繰上徴収の対象となっているので、保険料の納期が到来するのを待たずに強制的に保険料を徴収することができる。

Point
保険料の繰上徴収を行うことができる場合は、以下の通りである。
(1)納付義務者が、次のいずれかに該当する場合
①国税、地方税その他の公課の滞納によって、滞納処分を受けるとき。
②強制執行を受けるとき。
③破産手続開始の決定を受けたとき。
④企業担保権の実行手続の開始があったとき。
⑤競売の開始があったとき。
(2)法人である納付義務者が、解散をした場合
(3)被保険者の使用される事業所が、廃止された場合

28答2 ○ 法172条1号ハ。設問の通り正しい。28答1のPoint参照。

28答3 × 法172条3号、昭和5.11.5保理513号。被保険者の使用される事業所が廃止された場合は、保険料の繰上徴収が認められるが、工場の事業譲渡によって、被保険者を使用している事業主が変更した場合は、事業所廃止に含まれる。

28答4 × 法172条、則137条2項。納入の告知をした後、法第172条(繰上徴収)の規定により納期日前に保険料のすべてを徴収しようとする場合、健康保険組合は、納期日の変更を納付義務者に「書面」で告知しなければならず、口頭で告知することはできない。

28答5 × 法180条1項～3項。督促状により指定する期限は、督促状を発する日から起算して「14日」以上ではなく、「**10日**」以上を経過した日でなければならない。なお、設問文の「保険者」は、正確には「保険者等」である。

㉘問 6 □□□ H28-5B

適用事業所の事業主が納期限が５月31日である保険料を滞納し、指定期限を６月20日とする督促を受けたが、実際に保険料を完納したのが７月31日である場合は、原則として６月１日から７月30日までの日数によって計算された延滞金が徴収されることになる。

㉘問 7 □□□ H27-7イ

健康保険組合は、健康保険法第180条第１項の規定による督促を受けた納付義務者がその指定の期限までに保険料等を納付しないときは、厚生労働大臣の認可を受け、国税滞納処分の例によってこれを処分することができる。

㉘問 8 □□□ R元-6B

保険料の先取特権の順位は、国税及び地方税に優先する。また、保険料は、健康保険法に別段の規定があるものを除き、国税徴収の例により徴収する。

29 保険医療機関及び保険薬局等

最新問題

㉙問 1 □□□ R6-7B

健康保険組合である保険者の開設する病院若しくは診療所又は薬局は、保険医療機関としての指定を受けなくとも当該健康保険組合以外の保険者の被保険者の診療を行うことができる。

㉙問 2 □□□ R6-9ア

厚生労働大臣により保険医療機関の指定を受けた病院及び病床を有する診療所は、指定の日から起算して６年を経過したときは、その効力を失うが、その指定の効力を失う日前６か月から同日前３か月までの間に、別段の申出がないときは、保険医療機関の申請があったものとみなす。

㉘答 6 ○ 法181条１項。設問の通り正しい。

Point 延滞金は、納期限の翌日から徴収金完納又は財産差押えの日の前日までの期間の日数に応じて計算される。

㉘答 7 ○ 法180条４項１号、５項。設問の通り正しい。

㉘答 8 × 法182条、法183条。保険料の先取特権の順位は、国税及び地方税に次ぐものとされている。なお、設問後半は正しい。

㉙答 1 × 法63条３項３号、昭和32.9.2保険発123号。健康保険組合である保険者の開設する病院若しくは診療所又は薬局が、当該健康保険組合以外の保険者の診療を行うためには、保険医療機関（保険薬局）としての指定を受けなければならない。

㉙答 2 × 法68条。設問後半部分が誤りである。病院及び病床を有する診療所に係る指定については、設問にあるような保険医療機関の指定の申請のみなしに係る取扱いは規定されていない。なお、個人開業の保険医療機関（病院及び病床を有する診療所を除く。）については、指定の効力を失う日前６か月から同日前３か月までの間に、別段の申出がないときは、保険医療機関の指定の申請があったものとみなされる。

㉙問 3 □□□ R6-1D 難

保険医療機関の指定の取消処分を受けた医療機関に関して、健康保険法第65条第３項第１号において、当該医療機関がその取消しの日から５年を経過しないものであるときは、保険医療機関の指定をしないことができるとされているが、当該医療機関の機能、事案の内容等を総合的に勘案し、地域医療の確保を図るため特に必要があると認められる場合であって、診療内容又は診療報酬の請求に係る不正又は著しい不当に関わった診療科が、２年を経過した期間保険診療を行わない場合については、取消処分と同時に又は一定期間経過後に当該医療機関を保険医療機関として指定することができる。

㉙問 4 □□□ R6-9イ

厚生労働大臣による保険医療機関又は保険薬局の指定は、病院若しくは診療所又は薬局の開設者の申請により行う。当該申請に係る病院若しくは診療所又は薬局が、保険医療機関又は保険薬局の指定を取り消され、その取消しの日から５年を経過しないものであるときは、厚生労働大臣は保険医療機関又は保険薬局の指定をしないことができるが、厚生労働大臣は、指定をしないこととするときは、地方社会保険医療協議会の議を経なければならない。

㉙問 5 □□□ R6-2B 難

保険医療機関及び保険薬局は療養の給付に関し、保険医及び保険薬剤師は健康保険の診療又は調剤に関し、厚生労働大臣の指導を受けなければならない。厚生労働大臣は、この指導をする場合において、常に厚生労働大臣が指定する診療又は調剤に関する学識経験者を立ち会わせなければならない。

過去問

㉙問 1 □□□ H30-2A

保険医療機関として指定を受けた病院であっても、健康保険組合が開設した病院は、診療の対象者をその組合員である被保険者及び被扶養者のみに限定することができる。

㉙答3 × 法65条3項1号、平成10.7.27老発485号・保発101号。設問の保険医療機関の指定の取消し後5年を経過しない医療機関に係る再指定の取扱いについては、①人口5万人未満市町村(その指定の取消により当該地域が無医地区等となるものに限る。)その他地域医療の確保を図るために再指定をしないと支障が生じると認められる医療機関については指定取消し後2年未満においても再指定を認めることができるものとされており、また、②不正請求の金額又はその金額及び件数の割合が軽微であると認められる医療機関については、指定取消し後2年以上5年未満で再指定を認めることができるものとされている。

㉙答4 ○ 法65条1項、3項1号、法67条。設問の通り正しい。

㉙答5 × 法73条。厚生労働大臣は、設問の指導をする場合において、「必要があると認めるときは」、原則として、診療又は調剤に関する学識経験者を「その関係団体の指定」により、立ち会わせるものとされている。

㉙答1 × 法63条3項3号、昭和32.9.2保険発123号。保険医療機関として指定を受けた健康保険組合が開設した病院は、診療の対象者をその組合員である被保険者及び被扶養者のみに限定することはできない。

㉙問2
□□□
R3-2A

保険医療機関又は保険薬局は、健康保険法の規定によるほか、船員保険法、国民健康保険法、国家公務員共済組合法(他の法律において準用し、又は例による場合を含む。)又は地方公務員等共済組合法による療養の給付並びに被保険者及び被扶養者の療養並びに高齢者医療確保法による療養の給付、入院時食事療養費に係る療養、入院時生活療養費に係る療養及び保険外併用療養費に係る療養を担当するものとされている。

㉙問3
□□□
H29-5E

厚生労働大臣は、保険医療機関若しくは保険薬局の指定を行おうとするとき、若しくはその指定を取り消そうとするとき、又は保険医若しくは保険薬剤師の登録を取り消そうとするときは、政令で定めるところにより、地方社会保険医療協議会に諮問するものとされている。

㉙問4
□□□
H29-3E

保険医療機関又は保険薬局の指定は、病院若しくは診療所又は薬局の開設者の申請により、厚生労働大臣が行い、指定の日から起算して６年を経過したときは、その効力を失う。

㉙問5
□□□
H28-4D

保険医個人が開設する診療所は、病床の有無に関わらず、保険医療機関の指定を受けた日から、その指定の効力を失う日前６か月から同日前３か月までの間に、別段の申出がないときは、保険医療機関の指定の申出があったものとみなされる。

㉙問6
□□□
R元-7ア

厚生労働大臣は、保険医療機関又は保険薬局の指定の申請があった場合において、当該申請に係る病院若しくは診療所又は薬局の開設者又は管理者が、健康保険法その他国民の保健医療に関する法律で、政令で定めるものの規定により罰金の刑に処せられ、その執行を終わり、又は執行を受けることがなくなるまでの者であるときは、その指定をしないことができる。

㉙答２ ○ 法70条２項。設問の通り正しい。

㉙答３ ○ 法82条２項。設問の通り正しい。

Point 諮問等のまとめ

		地方社会保険医療協議会	
		諮問	議
保険医療機関等	指定	○	
	指定の拒否		○
	指定の辞退		
	指定の取消し	○	
保険医又は保険薬剤師	登録		
	登録の拒否		○
	登録の抹消		
	登録の取消し	○	

㉙答４ ○ 法63条３項１号、法65条１項、法68条１項。設問の通り正しい。

㉙答５ × 法68条２項、指定省令９条。個人開業の診療所であっても、「病床を有する診療所」については、設問の指定申請手続の簡素化の規定は適用されない。なお、当該指定申請手続の簡素化の規定が適用されるのは、個人開業の保険医療機関（病院及び病床を有する診療所を除く。）又は保険薬局である。

㉙答６ ○ 法65条３項３号。設問の通り正しい。

㉙問７ □□□ R2-8B

厚生労働大臣は、保険医療機関若しくは保険薬局又は指定訪問看護事業者の指定に関し必要があると認めるときは、当該指定に係る開設者若しくは管理者又は申請者の社会保険料の納付状況につき、当該社会保険料を徴収する者に対し、必要な書類の閲覧又は資料の提供を求めることができる。

㉙問８ □□□ R元-4イ 難

厚生労働大臣は、保険医療機関の指定をしないこととするときは、当該医療機関に対し弁明の機会を与えなければならない。

㉙問９ □□□ H29-7B

保険医療機関又は保険薬局は、14日以上の予告期間を設けて、その指定を辞退することができ、保険医又は保険薬剤師は、14日以上の予告期間を設けて、その登録の抹消を求めることができる。

30 保険医及び保険薬剤師

最新問題

㉚問１ □□□ R6-9ウ

保険医療機関において健康保険の診療に従事する医師若しくは歯科医師又は保険薬局において健康保険の調剤に従事する薬剤師は、厚生労働大臣の登録を受けた医師若しくは歯科医師又は薬剤師(以下本肢において「保険医等」という。)でなければならない。当該登録の日から起算して６年を経過したときは、その効力を失うが、その登録の効力を失う日前６か月から同日前３か月までの間に、別段の申出がないときは、保険医等の申請があったものとみなす。

㉙答7 ○ 法199条２項。設問の通り正しい。

㉙答8 ○ 法83条。設問の通り正しい。厚生労働大臣は、保険医療機関の指定をしないこととするとき、若しくはその申請に係る病床の全部若しくは一部を除いて指定(指定の変更を含む。)を行おうとするとき、若しくは保険薬局の指定をしないこととするときは、当該医療機関又は薬局の開設者に対し弁明の機会を与えなければならないとされている。なお、この場合においては、あらかじめ、書面で、弁明をすべき日時、場所及びその事由を通知しなければならない。

㉙答9 × 法79条。設問の「14日」は、正しくは「１月」である。

プラスα
保険医又は保険薬剤師についても、１月以上の予告期間を設けて、その登録の抹消を求めることができる。

㉚答1 × 法64条。設問後半部分が誤りである。保険医等の登録については、登録の抹消、取消しがない限り、その効力を失うことはない。

過去問

30問1 □□□ R2-2A改 難

保険医又は保険薬剤師の登録の取消しが行われた場合には、原則として取消し後５年間は再登録を行わないものとされているが、過疎地域の持続的発展の支援に関する特別措置法に規定する過疎地域を含む市町村(人口５万人以上のものを除く。)に所在する医療機関又は薬局に従事する医師、歯科医師又は薬剤師については、その登録の取消しにより当該地域が無医地区等となる場合は、取消し後２年が経過した日に再登録が行われたものとみなされる。

30問2 □□□ H29-6E

保険医の登録をした医師の開設した診療所で、かつ、当該開設者である医師のみが診療に従事している場合には、当該診療所は保険医療機関の指定があったものとみなされる。なお、当該診療所は、健康保険法第65条第３項又は第４項に規定するいわゆる指定の拒否又は一部拒否の要件に該当しないものとする。

31 指定訪問看護事業者

最新問題

31問1 □□□ R6-9オ 難

厚生労働大臣は、健康保険法第92条第２項に規定する指定訪問看護の事業の運営に関する基準(指定訪問看護の取扱いに関する部分に限る。)を定めようとするときは、中央社会保険医療協議会に諮問するものとする。

31問2 □□□ R6-9エ

指定訪問看護事業者の指定は、厚生労働省令で定めるところにより、訪問看護事業を行う者の申請により、訪問看護事業を行う事業所ごとに行う。一方、指定訪問看護事業者以外の訪問看護事業を行う者について、介護保険法の規定による指定居宅サービス事業者の指定、指定地域密着型サービス事業者の指定又は指定介護予防サービス事業者の指定があったときは、その指定の際、当該訪問看護事業を行う者について、指定訪問看護事業者の指定があったものとみなす。

30答1 × 法71条2項1号、平成10.7.27老発485号・保発101号。設問の医師、歯科医師又は薬剤師については、取消し後2年が経過した日に再登録が行われたものとみなされるのではなく、取消し後2年未満で再登録が認められる。保険医又は保険薬剤師の登録の取消しが行われた場合には、原則として取消し後5年間は、再登録を行わないものとされているが、一定の特別な事情を有する医師、歯科医師又は薬剤師については、取消し後5年未満であっても再登録を行うことができるとされており、その事情によって再登録を認めることができる期間が定められている。設問の場合には、取消し後2年未満で再登録を認めることができるとされている。

30答2 ○ 法69条。設問の通り正しい。

31答1 ○ 法92条3項。設問の通り正しい。

31答2 ○ 法89条1項、2項。設問の通り正しい。

過去問

31問1 □□□ R3-7C 難

指定訪問看護事業者の指定を受けようとする者は、当該指定に係る訪問看護事業の開始の予定年月日等を記載した申請書及び書類を当該申請に係る訪問看護事業を行う事業所の所在地を管轄する地方厚生局長等に提出しなければならないが、開始の予定年月日とは、指定訪問看護の事業の業務開始予定年月日をいう。

31問2 □□□ H28-6D

指定訪問看護事業者の指定について、厚生労働大臣は、その申請があった場合において、申請者が健康保険法の規定により指定訪問看護事業者に係る指定を取り消され、その取消しの日から５年を経過しない者であるときは指定をしてはならない。

31問3 □□□ R5-6E 難

厚生労働大臣は、指定訪問看護事業を行う者の指定の申請があった場合において、申請者が、社会保険料について、当該申請をした日の前日までに、社会保険各法又は地方税法の規定に基づく滞納処分を受け、かつ、当該処分を受けた日から正当な理由なく３か月以上の期間にわたり、当該処分を受けた日以降に納期限の到来した社会保険料又は地方税法に基づく税を一部でも引き続き滞納している者であるときは、その指定をしてはならない。

31問4 □□□ R元-7オ

指定訪問看護事業者は、当該指定に係る訪問看護事業所の名称及び所在地その他厚生労働省令で定める事項に変更があったとき、又は当該指定訪問看護の事業を廃止し、休止し、若しくは再開したときは、厚生労働省令で定めるところにより、20日以内に、その旨を厚生労働大臣に届け出なければならない。

31問5 □□□ R2-2D

指定訪問看護事業者が、訪問看護事業所の看護師等の従業者について、厚生労働省令で定める基準や員数を満たすことができなくなったとしても、厚生労働大臣は指定訪問看護事業者の指定を取り消すことはできない。

31答1 ○　則74条１項、令和2.3.5保発0305第５号。設問の通り正しい。

31答2 ○　法89条４項４号。設問の通り正しい。

プラスα

指定訪問看護事業者の指定・指定拒否・指定の取消しについては、地方社会保険医療協議会の諮問等は要しない。

31答3 ×　法89条４項７号。設問の「当該処分を受けた日以降に納期限の到来した社会保険料又は地方税法に基づく税の一部でも引き続き滞納している者であるとき」の部分が誤りである。正しくは、「当該処分を受けた日以降に納期限の到来した社会保険料のすべてを引き続き滞納している者であるとき」である。

31答4 ×　法93条。「20日以内」ではなく、「10日以内」に、その旨を厚生労働大臣に届け出なければならない。

31答5 ×　法95条１号。設問の場合、厚生労働大臣は指定訪問看護事業者の指定を取り消すことができる。

32 保険給付の分類・種類

最新問題

32問1
□□□
R6-7E
難

付加給付は、保険給付の一部であり、かつ法定給付に併せて行われるべきものであるから、法の目的に適いその趣旨に沿ったものでなければならない。法定給付期間を超えるもの、健康保険法の目的を逸脱するもの、又はこの制度で定める医療の内容又は医療の給付の範囲を超えるもの若しくは、保健施設的なものは廃止しなければならないが、家族療養費の付加給付は、特定の医療機関を受診した場合に限り認めることは差し支えない。

過去問

32問1
□□□
H29-3C
難

健康保険組合は、規約で定めるところにより、被保険者が保険医療機関又は保険薬局に支払った一部負担金の一部を付加給付として被保険者に払い戻すことができる。

33 療養の給付

最新問題

33問1
□□□
R6-4A

入院時の食事の提供に係る費用、特定長期入院被保険者に係る生活療養に係る費用、評価療養・患者申出療養・選定療養に係る費用、正常分娩及び単に経済的理由による人工妊娠中絶に係る費用は、療養の給付の対象とはならない。

32答1 × 法53条、昭和32.2.1保発３号。健康保険組合の付加給付は、法定の保険給付に併せて給付されるものであるから、健康保険法の目的を逸脱するもの、この制度で定める医療の内容又は医療の給付の範囲を超えるもの、若しくは保健施設的なものは廃止するものとされており、また、法定給付期間を超えるものについても原則として廃止することとされているが、家族療養費の付加給付については、「現に療養に要した費用の範囲内で実施すること」は、差し支えないとされている。

32答1 ○ 法53条、平成19.2.1保発0201001号。設問の通り正しい。

33答1 ○ 法63条２項、昭和17.1.28社発82号、昭和27.9.29保発56号。設問の通り正しい。

33 問2 □□□ R6-7D 難

療養の給付を受けようとする者は、厚生労働省令で定めるところにより、保険医療機関等のうち、自己の選定するものから、電子資格確認その他厚生労働省令で定める方法により、被保険者であることの確認を受けて療養の給付を受ける。被保険者資格の確認方法の１つに、保険医療機関等が、過去に取得した療養又は指定訪問看護を受けようとする者の被保険者の資格に係る情報を用いて、保険者に対して電子情報処理組織を使用する方法その他の情報通信の技術を利用する方法により、あらかじめ照会を行い、保険者から回答を受けて取得した直近の当該情報を確認する方法がある。

33 問3 □□□ R6-4B 難

健康保険組合は、特定の保険医療機関と合意した場合には、自ら審査及び支払いに関する事務を行うことができ、また、この場合、健康保険組合は当該事務を社会保険診療報酬支払基金(以下本肢において「支払基金」という。)以外の事業者に委託することができるが、公費負担医療に係る診療報酬請求書の審査及び支払いに関する事務を行う場合には、その旨を支払基金に届け出なければならない。

過去問

33 問1 □□□ R2-4B

定期健康診断によって初めて結核症と診断された患者について、その時のツベルクリン反応、血沈検査、エックス線検査等の費用は保険給付の対象とはならない。

33 問2 □□□ H28-3B

定期的健康診査の結果、疾病の疑いがあると診断された被保険者が精密検査を行った場合、その精密検査が定期的健康診査の一環として予め計画されたものでなくとも、当該精密検査は療養の給付の対象とはならない。

33 問3 □□□ R5-1E

食事の提供である療養であって入院療養と併せて行うもの(療養病床への入院及びその療養に伴う世話その他の看護であって、当該療養を受ける際、65歳に達する日の属する月の翌月以後である被保険者に係るものを除く。)は、療養の給付に含まれる。

33答2　○　法63条３項、則53条１項３号。設問の通り正しい。

33答3　×　法76条５項、平成14.12.25保発1225001号。設問後半部分が誤りである。設問の「公費負担医療に係る診療報酬請求書の審査及び支払いに関する事務」については、社会保険診療報酬支払基金が行うこととされ、健康保険組合が自ら行うことはできない。なお、設問のその他の記述については正しい。

33答1　○　法63条１項、保険医療機関及び保険医療養担当規則20条１号ハ、昭和28.4.3保険発59号。設問の通り正しい。健康診断（設問の定期健康診断におけるツベルクリン反応、血沈検査、エックス線検査等を含む。）は、保険給付の対象とならない。

33答2　×　法63条、昭和39.3.18保文発176号。当該精密検査は療養の給付の対象となる。なお、健康診査（健康診断）については、保険給付の対象外である。

33答3　×　法63条２項１号。設問の「食事の提供である療養であって入院療養と併せて行うもの（療養病床への入院及びその療養に伴う世話その他の看護であって、当該療養を受ける際、65歳に達する日の属する月の翌月以後である被保険者に係るものを除く。）」については、入院時食事療養費が支給されるため、療養の給付に含まれない。

33問4
□□□
H28-7A

被保険者が単に経済的理由により人工妊娠中絶術を受けた場合は、療養の給付の対象とならない。

33問5
□□□
R2-8D

保険者は、震災、風水害、火災その他これらに類する災害により、住宅、家財又はその他の財産について著しい損害を受けた被保険者であって、保険医療機関又は保険薬局に一部負担金を支払うことが困難であると認められるものに対し、一部負担金の支払いを免除することができる。

33問6
□□□
R元-3C
難

保険者から一部負担金等の徴収猶予又は減免の措置を受けた被保険者が、その証明書を提出して保険医療機関で療養の給付を受けた場合、保険医療機関は徴収猶予又は減免された一部負担金等相当額については、審査支払機関に請求することとされている。

33問7
□□□
R5-3イ

保険者は、保険医療機関又は保険薬局から療養の給付に関する費用の請求があったときは、その費用の請求に関する審査及び支払に関する事務を社会保険診療報酬支払基金又は健康保険組合連合会に委託することができる。

34 入院時食事療養費

過去問

34問1
□□□
R5-9オ

特定長期入院被保険者(療養病床に入院する65歳以上の被保険者)が、厚生労働省令で定めるところにより、保険医療機関等である病院又は診療所のうち自己の選定するものから、電子資格確認等により、被保険者であることの確認を受け、療養の給付と併せて受けた生活療養に要した費用について、入院時食事療養費を支給する。

34問2
□□□
R5-9エ

入院時食事療養費の額は、当該食事療養につき食事療養に要する平均的な費用の額を勘案して厚生労働大臣が定める基準により算定した費用の額(その額が現に当該食事療養に要した費用の額を超えるときは、当該現に食事療養に要した費用の額)とする。

33答4 ○　法63条、昭和27.9.29保発56号。設問の通り正しい。人工妊娠中絶術は、療養の給付の対象となるが、単に経済的理由によるものは、除かれる。

33答5 ○　法75条の2,1項２号、則56条の２。設問の通り正しい。

33答6 ○　法75条の2,1項、平成18.9.14保保発0914001号。設問の通り正しい。

33答7 ×　法76条４項、５項。設問の場合、保険者は、その費用の請求に関する審査及び支払に関する事務を社会保険診療報酬支払基金又は「国民健康保険団体連合会」に委託することができる。

34答1 ×　法63条２項１号、法85条の2,1項。設問の療養の給付と併せて受けた生活療養に要した費用については、「入院時生活療養費」が支給される。

Point

入院時食事療養費は、特定長期入院被保険者には支給されない。一方、入院時生活療養費は、特定長期入院被保険者にのみ支給される。

34答2 ×　法85条２項。入院時食事療養費の額は、当該食事療養につき食事療養に要する平均的な費用の額を勘案して厚生労働大臣が定める基準により算定した費用の額（その額が現に当該食事療養に要した費用の額を超えるときは、当該現に食事療養に要した費用の額）から食事療養標準負担額を控除した額である。

㉞問3
□□□
H27-2B改

入院時食事療養費に係る食事療養標準負担額は、原則として、１食につき490円とされているが、被保険者及び全ての被扶養者が市区町村民税非課税であり、かつ、所得が一定基準に満たないことについて保険者の認定を受けた高齢受給者については、１食につき110円とされている。

㉞問4
□□□
H29-7A

被保険者(特定長期入院被保険者を除く。以下本肢において同じ。)が保険医療機関である病院又は診療所から食事療養を受けたときは、保険者は、その被保険者が当該病院又は診療所に支払うべき食事療養に要した費用について、入院時食事療養費として被保険者に対し支給すべき額の限度において、被保険者に代わり当該病院又は診療所に支払うことができ、この支払があったときは、被保険者に対し入院時食事療養費の支給があったものとみなされる。

㉞問5
□□□
R3-6E

被保険者が、健康保険組合である保険者が開設する病院若しくは診療所から食事療養を受けた場合、当該健康保険組合がその被保険者の支払うべき食事療養に要した費用のうち入院時食事療養費として被保険者に支給すべき額に相当する額の支払を免除したときは、入院時食事療養費の支給があったものと推定される。

㉞問6
□□□
H27-6C

保険医療機関は、食事療養に要した費用につき、その支払を受ける際、当該支払をした被保険者に対し、入院時食事療養費に係る療養について被保険者から支払を受けた費用の額のうち食事療養標準負担額とその他の費用の額とを区分して記載した領収証を交付しなければならない。

35 入院時生活療養費

過去問

㉟問1
□□□
R5-4A

厚生労働大臣は、入院時生活療養費に係る生活療養の費用の額の算定に関する基準を定めようとするときは、社会保障審議会に諮問するものとする。

34答3 ○　法85条２項、則58条３号、令和6.3.5厚労告65号。設問の通り正しい。

34答4 ○　法85条１項、５項、６項。設問の通り正しい。

34答5 ×　法85条７項。設問の場合は、入院時食事療養費の支給があったものと「みなされる」。

34答6 ○　法85条８項、則62条。設問の通り正しい。

35答1 ×　法85条の2,3項。厚生労働大臣は、入院時生活療養費に係る生活療養の費用の額の算定に関する基準を定めようとするときは、「中央社会保険医療協議会」に諮問するものとされている。

35問2
□□□
H28-7D

保険医療機関等は、生活療養に要した費用につき、その支払を受ける際、当該支払をした被保険者に交付する領収証に入院時生活療養費に係る療養について被保険者から支払を受けた費用の額のうち生活療養標準負担額とその他の費用の額とを区分して記載しなければならない。

36 保険外併用療養費

過去問

36問1
□□□
H28-3D改

患者申出療養とは、高度の医療技術を用いた療養であって、当該療養を受けようとする者の申出に基づき、療養の給付の対象とすべきものであるか否かについて、適正な医療の効率的な提供を図る観点から評価を行うことが必要な療養として厚生労働大臣が定めるものをいい、被保険者が厚生労働省令で定めるところにより、保険医療機関のうち、自己の選定するものから、電子資格確認等により、被保険者であることの確認を受け、患者申出療養を受けたときは、療養の給付の対象とはならず、その療養に要した費用について保険外併用療養費が支給される。

36問2
□□□
R2-1C

患者申出療養の申出は、厚生労働大臣が定めるところにより、厚生労働大臣に対し、当該申出に係る療養を行う医療法第４条の３に規定する臨床研究中核病院(保険医療機関であるものに限る。)の開設者の意見書その他必要な書類を添えて行う。

36問3
□□□
R元-3D改
難

被保険者が、厚生労働省令で定めるところにより、保険医療機関等のうち自己の選定するものから、電子資格確認等により、被保険者であることの確認を受け、評価療養、患者申出療養又は選定療養を受けたときは、その療養に要した費用について、保険外併用療養費を支給する。保険外併用療養費の支給対象となる先進医療の実施に当たっては、先進医療ごとに、保険医療機関が別に厚生労働大臣が定める施設基準に適合していることを地方厚生局長又は地方厚生支局長に届け出るものとされている。

36問4
□□□
R3-3B

食事療養に要した費用は、保険外併用療養費の支給の対象とはならない。

35答2 ○ 法85条の2,5項、則62条の5。設問の通り正しい。

36答1 ○ 法63条2項4号、法86条1項。設問の通り正しい。

プラスα

患者申出療養の申出は、厚生労働大臣が定めるところにより、厚生労働大臣に対し、当該申出に係る療養を行う医療法に規定する臨床研究中核病院（保険医療機関であるものに限る。）の開設者の意見書その他必要な書類を添えて行うものとする。

36答2 ○ 法63条4項。設問の通り正しい。

36答3 ○ 法86条1項、平成28.3.4保医発0304第12号。設問の通り正しい。

36答4 × 法86条2項2号。食事療養に要した費用は、保険外併用療養費の支給の対象となる。

36問5 □□□ H28-7C

被保険者が予約診察制をとっている病院で予約診察を受けた場合には、保険外併用療養費制度における選定療養の対象となり、その特別料金は、全額自己負担となる。

36問6 □□□ R4-4D

患者自己負担割合が３割である被保険者が保険医療機関で保険診療と選定療養を併せて受け、その療養に要した費用が、保険診療が30万円、選定療養が10万円であるときは、被保険者は保険診療の自己負担額と選定療養に要した費用を合わせて12万円を当該保険医療機関に支払う。

36問7 □□□ H27-3B 難

被保険者が病床数200床以上の病院で、他の病院や診療所の文書による紹介なしに初診を受け、保険外併用療養費の選定療養として特別の費用を徴収する場合、当該病院は同時に２以上の傷病について初診を行ったときはそれぞれの傷病について特別の料金を徴収することができる。

37 療養費

最新問題

37問1 □□□ R6-8E

義手義足は、療養の過程において、その傷病の治療のため必要と認められる場合に療養費として支給されているが、症状固定後に装着した義肢の単なる修理に要する費用も療養費として支給することは認められる。

過去問

37問1 □□□ R元-2C

保険者は、訪問看護療養費の支給を行うことが困難であると認めるときは、療養費を支給することができる。

36答5　○　法63条２項５号、法86条１項、２項、令和6.3.27厚労告122号。設問の通り正しい。

36答6　×　法86条２項。設問の場合に被保険者が支払うべき額は、保険診療部分の３割に当たる９万円（30万円×0.3＝９万円）及び選定療養部分の全額である10万円を合わせた「19万円」である。

36答7　×　法63条２項５号、法86条１項、令和6.3.27厚労告122号、平成26.11.25保医発1125第９号。設問の場合において、病院が同時に２以上の傷病について初診を行ったときの保険外併用療養費の選定療養に係る特別の料金の徴収は、それぞれの傷病について行うことはできず、１回しか徴収することができない。

37答1　×　法87条１項、昭和26.5.6保文発1443号。設問後半部分が誤りである。義手義足は、療養の過程において、その傷病の治療のため必要と認められる場合に療養費として支給する取扱いとされており、症状固定後に装着した義肢の単なる修理に要する費用を療養費として支給することは、認められない。

37答1　×　法87条１項。設問の場合、療養費は支給されない。保険者は、療養の給付、入院時食事療養費、入院時生活療養費又は保険外併用療養費の支給を行うことが困難であると認めるときは、療養費を支給することができる。

Point　療養費は、「療養の給付等を行うことが困難であると保険者が認めるとき」又は「保険医療機関等以外の病院等で診療等を受けたことを保険者がやむを得ないと認めるとき」のいずれかに該当するときに支給される。

37 問2 □□□ H27-6D

被保険者が無医村において、医師の診療を受けることが困難で、応急措置として緊急に売薬を服用した場合、保険者がやむを得ないものと認めるときは、療養費の支給を受けることができる。

37 問3 □□□ R4-9D

療養費の支給対象に該当するものとして医師が疾病又は負傷の治療上必要であると認めた治療用装具には、義眼、コルセット、眼鏡、補聴器、胃下垂帯、人工肛門受便器(ペロッテ)等がある。

37 問4 □□□ H27-2C

現に海外に居住する被保険者からの療養費の支給申請は、原則として事業主を経由して行うこととされている。また、その支給は、支給決定日の外国為替換算率(買レート)を用いて海外の現地通貨に換算され、当該被保険者の海外銀行口座に送金される。

37 問5 □□□ R5-7A

現に海外にいる被保険者からの療養費の支給申請は、原則として、事業主等を経由して行わせ、その受領は事業主等が代理して行うものとし、国外への送金は行わない。

37 問6 □□□ H30-6A 難

臓器移植を必要とする被保険者がレシピエント適応基準に該当し、海外渡航時に日本臓器移植ネットワークに登録している状態であり、かつ、当該被保険者が移植を必要とする臓器に係る、国内における待機状況を考慮すると、海外で移植を受けない限りは生命の維持が不可能となる恐れが高い場合には、海外において療養等を受けた場合に支給される療養費の支給要件である健康保険法第87条第1項に規定する「保険者がやむを得ないものと認めるとき」に該当する場合と判断できる。

37 問7 □□□ R5-7C

単に保険医の診療が不評だからとの理由によって、保険診療を回避して保険医以外の医師の診療を受けた場合には、療養費の支給は認められない。

37答2　○　法87条1項、昭和13.8.20社庶1629号。設問の通り正しい。設問の場合は、「療養の給付等を行うことが困難であると認めるとき」に該当し、療養費の支給対象となる。

37答3　×　法87条1項、昭和25.2.8保発9号、昭和25.11.7保険発225号他。設問の義眼(眼球摘出後眼窩保護のため装用を必要とした場合)、コルセットについては、療養費の支給対象となるが、眼鏡(小児弱視等の治療用眼鏡等を除く。)、補聴器、胃下垂帯及び人工肛門受便器(ペロッテ)については、療養費の支給対象とならない。

37答4　×　法87条1項、平成11.3.30保険発39号・庁保発7号。現に海外に居住する者に係る療養費の支給については、保険者から国外への送金は行わず、**支給決定日**の外国為替換算率(売レート)を用いて邦貨に換算され、事業主等が代理して受領する。なお、設問前段部分については、その通り正しい。

37答5　○　法87条1項、平成11.3.30保険発39号・庁保険発7号。設問の通り正しい。

37答6　○　法87条1項、平成29.12.22保保発1222第2号。設問の通り正しい。

37答7　○　法87条1項、昭和24.6.6保文発1017号。設問の通り正しい。その地方に保険医がいない場合又は保険医はいても、その者が傷病等のために、診療に従事することができない場合等には、勿論療養費の支給は認められるが、単に保険診療が不評の理由によって保険診療を回避した場合には、療養費の支給は認められないとされている。

37問8
□□□
R3-10E

療養費の額は、当該療養(食事療養及び生活療養を除く。)について算定した費用の額から、その額に一部負担金の割合を乗じて得た額を控除した額及び当該食事療養又は生活療養について算定した費用の額から食事療養標準負担額又は生活療養標準負担額を控除した額を基準として、保険者が定める。

37問9
□□□
R2-8E
難

被保険者が海外にいるときに発生した保険事故に係る療養費等に関する申請手続等に添付する証拠書類が外国語で記載されている場合は、日本語の翻訳文を添付することとされており、添付する翻訳文には翻訳者の氏名及び住所を記載させることとされている。

38 家族療養費

過去問

38問1
□□□
R元-2B

67歳の被扶養者が保険医療機関である病院の療養病床に入院し、療養の給付と併せて生活療養を受けた場合、被保険者に対して入院時生活療養費が支給される。

38問2
□□□
H30-7E

被扶養者が疾病により家族療養費を受けている間に被保険者が死亡した場合、被保険者は死亡によって被保険者の資格を喪失するが、当該資格喪失後も被扶養者に対して家族療養費が支給される。

38問3
□□□
H28-9ア

疾病により療養の給付を受けていた被保険者が疾病のため退職し被保険者資格を喪失した。その後この者は、健康保険の被保険者である父親の被扶養者になった。この場合、被扶養者になる前に発病した当該疾病に関しては、父親に対し家族療養費の支給は行われない。

37答8 ○　法87条２項。設問の通り正しい。

37答9 ○　法87条１項、則66条、平成11.3.30保険発39号・庁保険発７号。設問の通り正しい。

38答1 ×　法85条の2,1項、法110条１項。設問の場合は、「入院時生活療養費」ではなく、「家族療養費」が支給される。

Point
健康保険では被扶養者についても、療養の給付、入院時食事療養費、入院時生活療養費、保険外併用療養費、療養費に相当する給付が行われるが、これらはすべて家族療養費として支給される。

38答2 ×　法36条１号、法110条。家族療養費は被保険者に対して支給されるものであるため、被保険者が死亡した場合は、死亡日の翌日から支給されなくなる。

38答3 ×　法３条７項１号、法110条１項、昭和23.11.17保文発781号。設問の場合は、父親に対し家族療養費の支給が行われる。

38問4
□□□
H30-10D

被扶養者が６歳に達する日以後の最初の３月31日以前である場合、家族療養費の額は、当該療養(食事療養及び生活療養を除く。)につき算定した費用の額(その額が現に当該療養に要した費用の額を超えるときは、当該現に療養に要した費用の額)に100分の90を乗じて得た額である。

38問5
□□□
H29-8C

68歳の被保険者で、その者の厚生労働省令で定めるところにより算定した収入の額が520万円を超えるとき、その被扶養者で72歳の者に係る健康保険法第110条第２項第１号に定める家族療養費の給付割合は70%である。

39 訪問看護療養費

過去問

39問1
□□□
R3-1E

訪問看護事業とは、疾病又は負傷により、居宅において継続して療養を受ける状態にある者(主治の医師がその治療の必要の程度につき厚生労働省令で定める基準に適合していると認めたものに限る。)に対し、その者の居宅において看護師その他厚生労働省令で定める者が行う療養上の世話又は必要な診療の補助(保険医療機関等又は介護保険法第８条第28項に規定する介護老人保健施設若しくは同条第29項に規定する介護医療院によるものを除く。)を行う事業のことである。

39問2
□□□
R5-5B

訪問看護療養費は、厚生労働省令で定めるところにより、保険者が必要と認める場合に限り、支給するものとされている。指定訪問看護を受けられる者の基準は、疾病又は負傷により、居宅において継続して療養を受ける状態にある者であって、主治医が訪問看護の必要性について、被保険者の病状が安定し、又はこれに準ずる状態にあり、かつ、居宅において看護師等が行う療養上の世話及び必要な診療の補助を要する状態に適合すると認めた者である。なお、看護師等とは、看護師、保健師、助産師、准看護師、理学療法士、作業療法士及び言語聴覚士をいう。

38答4　×　法110条２項１号ロ。設問の場合の家族療養費の給付割合は、「100分の80」である。

Point

家族療養費の給付割合

被扶養者の区分		給付割合
６歳の年度末まで		100分の80
６歳の年度末過ぎ70歳未満		100分の70
70歳以上	被保険者が下記以外	100分の80
	被保険者が70歳以上の一定以上所得者	100分の70

38答5　×　法110条２項１号ハ。設問の場合は、被扶養者は70歳以上だが被保険者が70歳未満であるので、被保険者の収入の額にかかわらず、設問の被扶養者に係る家族療養費の給付割合は「80％」である。**38答4**の**Point**参照。

39答1　○　法88条１項カッコ書。設問の通り正しい。

39答2　○　法88条１項、２項、則67条、則68条。設問の通り正しい。

39問3 □□□ R2-3イ

指定訪問看護は、末期の悪性腫瘍などの厚生労働大臣が定める疾病等の利用者を除き、原則として利用者１人につき週５日を限度として受けられるとされている。

39問4 □□□ H27-4エ

訪問看護療養費に係る指定訪問看護を受けようとする者は、主治の医師が指定した指定訪問看護事業者から受けなければならない。

39問5 □□□ R元-7イ

被保険者が指定訪問看護事業者から指定訪問看護を受けたときは、保険者は、その被保険者が当該指定訪問看護事業者に支払うべき当該指定訪問看護に要した費用について、訪問看護療養費として被保険者に対し支給すべき額の限度において、被保険者に代わり、当該指定訪問看護事業者に支払うことができる。この支払いがあったときは、被保険者に対し訪問看護療養費の支給があったものとみなす。

39問6 □□□ R4-3オ

指定訪問看護事業者は、指定訪問看護に要した費用につき、その支払を受ける際、当該支払をした被保険者に対し、基本利用料とその他の利用料を、その費用ごとに区分して記載した領収書を交付しなければならない。

40 家族訪問看護療養費

過去問

40問1 □□□ H29-7C

被保険者の被扶養者が指定訪問看護事業者から指定訪問看護を受けたときは、被扶養者に対しその指定訪問看護に要した費用について、訪問看護療養費を支給する。

㊴答 3　×　法88条１項、令和6.3.5厚労告62号。指定訪問看護は、原則として利用者１人につき「週３日」を限度として受けられるとされている。

㊴答 4　×　法88条３項。訪問看護療養費に係る指定訪問看護は、「主治の医師が指定した」指定訪問看護事業者ではなく、「自己の選定する」指定訪問看護事業者から受けるものとされている。

㊴答 5　○　法88条６項、７項。設問の通り正しい。

㊴答 6　○　法88条９項、則72条。設問の通り正しい。

㊵答 1　×　法111条１項。被保険者の被扶養者が指定訪問看護事業者から指定訪問看護を受けたときは、「被保険者」に対しその指定訪問看護に要した費用について、「家族訪問看護療養費」を支給する。

41 高額療養費

過去問

41問 1 □□□ H27-4イ

高額療養費の支給要件、支給額等は、療養に必要な費用の負担の家計に与える影響及び療養に要した費用の額を考慮して政令で定められているが、入院時生活療養費に係る生活療養標準負担額は高額療養費の算定対象とならない。

41問 2 □□□ H27-3E

同一の月に同一の保険医療機関において内科及び歯科をそれぞれ通院で受診したとき、高額療養費の算定上、1つの病院で受けた療養とみなされる。

41問 3 □□□ H29-8B

全国健康保険協会管掌健康保険の被保険者が適用事業所を退職したことにより被保険者資格を喪失し、その同月に、他の適用事業所に就職したため組合管掌健康保険の被保険者となった場合、同一の病院で受けた療養の給付であったとしても、それぞれの管掌者ごとにその月の高額療養費の支給要件の判定が行われる。

41問 4 □□□ R5-2B

高額療養費は公的医療保険による医療費だけを算定の対象にするのではなく、食事療養標準負担額、生活療養標準負担額又は保険外併用療養に係る自己負担分についても算定の対象とされている。

41問 5 □□□ H27-6E 難

70歳未満の被保険者が保険医療機関において、治療用補装具の装着を指示され、補装具業者から治療用補装具を購入し、療養費の支給を受けた場合には、高額療養費の算定上、同一の月の当該保険医療機関の通院に係る一部負担金と治療用補装具の自己負担分(21,000円未満)とを合算することができる。

41問 6 □□□ H27-2D

70歳未満で標準報酬月額が53万円以上83万円未満の被保険者が、1つの病院等で同一月内の療養の給付について支払った一部負担金の額が、以下の式で算定した額を超えた場合、その超えた額が高額療養費として支給される(高額療養費多数回該当の場合を除く。)。

167,400円+(療養に要した費用−558,000円)×1%

41答1 ○　法115条、令41条１項１号カッコ書。設問の通り正しい。なお、同様に、入院時食事療養費に係る食事療養標準負担額も高額療養費の算定対象とならない。

41答2 ×　法115条、令43条９項、昭和48.10.17保険発95号・庁保険発18号。同一の月に同一の保険医療機関において内科及び歯科を通院で受診した場合は、高額療養費の算定上、別個の病院で受けた療養とみなされる。

41答3 ○　法115条、昭和48.11.7保険発99号・庁保険発21号。設問の通り正しい。

41答4 ×　法115条１項、令41条。高額療養費は保険による医療費のみを対象としているので、食事療養標準負担額、生活療養標準負担額又は保険外併用療養に係る自己負担分については、算定の対象とされていない。

41答5 ×　法115条、昭和48.11.7保険発99号・庁保険発21号。治療用補装具に係る高額療養費は、その費用のみをもって支給対象となるか否かを判断するものであり、当該保険医療機関の通院に係る一部負担金と合算して算定するものではない。

41答6 ○　法115条、令41条１項１号、令42条１項３号。設問の通り正しい。なお、設問の者について高額療養費多数回該当の場合は、93,000円を超えた額が高額療養費として支給される。

41 問7 □□□ H30-2B

高額療養費の算定における世帯合算は、被保険者及びその被扶養者を単位として行われるものであり、夫婦がともに被保険者である場合は、原則としてその夫婦間では行われないが、夫婦がともに70歳以上の被保険者であれば、世帯合算が行われる。

41 問8 □□□ R5-3エ

71歳で市町村民税非課税者である被保険者甲が、同一の月にＡ病院で受けた外来療養による一部負担金の額が8,000円を超える場合、その超える額が高額療養費として支給される。

41 問9 □□□ H29-3D改

被保険者の標準報酬月額が260,000円で被保険者及びその被扶養者がともに72歳の場合、同一の月に、被保険者がＡ病院で受けた外来療養による一部負担金が20,000円、被扶養者がＢ病院で受けた外来療養による一部負担金が10,000円であるとき、被保険者及び被扶養者の外来療養に係る月間の高額療養費は12,000円となる。

41 問10 □□□ R2-4D

標準報酬月額が56万円である60歳の被保険者が、慢性腎不全で１つの病院から人工腎臓を実施する療養を受けている場合において、当該療養に係る高額療養費算定基準額は10,000円とされている。

41 問11 □□□ H28-3E

70歳以上の被保険者が人工腎臓を実施する慢性腎不全に係る療養を受けている場合、高額療養費算定基準額は、当該被保険者の所得にかかわらず、20,000円である。

41 問12 □□□ R元-2D

標準報酬月額が28万円以上53万円未満である74歳の被保険者で高額療養費多数回該当に当たる者であって、健康保険の高額療養費算定基準額が44,400円である者が、月の初日以外の日において75歳に達し、後期高齢者医療制度の被保険者の資格を取得したことにより、健康保険の被保険者資格を喪失したとき、当該月における外来診療に係る個人単位の健康保険の高額療養費算定基準額は22,200円とされている。

41答7 × 法115条、令41条。世帯合算は、被保険者及び被扶養者を単位として行われるため、たとえ夫婦でも、ともに被保険者である場合には、その夫婦間で合算は行われず、70歳以上であっても同様である。

41答8 ○ 令41条5項、令42条3項5号、5項2号。設問の通り正しい。

41答9 × 法115条、令41条5項、令42条5項。設問の場合、被保険者の標準報酬月額が260,000円のため、所得区分は「一般」に該当し外来療養に係る月間の高額療養費の高額療養費算定基準額は、原則として18,000円となる。70歳以上の一般所得者の外来療養については、個人単位で高額療養費を算定するため、被保険者の外来療養に係る月間の高額療養費は2,000円(20,000円－18,000円)、被扶養者の外来療養に係る月間の高額療養費は0円(自己負担額が18,000円を超えないため)となる。

41答10 × 法115条、令42条9項、平成21.4.30厚労告291号、292号。設問の場合、当該療養に係る高額療養費算定基準額は、「20,000円」である。

Point **長期高額疾病(特定疾病)に係る高額療養費算定基準額は、原則として10,000円であるが、70歳未満で標準報酬月額が53万円以上の者が、人工腎臓を実施する慢性腎不全に係る療養を受けている場合、当該療養に係る高額療養費算定基準額は、20,000円である。**

41答11 × 法115条、令42条9項、平成21.4.30厚労告291号、292号。設問の場合の高額療養費算定基準額は、「20,000円」ではなく「10,000円」である。

41答12 ○ 法115条、令41条4項、令42条3項4号、4項4号、平成20.12.12保険発1212003号。設問の通り正しい。月の途中(2日～末日)で75歳に達し、後期高齢者医療制度に移行する健康保険の被保険者及び被扶養者のその月の高額療養費算定基準額については、特例により通常の額の2分の1の額に設定されており、個人単位で適用される。

41 問13 □□□ R5-5C

高額療養費の支給は、償還払いを原則としており、被保険者からの請求に基づき支給する。この場合において、保険者は、診療報酬請求明細書(家族療養費が療養費払いである場合は当該家族療養費の支給申請書に添付される証拠書類)に基づいて高額療養費を支給するものであり、法令上、請求書に証拠書類を添付することが義務づけられている。

42 高額介護合算療養費

過去問

42 問1 □□□ R元-3E

高額介護合算療養費は、一部負担金等の額並びに介護保険の介護サービス利用者負担額及び介護予防サービス利用者負担額の合計額が著しく高額である場合に支給されるが、介護保険から高額医療合算介護サービス費又は高額医療合算介護予防サービス費が支給される場合には支給されない。

42 問2 □□□ H30-3B

高額介護合算療養費は、健康保険法に規定する一部負担金等の額並びに介護保険法に規定する介護サービス利用者負担額及び介護予防サービス利用者負担額の合計額が、介護合算算定基準額に支給基準額を加えた額を超える場合に支給される。高額介護合算療養費は、健康保険法に基づく高額療養費が支給されていることを支給要件の１つとしており、一部負担金等の額は高額療養費の支給額に相当する額を控除して得た額となる。

42 問3 □□□ R2-2B 難

高額介護合算療養費に係る自己負担額は、その計算期間(前年の８月１日からその年の７月31日)の途中で、医療保険や介護保険の保険者が変更になった場合でも、変更前の保険者に係る自己負担額と変更後の保険者に係る自己負担額は合算される。

41答13 × 法115条、則109条、昭和48.10.17保発39号・庁保発20号。高額療養費の支給の請求に際して、法令上、請求書に証拠書類を添付することは、特に義務づけられていない。

42答1 × 法115条の2,1項。介護保険から高額医療合算介護サービス費又は高額医療合算介護予防サービス費が支給される場合に、高額介護合算療養費が支給されないということはない。高額介護合算療養費は、8月1日から翌年の7月31日までの1年間において、健康保険による一部負担金等の額(高額療養費が支給される場合にあっては、その支給額を控除した額)並びに介護保険による介護サービス利用者負担額及び介護予防サービス利用者負担額(それぞれ高額介護サービス費、高額介護予防サービス費が支給される場合にあっては、その支給額を控除した額)の合計額が、介護合算算定基準額に500円を加えた額を超える場合に支給されるが、その支給額については、当該超えた金額のうち、健康保険にかかる一部負担金等と介護保険にかかる利用者負担額の比率に応じて按分され、健康保険からは、高額介護合算療養費として支給され、介護保険からは高額医療合算介護(予防)サービス費として支給される。

42答2 × 法115条の2,1項、令43条の2,1項。高額介護合算療養費は、健康保険法に基づく高額療養費が支給されていることを支給要件の1つとはしていない。

42答3 ○ 法115条の2、令43条の2、平成21.4.30保保発0430002号。設問の通り正しい。

㊷問4 □□□ H28-3A

70歳未満の被保険者又は被扶養者の受けた療養について、高額療養費を算定する場合には、同一医療機関で同一月内の一部負担金等の額が21,000円未満のものは算定対象から除かれるが、高額介護合算療養費を算定する場合には、それらの費用も算定の対象となる。

43 移送費及び家族移送費

過去問

㊸問1 □□□ R4-3イ

被保険者が療養の給付（保険外併用療養費に係る療養を含む。）を受けるため、病院又は療養所に移送されたときは、保険者が必要であると認める場合に限り、移送費が支給される。移送費として支給される額は、最も経済的な通常の経路及び方法により移送された場合の費用により保険者が算定した額から３割の患者自己負担分を差し引いた金額とする。ただし、現に移送に要した金額を超えることができない。

㊸問2 □□□ H29-5D

移送費は、被保険者が、移送により健康保険法に基づく適切な療養を受けたこと、移送の原因である疾病又は負傷により移動をすることが著しく困難であったこと、緊急その他やむを得なかったことのいずれにも該当する場合に支給され、通院など一時的、緊急的とは認められない場合については支給の対象とならない。

㊸問3 □□□ H30-7C

移送費の支給が認められる医師、看護師等の付添人による医学的管理等について、患者がその医学的管理等に要する費用を支払った場合にあっては、現に要した費用の額の範囲内で、移送費とは別に、診療報酬に係る基準を勘案してこれを評価し、療養費の支給を行うことができる。

㊸問4 □□□ R4-9E

移送費の支給が認められる医師、看護師等の付添人による医学的管理等について、患者がその医学的管理等に要する費用を支払った場合にあっては、現に要した費用の額の範囲内で、診療報酬に係る基準を勘案してこれを評価し、現に移送に要した費用とともに移送費として支給を行うことができる。

42答4 ×　法115条の２、令41条１項１号、令43条の2,1項１号、平成21.4.30保保発0430002号。高額介護合算療養費を算定する場合についても、設問の一部負担金等の額は算定の対象から除かれる。

43答1 ×　法97条、則80条。移送費として支給される額は、原則として、最も経済的な通常の経路及び方法により移送された場合の費用により保険者が算定した額であり、当該額から３割の患者自己負担分を差し引くことはない。なお、設問のその他の記述は正しい。

43答2 ○　法97条、則81条、平成6.9.9保険発119号・庁保険発9号。設問の通り正しい。

Point

保険者は、被保険者が次の①～③のいずれにも該当すると認める場合に移送費を支給する。
①移送により法に基づく適切な療養を受けたこと。
②移送の原因である疾病又は負傷により移動をすることが著しく困難であったこと。
③緊急その他やむを得なかったこと。

43答3 ○　法87条１項、法97条１項、平成6.9.9保険発119号・庁保険発９号。設問の通り正しい。

43答4 ×　法87条１項、法97条、平成6.9.9保険発119号・庁保険発９号。設問の医学的管理等に要する費用にあっては、現に要した費用の額の範囲内で、移送費とは別に、診療報酬に係る基準を勘案してこれを評価し、「療養費」の支給対象とされる。

44 傷病手当金

過去問

44問1 □□□ H29-8A

傷病手当金は被保険者が療養のため労務に服することができないときに支給されるが、この療養については、療養の給付に係る保険医の意見書を必要とするため、自費診療で療養を受けた場合は、傷病手当金が支給されない。

44問2 □□□ R3-9D

傷病手当金の支給要件に係る療養は、一般の被保険者の場合、保険医から療養の給付を受けることを要件としており、自費診療による療養は該当しない。

44問3 □□□ R5-10A

被保険者(任意継続被保険者を除く。)が業務外の疾病により労務に服することができないときは、その労務に服することができなくなった日から起算して４日を経過した日から労務に服することができない期間、傷病手当金を支給する。

44問4 □□□ H30-9D

傷病手当金は、療養のために労務に服することができなかった場合に支給するものであるが、その療養は、医師の診療を受けた場合に限られ、歯科医師による診療を受けた場合は支給対象とならない。

44問5 □□□ R2-2E

被保険者資格を取得する前に初診日がある傷病のため労務に服することができず休職したとき、療養の給付は受けられるが、傷病手当金は支給されない。

44問6 □□□ R2-3ア 難

伝染病の病原体保有者については、原則として病原体の撲滅に関し特に療養の必要があると認められる場合には、自覚症状の有無にかかわらず病原体の保有をもって保険事故としての疾病と解するものであり、病原体保有者が隔離収容等のため労務に服することができないときは、傷病手当金の支給の対象となるものとされている。

44答1 × 法99条１項、昭和3.9.11事発1811号。自費診療で療養を受けた場合であっても、労務不能について相当の証明があるときは支給される。

44答2 × 法99条１項、昭和3.9.11事発1811号、昭和4.2.20保理489号。自費診療で療養を受けた場合であっても、労務不能について相当の証明があるときは支給される。

44答3 × 法99条１項。傷病手当金は、その労務に服することができなくなった日から起算して「３日」を経過した日から労務に服することができない期間支給される。

44答4 × 法99条１項、昭和2.4.27保発345号。歯科医師による診療を受けた場合も支給対象となる。なお、医師又は歯科医師について療養を受けない場合でも支給されることがあり、これには、病後静養した期間や、疾病にかかり医師について診療を受けるべく中途に費やした期間等が含まれる。

44答5 × 法63条１項、法99条１項、昭和26.5.1保文発1346号、昭和26.10.16保文発4111号。設問の場合、所定の要件を満たしていれば、傷病手当金も支給される。

44答6 ○ 法99条１項、昭和29.10.25保険発261号。設問の通り正しい。

44問7
□□□
R元-8E

傷病手当金は、労務不能でなければ支給要件を満たすものではないが、被保険者がその本来の職場における労務に就くことが不可能な場合であっても、現に職場転換その他の措置により就労可能な程度の他の比較的軽微な労務に服し、これによって相当額の報酬を得ているような場合は、労務不能には該当しない。また、本来の職場における労務に対する代替的性格をもたない副業ないし内職等の労務に従事したり、あるいは傷病手当金の支給があるまでの間、一時的に軽微な他の労務に服することにより、賃金を得るような場合その他これらに準ずる場合も同様に労務不能には該当しない。

44問8
□□□
R5-10E

傷病手当金の支給期間中に被保険者が死亡した場合、当該傷病手当金は当該被保険者の死亡日の前日分まで支給される。

44問9
□□□
H28-8C

傷病手当金の支給要件として継続した3日間の待期期間を要するが、土曜日及び日曜日を所定の休日とする会社に勤務する従業員が、金曜日から労務不能となり、初めて傷病手当金を請求する場合、その金曜日と翌週の月曜日及び火曜日の3日間で待期期間が完成するのではなく、金曜日とその翌日の土曜日、翌々日の日曜日の連続した3日間で待期期間が完成する。

44問10
□□□
H28-3C

被保険者が就業中の午後4時頃になって虫垂炎を発症し、そのまま入院した場合、その翌日が傷病手当金の待期期間の起算日となり、当該起算日以後の3日間連続して労務不能であれば待期期間を満たすことになる。

44問11
□□□
R5-10B

傷病手当金の待期期間について、疾病又は負傷につき最初に療養のため労務不能となった場合のみ待期が適用され、その後労務に服し同じ疾病又は負傷につき再度労務不能になった場合は、待期の適用がない。

44答7 × 法99条１項、平成15.2.25保保発0225007号・庁保険発４号。設問の後半が誤り。本来の職場における労務に対する代替的性格をもたない副業ないし内職等の労務に従事したり、あるいは傷病手当金の支給があるまでの間、一時的に軽微な他の労務に服することにより、賃金を得るような場合その他これらに準ずる場合には、通常労務不能に該当するものとされる。

44答8 × 法36条１号、法99条１項。被保険者が死亡した場合、死亡日当日までは被保険者資格を有するので、傷病手当金の支給期間中に死亡した被保険者については、死亡日の「当日分」までは、傷病手当金が支給される。

44答9 ○ 法99条１項、昭和26.2.20保文発419号、昭和32.1.31保発２号の２。設問の通り正しい。休日や祝祭日も待期期間に含まれる。

44答10 × 法99条１項、昭和28.1.9保文発69号。設問の場合、「入院の日の翌日」ではなく、「入院の日」が傷病手当金の待期期間の起算日となる。就業時間中に労務不能となった場合は、その日に賃金の全部又は一部を受けていたか否かを問わず、傷病手当金の待期期間は、その日から起算する。

44答11 ○ 法99条１項、昭和2.3.11保理1085号。設問の通り正しい。

44問12 □□□ R3-9C

傷病手当金の額は、これまでの被保険者期間にかかわらず、1日につき、傷病手当金の支給を始める日の属する年度の前年度の9月30日における全被保険者の同月の標準報酬月額を平均した額を標準報酬月額の基礎となる報酬月額とみなしたときの標準報酬月額(被保険者が現に属する保険者等により定められたものに限る。)を平均した額の30分の1に相当する額の3分の2に相当する金額となる。

44問13 □□□ H29-3A

傷病手当金の額の算定において、原則として、傷病手当金の支給を始める日の属する月以前の直近の継続した12か月間の各月の標準報酬月額(被保険者が現に属する保険者等により定められたものに限る。)の平均額を用いるが、その12か月間において、被保険者が現に属する保険者が管掌する健康保険の任意継続被保険者である期間が含まれるときは、当該任意継続被保険者である期間の標準報酬月額も当該平均額の算定に用いることとしている。

44問14 □□□ R4-3I

傷病手当金の支給を受けている期間に別の疾病又は負傷及びこれにより発した疾病につき傷病手当金の支給を受けることができるときは、後の傷病に係る待期期間の経過した日を後の傷病に係る傷病手当金の支給を始める日として傷病手当金の額を算定し、前の傷病に係る傷病手当金の額と比較し、いずれか多い額の傷病手当金を支給する。その後、前の傷病に係る傷病手当金の支給が終了又は停止した日において、後の傷病に係る傷病手当金について再度額を算定し、その額を支給する。

44問15 □□□ H30-9E

出産手当金の支給要件を満たす者が、その支給を受ける期間において、同時に傷病手当金の支給要件を満たした場合、いずれかを選択して受給することができる。

44答12 × 法99条２項。傷病手当金の額は、傷病手当金の支給を始める日の属する月以前の直近の継続した期間において標準報酬月額が定められている月が12月以上ある場合は、１日につき、傷病手当金の支給を始める日の属する月以前の直近の継続した12月間の各月の標準報酬月額(被保険者が現に属する保険者等により定められたものに限る。以下同じ。)を平均した額の30分の１に相当する額の３分の２に相当する金額となる。ただし、傷病手当金の支給を始める日の属する月以前の直近の継続した期間において標準報酬月額が定められている月が12月に満たない場合には、①傷病手当金の支給を始める日の属する月以前の直近の継続した各月の標準報酬月額を平均した額の30分の１に相当する額、②傷病手当金の支給を始める日の属する年度の前年度の９月30日における全被保険者の同月の標準報酬月額を平均した額を標準報酬月額の基礎となる報酬月額とみなしたときの標準報酬月額の30分の１に相当する額、のいずれか少ない額の３分の２に相当する金額となる。

44答13 ○ 法99条２項、則84条の2,5項。設問の通り正しい。

44答14 × 法99条、則84条の2,7項、平成27.12.18事務連絡。設問後半部分が誤りである。設問の場合には、後の傷病に係る傷病手当金の額については、後の傷病に係る待期期間を経過した日を後の傷病に係る傷病手当金の「支給を始める日」として額を算定し、前の傷病に係る傷病手当金の額と比較して、いずれか多い額を支給することとなるが、前の傷病に係る傷病手当金の支給が終了又は停止なったときでも、後の傷病に係る傷病手当金の「支給を始める日」は確定しているから、前の傷病手当金の支給が終了又は停止した日において、後の傷病手当金について再度額を算定する必要はない。

44答15 × 法103条１項。出産手当金を支給する場合においては、原則として、その期間、傷病手当金は支給されない。出産手当金と傷病手当金は、その性格はともに生活保障であり、両者が競合するときは、出産手当金の支給が優先する。

44 問16 □□□ R4-2C

出産手当金の支給要件を満たす者が、その支給を受ける期間において、同時に傷病手当金の支給要件を満たした場合は、出産手当金の支給が優先され、支給を受けることのできる出産手当金の額が傷病手当金の額を上回っている場合は、当該期間中の傷病手当金は支給されない。

44 問17 □□□ H28-8A

傷病手当金は、その支給期間に一部でも報酬が支払われていれば支給額が調整されるが、当該支給期間以前に支給された通勤定期券の購入費であっても、傷病手当金の支給期間に係るものは調整の対象になる。

44 問18 □□□ H29-8D

傷病手当金の支給を受けるべき者が、同一の疾病につき厚生年金保険法による障害厚生年金の支給を受けることができるときは、傷病手当金の支給が調整されるが、障害手当金の支給を受けることができるときは、障害手当金が一時金としての支給であるため傷病手当金の支給は調整されない。

44 問19 □□□ R5-4B

傷病手当金の継続給付を受けている者(傷病手当金を受けることができる日雇特例被保険者又は日雇特例被保険者であった者を含む。)に、老齢基礎年金や老齢厚生年金等が支給されるようになったときは、傷病手当金は打ち切られる。

44 問20 □□□ H27-2A

適用事業所に使用される被保険者が傷病手当金を受けるときには、老齢基礎年金及び老齢厚生年金との調整は行われない。

44 問21 □□□ R2-10A

労災保険法に基づく休業補償給付を受給している健康保険の被保険者が、さらに業務外の事由による傷病によって労務不能の状態になった場合、休業補償給付が支給され、傷病手当金が支給されることはない。

44答16 ○　法103条１項。設問の通り正しい。なお、傷病手当金の額が出産手当金の額を上回っている場合には、その差額が傷病手当金として支給される。

44答17 ○　法99条１項、法108条１項、昭和27.12.4保文発7241号、昭和31.10.8保文発8022号。設問の通り正しい。通勤定期券の購入費は報酬に含まれるため、傷病手当金の額について調整が行われる。

44答18 ×　法108条３項、４項。障害手当金の支給を受けることができるときも、傷病手当金の支給が調整される。

44答19 ×　法108条５項、令37条。設問の傷病手当金の継続給付と老齢基礎年金や老齢厚生年金等との調整の対象者には、傷病手当金を受けることができる日雇特例被保険者又は日雇特例被保険者であった者は含まれない。また、この調整が行われる場合であっても、必ずしも傷病手当金が打ち切られるものではなく、老齢基礎年金や老齢厚生年金等の額につき厚生労働省令で定めるところにより算定した額が、傷病手当金の額よりも少ないときは、その差額が傷病手当金として支給される。

44答20 ○　法108条５項。設問の通り正しい。傷病手当金について、老齢基礎年金及び老齢厚生年金と調整が行われるのは、被保険者資格を喪失した者が、傷病手当金の継続給付を受ける場合(傷病手当金を受けることができる日雇特例被保険者又は日雇特例被保険者であった者を除く。)に限られる。設問は、適用事業所に使用される被保険者が傷病手当金を受ける場合であるので、この調整は行われない。

44答21 ×　法99条１項、２項、昭和33.7.8保険発95号。設問の場合、休業補償給付の額が傷病手当金の額を下回るときは、その差額が傷病手当金として支給される。

44問22
□□□
R元-5D
難

被保険者が、心疾患による傷病手当金の期間満了後なお引き続き労務不能であり、療養の給付のみを受けている場合に、肺疾患(心疾患との因果関係はないものとする。)を併発したときは、肺疾患のみで労務不能であると考えられるか否かによって傷病手当金の支給の可否が決定される。

44問23
□□□
R4-5E
難

傷病手当金の支給を受けようとする者は、健康保険法施行規則第84条に掲げる事項を記載した申請書を保険者に提出しなければならないが、これらに加え、同一の疾病又は負傷及びこれにより発した疾病について、労災保険法(昭和22年法律第50号)、国家公務員災害補償法(昭和26年法律第191号。他の法律において準用し、又は例による場合を含む。)又は地方公務員災害補償法(昭和42年法律第121号)若しくは同法に基づく条例の規定により、傷病手当金に相当する給付を受け、又は受けようとする場合は、その旨を記載した申請書を保険者に提出しなければならない。

45 埋葬料、埋葬費及び家族埋葬料

過去問

45問1
□□□
R4-3ア

健康保険法第100条では、「被保険者が死亡したときは、その者により生計を維持していた者であって、埋葬を行うものに対し、埋葬料として、政令で定める金額を支給する。」と規定している。

45問2
□□□
R元-2E

被保険者が死亡したときは、埋葬を行う者に対して、埋葬料として5万円を支給するが、その対象者は当該被保険者と同一世帯であった者に限られる。

44答22 ○ 法99条１項、昭和26.7.13保文発2349号。設問の通り正しい。前に発生した疾病について傷病手当金の支給期間が満了し、その後もなお、疾病の療養のため労務不能である者について、他の疾病が発生し、この後に発生した疾病についてみても労務不能と考えられる場合には、前の疾病についての療養継続中ではあっても、後の疾病について支給されるべきものとされている。

44答23 ○ 則84条１項。設問の通り正しい。

45答 1 ○ 法100条１項。設問の通り正しい。

45答 2 × 法100条１項、令35条、昭和7.4.25保規129号。埋葬料は、死亡した被保険者により生計を維持していた者であって、埋葬を行うものが支給対象とされており、当該被保険者と同一世帯であったか否かは問わない。

45問3 □□□ H28-8E

被保険者が死亡し、その被保険者には埋葬料の支給を受けるべき者がいないが、別に生計をたてている別居の実の弟が埋葬を行った場合、その弟には、埋葬料の金額の範囲内においてその埋葬に要した費用に相当する金額が支給される。

45問4 □□□ H28-8B

被保険者が妊娠4か月以上で出産をし、それが死産であった場合、家族埋葬料は支給されないが、出産育児一時金は支給の対象となる。

45問5 □□□ R5-6A 難

別居している兄弟が共に被保険者であり、その父は弟と同居しているが、兄弟が共に父を等分の扶養により生計を維持している場合、父が死亡したときの家族埋葬料は、兄弟の両方に支給される。

46 出産育児一時金及び家族出産育児一時金

最新問題

46問1 □□□ R6-8B

被保険者が、妊娠6か月の身体をもって業務中に転倒強打して早産したときは、健康保険法に規定される保険事故として、出産育児一時金が支給される。

過去問

46問1 □□□ H27-6A改

出産育児一時金の額は、公益財団法人日本医療機能評価機構が運営する産科医療補償制度に加入する医療機関等の医学的管理下における在胎週数22週に達した日以後の出産(死産を含む。)であると保険者が認めたときには50万円、それ以外のときには48万8千円である。

㊺答 3 ○ 法100条２項、昭和26.6.28保文発162号。設問の通り正しい。埋葬料は、死亡した被保険者により生計を維持していた者であって、埋葬を行うものに対し支給されるが、埋葬料の支給を受けるべき者がない場合は、埋葬を行った者に対し、埋葬料の金額の範囲内においてその埋葬に要した費用に相当する金額(いわゆる埋葬費)が支給される。

プラスα

埋葬料の額は、５万円であり、埋葬費の額は、埋葬料の金額(５万円)を限度として、埋葬に直接要した実費額である。

㊺答 4 ○ 法101条、法113条、昭和23.12.2保文発898号、昭和27.6.16保文発2427号。設問の通り正しい。

Point

死産児は被扶養者に該当しないので家族埋葬料は支給されない。

㊺答 5 × 法113条、昭和23.4.28保発623号。設問の場合は、同居している弟の被扶養者として取り扱い、家族埋葬料は、弟である被保険者に支給する。

㊻答 1 ○ 法101条、昭和24.3.26保文発523号。設問の通り正しい。出産育児一時金は、妊娠４月以上の出産であれば、業務中の事故により早産した場合であっても、支給される。

Point

妊娠４月以上の出産であれば、生産、死産、早産、流産(人工妊娠中絶も含む。)のいずれを問わず、出産に関する給付の対象となる。

㊻答 1 ○ 法101条、令36条、令和5.3.30保保発0330第13号。設問の通り正しい。

46 問 2
□□□
R5-4E

令和５年４月１日以降、被保険者の被扶養者が産科医療補償制度に加入する医療機関等で医学的管理の下、妊娠週数22週以降に双子を出産した場合、家族出産育児一時金として、被保険者に対し100万円が支給される。

46 問 3
□□□
R3-9A

家族出産育児一時金は、被保険者の被扶養者である配偶者が出産した場合にのみ支給され、被保険者の被扶養者である子が出産した場合には支給されない。

46 問 4
□□□
R3-7D
難

被保険者が分娩開始と同時に死亡したが、胎児は娩出された場合、被保険者が死亡したので出産育児一時金は支給されない。

46 問 5
□□□
R3-7B

出産育児一時金の受取代理制度は、被保険者が医療機関等を受取代理人として出産育児一時金を事前に申請し、医療機関等が被保険者に対して請求する出産費用の額(当該請求額が出産育児一時金として支給される額を上回るときは当該支給される額)を限度として、医療機関等が被保険者に代わって出産育児一時金を受け取るものである。

46答2 ○　法114条、令36条、昭和16.7.23社発991号、昭和19.10.13保発538号、令和5.3.30保保発0330第8号。設問の通り正しい。令和5年4月1日以降、出産育児一時金及び家族出産育児一時金の額は、産科医療補償制度に加入する医療機関等で医学的管理の下、妊娠週数22週以降に出産した場合は、本体の額である48万8千円に3万円を超えない範囲内で保険者が定める額(1万2千円)を加算した額(50万円)とされている。また、出産育児一時金及び家族出産育児一時金は、2児以上の出産児については、1児ごとに支給することとされているため、設問のように被扶養者が双子を出産した場合は、合計で100万円(50万円×2)の家族出産育児一時金が支給される。

46答3 ×　法114条。家族出産育児一時金は、被保険者の被扶養者が出産したときに支給されるものであるため、被保険者の被扶養者である子が出産した場合にも支給される。

46答4 ×　法101条、昭和8.3.14保規61号。設問の場合、出産育児一時金は支給される。設問の場合は、分娩は生存中に開始され、たまたま分娩完了前に死亡が競合したにすぎず、かつ死亡後といえども、分娩を完了させたのみならず、たとえ被保険者が死亡してもその当日は依然被保険者としての資格を有しており、分娩に関する出費は生存中分娩が完了したときと同様であるとされている。

46答5 ○　法101条、令和3.8.18保発0818第4号。設問の通り正しい。

47 出産手当金

最新問題

47問1
□□□
R6-10A

被保険者甲(令和５年１月１日資格取得)は、出産予定日が令和６年１月10日であったが、実際の出産日は令和５年12月25日であったことから、出産日の前日まで引き続き１年以上の被保険者期間がなかった。これにより、被保険者の資格を取得してから１年を経過した日から出産の日後56日までの間において労務に服さなかった期間、出産手当金が支給される。

過去問

47問1
□□□
R2-10E

被保険者(任意継続被保険者を除く。)が出産の日以前42日から出産の日後56日までの間において、通常の労務に服している期間があった場合は、その間に支給される賃金額が出産手当金の額に満たない場合に限り、その差額が出産手当金として支給される。

47問2
□□□
H27-4オ

被保険者が介護休業期間中に出産手当金の支給を受ける場合、その期間内に事業主から介護休業手当で報酬と認められるものが支給されているときは、その額が本来の報酬と出産手当金との差額よりも少なくとも、出産手当金の支給額について介護休業手当との調整が行われる。

47問3
□□□
R4-9B

被保険者が出産手当金の支給要件に該当すると認められれば、その者が介護休業期間中であっても当該被保険者に出産手当金が支給される。

47問4
□□□
H28-9イ

出産手当金の額は、１日につき、出産手当金の支給を始める日の属する月以前の直近の継続した12か月間の各月の標準報酬月額を平均した額の30分の１に相当する額の３分の２に相当する金額とする。ただし、その期間が12か月に満たない場合は、出産手当金の支給を始める日の属する月の標準報酬月額の30分の１に相当する額の３分の２に相当する金額とする。

㊼答１　×　法102条１項。設問の場合は、出産日である令和５年12月25日以前42日（多胎妊娠の場合においては98日）から出産の日後56日までの間について出産手当金が支給される。現に被保険者である者に支給される出産手当金については、出産日の前日まで引き続く１年以上の被保険者期間は支給要件とされていない。

㊼答１　×　法99条１項カッコ書、法102条１項。出産手当金は、労務に服さなかった期間に対して支給されるものであり、通常の労務に服している期間については支給されない。

㊼答２　○　法108条２項、平成11.3.31保険発46号・庁保険発９号。設問の通り正しい。介護休業手当で報酬と認められるものが支給される場合には、出産手当金との調整が行われる。

㊼答３　○　法102条、平成11.3.31保険発46号・庁保険発９号。設問の通り正しい。なお、同一期間内に事業主から介護休業手当等で報酬と認められるものが支給される場合には、出産手当金の支給額について調整が行われる。

㊼答４　×　法102条２項。設問の後半が誤り。その期間が12か月に満たない場合の出産手当金の額は、①出産手当金の支給を始める日の属する月以前の直近の継続した各月の標準報酬月額を平均した額の30分の１に相当する額、②出産手当金の支給を始める日の属する年度の前年度の９月30日における全被保険者の同月の標準報酬月額を平均した額を標準報酬月額の基礎となる報酬月額とみなしたときの標準報酬月額の30分の１に相当する額、のいずれか少ない額の３分の２に相当する金額とされる。

48 資格喪失後の給付

最新問題

48 問 1
□□□
R6-4E

被保険者(任意継続被保険者を除く。)の資格を喪失した日以後に傷病手当金の継続給付の規定により傷病手当金の支給を始める場合においては、その資格を喪失した日の前日において当該被保険者であった者が属していた保険者等により定められた直近の継続した12か月間の各月の標準報酬月額を傷病手当金の額の算定の基礎に用いる。

過去問

48 問 1
□□□
R4-5D

被保険者の資格を喪失した日の前日まで引き続き１年以上被保険者(任意継続被保険者、特定退職被保険者又は共済組合の組合員である被保険者ではないものとする。)であった者が、被保険者の資格を喪失した日より６か月後に出産したときに、被保険者が当該出産に伴う出産手当金の支給の申請をした場合は、被保険者として受けることができるはずであった出産手当金の支給を最後の保険者から受けることができる。

48 問 2
□□□
H28-8D

健康保険法第104条の規定による資格喪失後の傷病手当金の支給を受けるには、資格喪失日の前日まで引き続き１年以上被保険者(任意継続被保険者、特例退職被保険者又は共済組合の組合員である被保険者を除く。)である必要があり、この被保険者期間は、同一の保険者でなければならない。

48答1 ○　法99条２項、則84条の2,1項。設問の通り正しい。

48答1 ×　法104条、法附則３条６項、平成18.8.18事務連絡、昭和27.6.12保文発3367号。出産手当金は、出産日又は出産予定日以前42日(多胎妊娠の場合は98日)に至った日に受給権が発生するため、資格喪失後の出産手当金が支給されるためには、出産日又は出産予定日の42日(98日)前の日が資格喪失日の前日以前であることが必要であり、資格喪失の際、現に出産手当金の支給を受けているか受け得る状態であることを要する。設問の場合は、資格喪失日から６か月後に出産しているので、上記要件を満たすことはできないことから、資格喪失後の出産手当金は支給されない。なお、設問中の「特定退職被保険者」は、「特例退職被保険者」を指していると考えられる。

48答2 ×　法104条、法附則３条６項。設問の場合の被保険者期間は、必ずしも同一の保険者でなくてもよい。資格喪失後の傷病手当金の継続給付の要件である「引き続き１年以上被保険者であった者であること」については、必ずしも同一の保険者でなくてもよく、また資格の得喪があっても被保険者としての資格が連続していればよいとされている。

48問3 □□□ R元-8D

資格喪失後の継続給付としての傷病手当金を受けるためには、資格喪失日の前日まで引き続き１年以上被保険者であったことが要件の１つとされているが、転職等により異なった保険者における被保険者期間（１日の空白もなく継続しているものとする。）を合算すれば１年になる場合には、その要件を満たすものとされている。なお、これらの被保険者期間には、任意継続被保険者、特例退職被保険者又は共済組合の組合員である被保険者の期間は含まれないものとする。

48問4 □□□ R5-10D

令和５年４月１日に被保険者の資格を喪失した甲は、資格喪失日の前日まで引き続き１年以上の被保険者（任意継続被保険者、特例退職被保険者又は共済組合の組合員である被保険者ではないものとする。）期間を有する者であった。甲は、令和５年３月27日から療養のため労務に服することができない状態となったが、業務の引継ぎのために令和５年３月28日から令和５年３月31日までの間は出勤した。この場合、甲は退職後に被保険者として受けることができるはずであった期間、傷病手当金の継続給付を受けることができる。

48問5 □□□ H27-9C

継続して１年以上健康保険組合の被保険者（任意継続被保険者又は特例退職被保険者を除く。）であった者であって、被保険者の資格を喪失した際に傷病手当金の支給を受けている者は、資格喪失後に任意継続被保険者となった場合でも、被保険者として受けることができるはずであった期間、継続して同一の保険者から傷病手当金を受けることができるが、資格喪失後に特例退職被保険者となった場合には、傷病手当金の継続給付を受けることはできない。

48問6 □□□ R4-9C

共済組合の組合員として６か月間加入していた者が転職し、１日の空白もなく、Ａ健康保険組合の被保険者資格を取得して７か月間加入していた際に、療養のため労務に服することができなくなり傷病手当金の受給を開始した。この被保険者が、傷病手当金の受給を開始して３か月が経過した際に、事業所を退職し、Ａ健康保険組合の任意継続被保険者になった場合でも、被保険者の資格を喪失した際に傷病手当金の支給を受けていることから、被保険者として受けることができるはずであった期間、継続して同一の保険者から傷病手当金の給付を受けることができる。

48答3 ○　法104条、法附則３条６項。設問の通り正しい。

48答4 ×　法104条、法附則３条６項、昭和27.6.12保文発3367号、昭和31.2.29保文発1590号。設問の者は、傷病手当金の継続給付の支給要件のうち、「資格喪失日の前日まで引き続き１年以上被保険者であった者」は満たしているが、資格喪失日の前日（令和５年３月31日）において労務に服しており、「その資格を喪失した際に傷病手当金の支給を受けているもの」は満たしていないため、傷病手当金の継続給付を受けることはできない。

48答5 ○　法104条、法附則３条５項、６項。設問の通り正しい。

48答6 ×　法104条。傷病手当金の継続給付を受けるためには、その資格を喪失した日の前日まで引き続き１年以上被保険者であったことが必要とされるが、当該期間には共済組合の組合員であった期間は含まれないため、設問の者については、この要件を満たさない（７か月＋３か月＝10か月で２か月足りない。）。したがって、設問の者については、傷病手当金の継続給付を受けることはできない。

㊽問 7
□□□
R2-6A

被保険者の資格を喪失した日の前日まで引き続き１年以上被保険者（任意継続被保険者、特例退職被保険者又は共済組合の組合員である被保険者を除く。）であった者であって、その資格を喪失した際に傷病手当金の支給を受けている者が、その資格を喪失後に特例退職被保険者の資格を取得した場合、被保険者として受けることができるはずであった期間、継続して同一の保険者からその給付を受けることができる。

㊽問 8
□□□
R3-9B

１年以上の継続した被保険者期間（任意継続被保険者であった期間、特例退職被保険者であった期間及び共済組合の組合員であった期間を除く。）を有する者であって、出産予定日から起算して40日前の日に退職した者が、退職日において通常勤務していた場合、退職日の翌日から被保険者として受けることができるはずであった期間、資格喪失後の出産手当金を受けることができる。

㊽問 9
□□□
H28-7B

引き続き１年以上被保険者（任意継続被保険者、特例退職被保険者又は共済組合の組合員である被保険者を除く。）であった者が傷病により労務不能となり、当該労務不能となった日から３日目に退職した場合には、資格喪失後の継続給付としての傷病手当金の支給を受けることはできない。

48答7 × 法104条、法附則３条５項、６項。資格喪失後の傷病手当金の継続給付の支給要件を満たしている者であっても、資格喪失後に特例退職被保険者の資格を取得した場合には、当該傷病手当金の継続給付を受けることはできない。

48答8 × 法104条、法附則３条６項、平成18.8.18事務連絡、昭和26.5.1保文発1346号。設問の場合には、資格喪失後の出産手当金を受けることはできない。出産手当金は、出産日又は出産予定日以前42日（多胎妊娠の場合は98日）に至った日に受給権が発生するため、資格喪失後の出産手当金が支給されるには、出産日又は出産予定日の42日（98日）前の日が資格喪失日の前日以前であることが必要であり、また、資格喪失の際、現に出産手当金の支給を受けているか受けうる状態にあることを要する。設問の場合には、退職日において通常勤務しているので、資格喪失の際、出産手当金の支給を受けている状態にはなく、資格喪失後の出産手当金を受けることはできない。

48答9 ○ 法104条、法附則３条６項、昭和27.6.12保文発3367号。設問の通り正しい。傷病手当金の継続給付は、被保険者の資格を喪失した際、現に傷病手当金の支給を受けている者又は受け得る状態にある者に支給されるが、設問の場合は、資格喪失の際、３日間の待期期間を満たしたのみであり、現に傷病手当金の支給を受けている状態でも受け得る状態でもないため、傷病手当金は支給されない。

プラスα

資格喪失後の傷病手当金の継続給付を受けるには、資格喪失の際に傷病手当金の支給を受けていなければならない。傷病手当金の受給が可能な状態にある者が、事業主から報酬を受けているため一時支給停止されている場合もこれに該当するため、例えば、傷病手当金の受給が可能な状態で退職日まで有給扱いで全額賃金を支給されていた者は、退職後傷病手当金の継続給付を受けることが可能となる。

48 問10 □□□ H27-4ア 難

健康保険法第104条の規定による資格喪失後の傷病手当金の継続給付を受けることができる者が、請求手続を相当期間行わなかったため、既にその権利の一部が時効により消滅している場合であっても、時効未完成の期間については請求手続を行うことにより当該継続給付を受けることができる。

48 問11 □□□ R元-5E

資格喪失後、継続給付としての傷病手当金の支給を受けている者について、一旦稼働して当該傷病手当金が不支給となったとしても、完全治癒していなければ、その後更に労務不能となった場合、当該傷病手当金の支給が復活する。

48 問12 □□□ H30-9A

被保険者の資格を喪失した日の前日まで引き続き１年以上被保険者(任意継続被保険者又は共済組合の組合員である被保険者を除く。)であった者であって、その資格を喪失した際、その資格を喪失した日の前日以前から傷病手当金の支給を受けている者は、その資格を喪失した日から１年６か月間、継続して同一の保険者から当該傷病手当金を受給することができる。

48 問13 □□□ R3-6D

傷病手当金又は出産手当金の継続給付を受ける者が死亡したとき、当該継続給付を受けていた者がその給付を受けなくなった日後３か月以内に死亡したとき、又はその他の被保険者であった者が資格喪失後３か月以内に死亡したときは、埋葬を行う者は誰でもその被保険者の最後の保険者から埋葬料の支給を受けることができる。

48 問14 □□□ H29-8E

資格喪失後の継続給付として傷病手当金の支給を受けていた者が、被保険者資格の喪失から３か月を経過した後に死亡したときは、死亡日が当該傷病手当金を受けなくなった日後３か月以内であっても、被保険者であった者により生計を維持していた者であって、埋葬を行うものが埋葬料の支給を受けることはできない。

㊽答10 × 法104条、法193条１項、昭和31.12.24保文発11283号。設問のように、法第104条の規定による資格喪失後の傷病手当金の継続給付を受ける権利の一部がすでに時効により消滅している場合については、同条の「継続して」に該当せず、時効未完成の期間についても、同条の資格喪失後の傷病手当金の継続給付を受けることはできない。

㊽答11 × 法104条、昭和26.5.1保文発1346号。設問の場合、傷病手当金の支給は復活されない。資格喪失後の継続給付としての傷病手当金は、「継続して」受けることができるとされており、これはすなわち、断続しては受けられないことを意味する。

㊽答12 × 法104条。設問の場合は、被保険者の資格喪失前後を通算して、被保険者として受けることができるはずであった期間、当該傷病手当金を受給することができる。

㊽答13 × 法105条１項。埋葬料は、「埋葬を行う者は誰でも」支給を受けることができるのではなく、「被保険者であった者により生計を維持していた者であって、埋葬を行うもの」が支給を受けることができる。

㊽答14 × 法105条１項。設問の場合は、埋葬料の支給を受けることができる。資格喪失後の埋葬料は、①被保険者であった者が傷病手当金又は出産手当金の継続給付を受けている期間中に死亡したとき、②被保険者であった者が傷病手当金又は出産手当金の継続給付を受けなくなった日後３月以内に死亡したとき、③被保険者であった者が被保険者の資格を喪失した日後３月以内に死亡したときに、被保険者であった者により生計を維持していた者であって、埋葬を行うものに支給されるが、設問は②の場合に該当する。

48 問15 □□□ H28-7E 難

引き続き１年以上被保険者（任意継続被保険者、特例退職被保険者又は共済組合の組合員である被保険者を除く。）であった者がその被保険者の資格を喪失し、国民健康保険組合（規約で出産育児一時金の支給を行うこととしている。）の被保険者となった場合、資格喪失後６か月以内に出産したときには、健康保険の保険者がその者に対して出産育児一時金を支給することはない。

48 問16 □□□ R2-4C 難

被保険者の資格を喪失した日の前日まで引き続き１年以上被保険者（任意継続被保険者、特例退職被保険者又は共済組合の組合員である被保険者ではないものとする。）であった者が、その被保険者の資格を喪失した日後６か月以内に出産した場合、出産したときに、国民健康保険の被保険者であっても、その者が健康保険法の規定に基づく出産育児一時金の支給を受ける旨の意思表示をしたときは、健康保険法の規定に基づく出産育児一時金の支給を受けることができる。

48 問17 □□□ H30-9C

被保険者の資格喪失後の出産により出産育児一時金の受給資格を満たした被保険者であった者が、当該資格喪失後に船員保険の被保険者になり、当該出産について船員保険法に基づく出産育児一時金の受給資格を満たした場合、いずれかを選択して受給することができる。

49 受給権の保護・併給調整等

最新問題

49 問１ □□□ R6-7C 難

保険給付を受ける権利は、譲り渡し、担保に供し、又は差し押さえることができないので、被保険者の死亡後においてその被保険者が請求権を有する傷病手当金又は療養の給付に代えて支給される療養費等は公法上の債権であるから相続権者が請求することはできない。

48答15 × 法106条、法附則3条6項、平成23.6.3保保発0603第2号。設問の者が、健康保険法第106条の規定に基づく資格喪失後の出産育児一時金の支給を受ける旨の意思表示をした場合には、健康保険の保険者がその者に対して出産育児一時金の支給を行うものとされている。

48答16 ○ 法106条、法附則3条6項、平成23.6.3保保発0603第2号。設問の通り正しい。**48問15**参照。

48答17 × 法107条。設問の場合は、健康保険法に基づく出産育児一時金は支給されない。

49答1 × 法61条、昭和2.2.18保理719号。設問の場合、相続権者が、被保険者の死亡後におけるその被保険者が請求権を有する傷病手当金又は療養費等の請求をすることができる。保険給付を受ける権利は、公法上の債権であるが金銭債権であり、相続権者が当然請求権を有するものであるから、請求権を有する被保険者が死亡したときは、その相続人が請求権を承継し、その相続人によって受領されるという取扱いになっている。

過去問

㊾問1 □□□ R元-7ウ

入院時食事療養費、入院時生活療養費、保険外併用療養費、療養費、訪問看護療養費、移送費、傷病手当金、埋葬料、出産育児一時金、出産手当金、家族療養費、家族訪問看護療養費、家族移送費、家族埋葬料及び家族出産育児一時金の支給は、その都度、行わなければならず、毎月一定の期日に行うことはできない。

㊾問2 □□□ H30-2E

被保険者が通勤途上の事故で死亡したとき、その死亡について労災保険法に基づく給付が行われる場合であっても、埋葬料は支給される。

㊾問3 □□□ R元-5A

労働者災害補償保険(以下「労災保険」という。)の任意適用事業所に使用される被保険者に係る通勤災害について、労災保険の保険関係の成立の日前に発生したものであるときは、健康保険により給付する。ただし、事業主の申請により、保険関係成立の日から労災保険の通勤災害の給付が行われる場合は、健康保険の給付は行われない。

㊾問4 □□□ H29-4イ

被保険者に係る療養の給付は、同一の傷病について、介護保険法の規定によりこれに相当する給付を受けることができる場合には、健康保険の給付は行われない。

㊾問5 □□□ R4-1D

介護保険適用病床に入院している要介護被保険者である患者が、急性増悪等により密度の高い医療行為が必要となったが、当該医療機関において医療保険適用病床に空きがないため、患者を転床させずに、当該介護保険適用病床において療養の給付又は医療が行われた場合、当該緊急に行われた医療に係る給付については、医療保険から行うものとされている。

㊾問6 □□□ R5-6C

被保険者に係る療養の給付又は入院時食事療養費、入院時生活療養費、保険外併用療養費、療養費、訪問看護療養費、移送費、家族療養費、家族訪問看護療養費若しくは家族移送費の支給は、同一の疾病又は負傷について、他の法令の規定により国又は地方公共団体の負担で療養又は療養費の支給を受けたときは、その限度において、行わない。

㊾答1 ×　法56条。「傷病手当金及び出産手当金」の支給は、毎月一定の期日に行うことができる。

㊾答2 ×　法55条１項、法100条１項。設問の場合、埋葬料は支給されない。

㊾答3 ○　法55条１項、昭和48.12.1保険発105号・庁保険発24号。設問の通り正しい。

㊾答4 ○　法55条３項。設問の通り正しい。

㊾答5 ○　法55条３項、令和2.3.27保医発0327第３号。設問の通り正しい。

㊾答6 ○　法55条４項。設問の通り正しい。

㊾問7 □□□ H30-3A

被保険者に係る所定の保険給付は、同一の傷病について、災害救助法の規定により、都道府県の負担で応急的な医療を受けたときは、その限度において行われない。

㊾問8 □□□ R3-3E

公害健康被害の補償等に関する法律（以下本問において「公害補償法」という。）による療養の給付、障害補償費等の補償給付の支給がされた場合において、同一の事由について当該補償給付に相当する給付を支給すべき健康保険の保険者は、公害補償法により支給された補償給付の価額の限度で、当該補償給付に相当する健康保険による保険給付は行わないとされている。

㊾問9 □□□ H29-7D

保険者は、被保険者又は被保険者であった者が、刑事施設、労役場その他これらに準ずる施設に拘禁された場合には、被扶養者に対する保険給付を行うことができない。

㊾問10 □□□ R5-6D

被保険者又は被保険者であった者が、少年院その他これに準ずる施設に収容されたとき又は刑事施設、労役場その他これらに準ずる施設に拘禁されたときのいずれかに該当する場合には、疾病、負傷又は出産につき、その期間に係る保険給付（傷病手当金及び出産手当金の支給にあっては、厚生労働省令で定める場合に限る。）は行わないが、その被扶養者に係る保険給付も同様に行わない。

50 給付制限・損害賠償との調整

最新問題

(50)問1 □□□ R6-5A

保険者は、偽りその他不正の行為により保険給付を受け、又は受けようとした者に対して、６か月以内の期間を定め、その者に支給すべき傷病手当金又は出産手当金の全部又は一部を支給しない旨の決定をすることができる。ただし、偽りその他不正の行為があった日から１年を経過したときは、この限りでない。

㊾答7 ○　法55条４項。設問の通り正しい。災害救助法が発動され、都道府県から応急的な医療が行われた場合には、その限度において健康保険の保険給付は行われない。

㊾答8 ○　法55条４項、公害補償法14条１項、公害補償令７条１項１号、昭和50.12.8保険発110号・庁保険発20号。設問の通り正しい。

㊾答9 ×　法118条２項。設問の場合であっても、被扶養者に対する保険給付は行われる。

㊾答10 ×　法118条。被保険者又は被保険者であった者が、少年院その他これに準ずる施設に収容されたとき等において、その期間に係る保険給付が行われない場合であっても、被扶養者に関する保険給付は制限を受けない。

㊿答1 ○　法120条。設問の通り正しい。

50 問2 □□□ R6-6E

保険者は、偽りその他不正の行為によって保険給付を受けた者があるときは、その者からその給付の価額の全部又は一部を徴収することができる。全部又は一部という意味は、情状によって詐欺その他の不正行為により受けた分の一部であるという趣旨である。

過去問

50 問1 □□□ H28-6A

健康保険法第116条では、被保険者又は被保険者であった者が、自己の故意の犯罪行為により又は故意に給付事由を生じさせたときは、当該給付事由に係る保険給付は行われないと規定されているが、被扶養者に係る保険給付についてはこの規定が準用されない。

50 問2 □□□ R4-9A

被保険者が自殺により死亡した場合は、その者により生計を維持していた者であって、埋葬を行う者がいたとしても、自殺については、健康保険法第116条に規定する故意に給付事由を生じさせたときに該当するため、当該給付事由に係る保険給付は行われず、埋葬料は不支給となる。

50 問3 □□□ R2-6E

被保険者が道路交通法違反である無免許運転により起こした事故のため死亡した場合には、所定の要件を満たす者に埋葬料が支給される。

50 問4 □□□ H29-10A

被保険者が、故意に給付事由を生じさせたときは、その給付事由に係る保険給付は行われないこととされているが、自殺未遂による傷病について、その傷病の発生が精神疾患等に起因するものと認められる場合は、故意に給付事由を生じさせたことに当たらず、保険給付の対象となる。

50答2 ×　法58条１項、昭和32.9.2保険発123号。設問における「全部又は一部」という意味は、偽りその他不正の行為により受けた分が給付の価額の一部であるということが考えられるので、「全部又は一部」としたものであって、偽りその他不正の行為により受けた分は「すべて」という趣旨である。情状によってはその一部だけを徴収してもよいという意味ではない。

50答1 ×　法116条、法122条。設問の規定は、被扶養者に係る保険給付について準用される。

50答2 ×　法116条、昭和26.3.19保文発721号。自殺による死亡は、絶対的な事故であり、埋葬料は生計を維持していたもので埋葬を行うものに対して支給されるものであるので、給付制限の対象とならない(埋葬料は支給される。)。

50答3 ○　法116条、昭和36.7.5保険発63号の２。設問の通り正しい。被保険者が道路交通法規違反によって処罰されるべき行為中に起こした事故により死亡した場合は、自殺の場合にならい、埋葬料を支給して差し支えないとされている。

50答4 ○　法116条、平成22.5.21保保発0521第１号。設問の通り正しい。

Point

> 被保険者等が、故意に給付事由を生じさせた場合は、その給付事由についての保険給付は行わないことと規定されているが、自殺未遂による傷病について、その傷病の発生が精神疾患等に起因するものと認められる場合は、「故意」に給付事由を生じさせたことに当たらず、保険給付の対象となる。

50 問5 □□□ R4-7E

被保険者が故意に給付事由を生じさせたときは、当該給付事由についての保険給付は行われないため、自殺未遂による傷病に係る保険給付については、その傷病の発生が精神疾患に起因するものであっても保険給付の対象とならない。

50 問6 □□□ R5-8D

被保険者等からの暴力等を受けた被扶養者の取扱いについて、当該被害者が被扶養者から外れるまでの間の受診については、加害者である被保険者を健康保険法第57条に規定する第三者と解することにより、当該被害者は保険診療による受診が可能であると取り扱う。

50 問7 □□□ R3-6C

被保険者又は被保険者であった者が、自己の故意の犯罪行為により、又は故意若しくは重過失により給付事由を生じさせたときは、当該給付事由に係る保険給付は行われない。

50 問8 □□□ H29-5A

被保険者が闘争、泥酔又は著しい不行跡によって給付事由を生じさせたときは、当該給付事由に係る保険給付は、その全部又は一部を行わないことができる。

50 問9 □□□ R4-6E

被保険者が闘争、泥酔又は著しい不行跡によって給付事由を生じさせたときは、当該給付事由に係る保険給付は、その全部又は一部を行わないことができるが、被保険者が数日前に闘争しその当時はなんらかの事故は生じなかったが、相手が恨みを晴らす目的で、数日後に不意に危害を加えられたような場合は、数日前の闘争に起因した闘争とみなして、当該給付事由に係る保険給付はその全部又は一部を行わないことができる。

50 問10 □□□ H28-6C

保険者は、保険給付を受ける者が、正当な理由なしに、文書の提出等の命令に従わず、又は答弁若しくは受診を拒んだときは、保険給付の全部又は一部を行わないことができる。

50答5 × 法116条、平成22.5.21保保発0521第1号。被保険者が故意に給付事由を生じさせた場合は、その給付事由についての保険給付は行わないこととするのが原則であるが、自殺未遂による傷病について、その傷病の発生が精神疾患等に起因するものと認められる場合には、「故意」に給付事由を生じさせたことには当たらず、保険給付の対象とされる。

50答6 ○ 令和5.3.30保保発0330第3号。設問の通り正しい。被保険者等からの暴力等を受けている被扶養者である被害者が被扶養者から外れる手続については、被保険者からの届出が期待できないことから、当該被害者からの申出に基づき、被扶養者から外れることが可能となっている。この場合において当該被害者が被扶養者から外れるまでの間の受診については、加害者である被保険者を健康保険法57条に規定する第三者と解することにより、当該被害者は保険診療による受診が可能であると取り扱われている。

50答7 × 法116条。健康保険法においては、「被保険者又は被保険者であった者が、自己の故意の犯罪行為により、又は故意に給付事由を生じさせたときは、当該給付事由に係る保険給付は、行わない。」と規定されており、重過失の場合は含まれない。

50答8 ○ 法117条。設問の通り正しい。

50答9 × 法117条、昭和2.4.27保理1956号。設問の給付制限の対象となるのは、闘争又は泥酔によりその際生じさせた事故であるので、被保険者が数日前に闘争しその当時は何らの事故は生じなかったが、相手が恨みを晴らす目的で、数日後に不意に危害を加えられたような場合は、設問の給付制限の対象とならない。

50答10 ○ 法121条。設問の通り正しい。

50 問11 □□□ H30-7A

保険者は、被保険者の被扶養者が、正当な理由なしに療養に関する指示に従わないときは、当該被扶養者に係る保険給付の全部を行わないことができる。

50 問12 □□□ R2-6D

保険者は、被保険者又は被保険者であった者が、正当な理由なしに診療担当者より受けた診断書、意見書等により一般に療養の指示と認められる事実があったにもかかわらず、これに従わないため、療養上の障害を生じ著しく給付費の増加をもたらすと認められる場合には、保険給付の一部を行わないことができる。

50 問13 □□□ R元-4エ 難

傷病手当金の一部制限については、療養の指揮に従わない情状によって画一的な取扱いをすることは困難と認められるが、制限事由に該当した日以後において請求を受けた傷病手当金の請求期間1か月について、概ね10日間を標準として不支給の決定をなすこととされている。

50 問14 □□□ H27-2E

保険者は、偽りその他不正の行為により保険給付を受け、又は受けようとした者に対して、6か月以内の期間を定め、その者に支給すべき傷病手当金又は出産手当金の全部又は一部を支給しない旨の決定をすることができる。ただし、偽りその他不正の行為があった日から1年を経過したときは、この限りでない。

50 問15 □□□ H30-6D

保険者は、偽りその他不正の行為により保険給付を受け、又は受けようとした者に対して、6か月以内の期間を定め、その者に支給すべき療養費の全部又は一部を支給しない旨の決定をすることができるが、偽りその他不正の行為があった日から3年を経過したときは、この限りでない。

50 問16 □□□ R2-6B 難

保険者は、偽りその他不正の行為により保険給付を受け、又は受けようとした者に対して、6か月以内の期間を定め、その者に支給すべき傷病手当金又は出産手当金の全部又は一部を支給しない旨の決定をすることができるが、その決定は保険者が不正の事実を知った時以後の将来においてのみ決定すべきであるとされている。

50答11 × 法119条、法122条。設問の場合は、当該被扶養者に係る保険給付の「一部」を行わないことができる。

50答12 ○ 法119条、昭和26.5.9保発37号。設問の通り正しい。保険者は、被保険者又は被保険者であった者が、正当な理由なしに療養に関する指示に従わないときは、保険給付の一部を行わないことができるが、「療養の指示に従わないとき」とは、①保険者又は療養担当者の療養の指示に関する明白な意思表示があったにもかかわらずこれに従わない場合、②診療担当者より受けた診断書、意見書等により一般に療養の指示と認められる事実があったにもかかわらずこれに従わないため、療養上の障害を生じ著しく給付費の増加をもたらすと認められる場合などが該当する。

50答13 ○ 法119条、昭和26.5.9保発37号。設問の通り正しい。保険者は、被保険者又は被保険者であった者が、正当な理由なしに療養に関する指示に従わないときは、保険給付の一部を行わないことができるとされているが、設問は、この場合の傷病手当金の一部制限の取扱いに関するものである。

50答14 ○ 法120条。設問の通り正しい。

50答15 × 法120条。保険者は、偽りその他不正の行為により保険給付を受け、又は受けようとした者に対して、６か月以内の期間を定め、その者に支給すべき「傷病手当金又は出産手当金」の全部又は一部を支給しない旨の決定をすることができるが、偽りその他不正の行為があった日から「１年」を経過したときは、この限りでない。

50答16 ○ 法120条、昭和3.3.14保理483号。設問の通り正しい。

50 問17 □□□ H29-7E

保険者は、偽りその他不正の行為によって保険給付を受けた者があるときは、その者からその給付の価額の全部又は一部を徴収することができるが、事業主が虚偽の報告若しくは証明をし、その保険給付が行われたものであるときであっても、保険者が徴収金を納付すべきことを命ずることができるのは、保険給付を受けた者に対してのみである。

50 問18 □□□ R3-4エ

保険者は、指定訪問看護事業者が偽りその他不正の行為によって家族訪問看護療養費に関する費用の支払いを受けたときは、当該指定訪問看護事業者に対し、その支払った額につき返還させるほか、その返還させる額に100分の40を乗じて得た額を支払わせることができる。

50 問19 □□□ R3-3A 難

保険者は、保険給付を行うにつき必要があると認めるときは、医師、歯科医師、薬剤師若しくは手当を行った者又はこれを使用する者に対し、その行った診療、薬剤の支給又は手当に関し、報告若しくは診療録、帳簿書類その他の物件の提示を命じ、又は当該職員に質問させることができる。

50 問20 □□□ H28-4A

被保険者の被扶養者が第三者の行為により死亡し、被保険者が家族埋葬料の給付を受けるときは、保険者は、当該家族埋葬料の価額の限度において当該被保険者が当該第三者に対して有する損害賠償請求権を代位取得し、第三者に対して求償できる。

50 問21 □□□ R4-6A

保険者は、健康保険において給付事由が第三者の行為によって生じた事故について保険給付を行ったときは、その給付の価額(当該保険給付が療養の給付であるときは、当該療養の給付に要する費用の額から当該療養の給付に関し被保険者が負担しなければならない一部負担金に相当する額を控除した額)の限度において、保険給付を受ける権利を有する者(当該給付事由が被保険者の被扶養者について生じた場合には、当該被扶養者を含む。)が第三者から同一の事由について損害賠償を受けたときは、保険者は、その価額の限度において、保険給付を行う責めを免れる。

50答17 × 法58条1項、2項。設問の場合、保険者は、当該事業主に対し、保険給付を受けた者に連帯して当該徴収金を納付すべきことを命ずることができる。

50答18 ○ 法58条3項。設問の通り正しい。

50答19 × 法60条1項。設問中の「保険者」は、正しくは、「厚生労働大臣」である。

50答20 ○ 法57条1項カッコ書、昭和48.9.26保発34号・庁保発16号。設問の通り正しい。

50答21 × 法57条。保険者は、給付事由が第三者の行為によって生じた場合において、保険給付を行ったときは、その給付の価額(当該保険給付が療養の給付であるときは、当該療養の給付に要する費用の額から当該療養の給付に関し被保険者が負担しなければならない一部負担金に相当する額を控除した額)の限度において、保険給付を受ける権利を有する者(当該給付事由が被保険者の被扶養者について生じた場合には、当該被扶養者を含む。)が第三者に対して有する損害賠償の請求権を取得する。この場合(給付事由が第三者の行為によって生じた場合)において、保険給付を受ける権利を有する者が第三者から同一の事由について損害賠償を受けたときは、保険者は、その価額の限度において、保険給付を行う責めを免れる。本肢は、上記傍点部分が省略されており、法57条の規定に関する正しい記述として成立していないため、誤りである。

50問22 □□□ R5-6B

療養の給付に係る事由又は入院時食事療養費、入院時生活療養費若しくは保険外併用療養費の支給に係る事由が第三者の行為によって生じたものであるときは、被保険者は、30日以内に、届出に係る事実並びに第三者の氏名及び住所又は居所(氏名又は住所若しくは居所が明らかでないときは、その旨)及び被害の状況を記載した届書を保険者に提出しなければならない。

50問23 □□□ R2-6C 難

保険者が、健康保険において第三者の行為によって生じた事故について保険給付をしたとき、その給付の価額の限度において被保険者が第三者に対して有する損害賠償請求の権利を取得するのは、健康保険法の規定に基づく法律上当然の取得であり、その取得の効力は法律に基づき第三者に対し直接何らの手続きを経ることなく及ぶものであって、保険者が保険給付をしたときにはその給付の価額の限度において当該損害賠償請求権は当然に保険者に移転するものである。

51 日雇特例被保険者－保険者等・日雇特例被保険者

過去問

51問1 □□□ H29-1E

全国健康保険協会は、市町村(特別区を含む。)に対し、政令で定めるところにより、日雇特例被保険者の保険に係る保険者の事務のうち全国健康保険協会が行うものの一部を委託することができる。

51問2 □□□ R3-4ウ

日雇特例被保険者の保険の保険者の事務のうち、厚生労働大臣が指定する地域に居住する日雇特例被保険者に係る日雇特例被保険者手帳の交付及びその収受その他日雇特例被保険者手帳に関する事務は、日本年金機構のみが行うこととされている。

51問3 □□□ R元-6C

日雇特例被保険者の保険の保険者の業務のうち、日雇特例被保険者手帳の交付、日雇特例被保険者に係る保険料の徴収及び日雇拠出金の徴収並びにこれらに附帯する業務は、全国健康保険協会が行う。

50答22 ×　則65条。設問の届書は、「遅滞なく」保険者に提出しなければならない。

50答23 ○　法57条１項、昭和31.11.7保文発9218号。設問の通り正しい。損害賠償請求権を取得するのは、法律上当然の取得で、取得の効力は法律に基づき第三者に対し直接なんらの手続を経ることなくして及ぶものであり、保険者が保険給付を行ったときは、その給付の価額の限度において当該損害賠償請求権は当然に移転し、一般の債権の譲渡のように、第三者に対する通知又は承諾を要件とするものではない。

51答１ ○　法203条２項。設問の通り正しい。

51答２ ×　法203条１項、令61条１項１号。設問の事務は、「厚生労働大臣が指定する地域をその区域に含む市町村(特別区を含むものとし、地方自治法に規定する指定都市にあっては、区又は総合区とする。)の長」が行うものとされている。

51答３ ×　法123条２項。日雇特例被保険者の保険の保険者の業務のうち、設問の業務は、「厚生労働大臣」が行う。

52 日雇特例被保険者－費用の負担等

最新問題

52問 1
□□□
R6-2E

厚生労働大臣は、日雇特例被保険者に係る健康保険事業に要する費用(前期高齢者納付金等及び後期高齢者支援金等、介護納付金並びに流行初期医療確保拠出金等の納付に要する費用を含む。)に充てるため、健康保険法第155条の規定により保険料を徴収するほか、毎年度、日雇特例被保険者を使用する事業主の設立する健康保険組合から拠出金を徴収する。

過去問

52問 1
□□□
R4-10E

日雇特例被保険者が、同日において、午前にＡ健康保険組合管掌健康保険の適用事業所で働き、午後に全国健康保険協会管掌健康保険の適用事業所で働いた。この場合の保険料の納付は、各適用事業所から受ける賃金額により、標準賃金日額を決定し、日雇特例被保険者が提出する日雇特例被保険者手帳に適用事業所ごとに健康保険印紙を貼り、これに消印して行われる。

53 日雇特例被保険者－保険給付

過去問

53問 1
□□□
R2-7A

日雇特例被保険者が療養の給付を受けるには、これを受ける日において当該日の属する月の前２か月間に通算して26日分以上又は当該日の属する月の前６か月間に通算して78日分以上の保険料が納付されていなければならない。

53問 2
□□□
H27-9E改

同一の疾病又は負傷及びこれにより発した疾病に関する傷病手当金の支給期間は、その支給を始めた日から通算して１年６か月間とされているが、日雇特例被保険者の場合には、厚生労働大臣が指定する疾病を除き、その支給を始めた日から起算して６か月を超えないものとされている。

52答1　○　法173条。設問の通り正しい。

52答1　×　法169条2項、3項。日雇特例被保険者が1日に2以上の事業所に使用される場合における保険料の納付は、初めにその者を使用する事業主が行うこととされ、当該日雇特例被保険者及び当該事業主の負担すべきその日の標準賃金日額に係る保険料を納付する義務を負う。したがって、設問の場合には、当該日雇特例被保険者が午前に働いた適用事業所から受ける賃金額により、標準賃金日額を決定し、当該適用事業所の事業主が、日雇特例被保険者が提出する日雇特例被保険者手帳に健康保険印紙を貼り、これに消印して保険料を納付する。

53答1　○　法129条2項1号。設問の通り正しい。

53答2　○　法99条4項、法135条3項。設問の通り正しい。なお、日雇特例被保険者の場合、厚生労働大臣が指定する疾病（結核性疾病）に関しての傷病手当金の支給期間は、その支給を始めた日から起算して1年6か月を超えないものとされている。

53 問3 □□□ R4-6B

日雇特例被保険者に係る傷病手当金の支給期間は、同一の疾病又は負傷及びこれにより発した疾病に関しては、その支給を始めた日から起算して6か月(厚生労働大臣が指定する疾病に関しては、1年6か月)を超えないものとする。

53 問4 □□□ H30-6E

日雇特例被保険者が出産した場合において、その出産の日の属する月の前4か月間に通算して30日分以上の保険料がその者について納付されていなければ、出産育児一時金が支給されない。

53 問5 □□□ R5-2D

日雇特例被保険者の被扶養者が出産したときは、日雇特例被保険者に対し、家族出産育児一時金が支給されるが、日雇特例被保険者が家族出産育児一時金の支給を受けるには、出産の日の属する月の前2か月間に通算して26日分以上又は当該月の前6か月間に通算して78日分以上の保険料が、その日雇特例被保険者について、納付されていなければならない。

54 保健福祉事業

最新問題

54 問1 □□□ R6-3イ改 難

全国健康保険協会管掌健康保険の被保険者(被保険者であった者を含む。)で、家族出産育児一時金の支給を受けることが見込まれる場合、妊娠4か月以上の被扶養者を有する者が医療機関に一時的な支払いが必要になったときは、全国健康保険協会の出産費貸付制度を利用して出産費貸付金を受けることができる。

54 問2 □□□ R6-8C 難

厚生労働大臣は、国民保健の向上に資するため、匿名診療等関連情報の利用又は提供に係る規定により匿名診療等関連情報を大学その他の研究機関に提供しようとする場合には、あらかじめ、社会保障審議会の議を経て、承認を得なければならない。

54 問3 □□□ R6-5B 難

匿名診療等関連情報利用者は、実費を勘案して政令で定める額の手数料を納めなければならない。納付すべき手数料の額は、匿名診療等関連情報の提供に要する時間1時間までごとに4,350円である。

53答3 ○ 法135条３項。設問の通り正しい。

53答4 × 法137条。設問文中「30日分以上」は、正しくは「26日分以上」である。

53答5 ○ 法144条１項、２項。設問の通り正しい。日雇特例被保険者の被扶養者に係る家族出産育児一時金の支給要件は、日雇特例被保険者自身の出産に係る出産育児一時金のように支給要件が緩和(出産の日の属する月の前４月間に通算して26日分以上の保険料が納付されていること)されているわけではない。

54答1 ○ 法150条５項。設問の通り正しい。出産費貸付制度は、法150条５項の規定による福祉事業の一環として実施されている。

54答2 × 法150条の2,1項、３項。設問の場合には、あらかじめ、社会保障審議会の「意見を聴かなければならない」。

54答3 ○ 法150条の10、令44条の２。設問の通り正しい。

過去問

54 問1 □□□ H28-4E

健康保険法第150条第１項では、保険者は、高齢者医療確保法の規定による特定健康診査及び特定保健指導を行うように努めなければならないと規定されている。

54 問2 □□□ R4-6C

保険者は、特定健康診査等以外の事業であって、健康教育、健康相談及び健康診査並びに健康管理及び疾病の予防に係る被保険者及びその被扶養者（以下「被保険者等」という。）の健康の保持増進のために必要な事業を行うに当たって必要があると認めるときは、労働安全衛生法その他の法令に基づき保存している被保険者等に係る健康診断に関する記録の写しの提供を求められた事業者等（労働安全衛生法第２条第３号に規定する事業者その他の法令に基づき健康診断（特定健康診査に相当する項目を実施するものに限る。）を実施する責務を有する者その他厚生労働省令で定める者をいう。）は、厚生労働省令で定めるところにより、当該記録の写しを提供しなければならない。

54 問3 □□□ R元-7エ 難

全国健康保険協会管掌健康保険に係る高額医療費貸付事業の対象者は、被保険者であって高額療養費の支給が見込まれる者であり、その貸付額は、高額療養費支給見込額の90％に相当する額であり、100円未満の端数があるときは、これを切り捨てる。

54 問4 □□□ R2-7C

保険者は、保健事業及び福祉事業に支障がない場合に限り、被保険者等でない者にこれらの事業を利用させることができる。この場合において、保険者は、これらの事業の利用者に対し、利用料を請求することができる。利用料に関する事項は、全国健康保険協会にあっては定款で、健康保険組合にあっては規約で定めなければならない。

55 不服申立て

過去問

55 問1 □□□ R4-7C

被保険者の資格、標準報酬又は保険給付に関する処分に不服がある者は、社会保険審査官に対して審査請求をし、その決定に不服がある者は、社会保険審査会に対して再審査請求をすることができる。当該処分の取消しの訴えは、当該処分についての審査請求に対する社会保険審査官の決定前でも提起することができる。

54答1　×　法150条１項。「特定健康診査及び特定保健指導を行うように努めなければならない」ではなく、「特定健康診査及び特定保健指導を行うものとする」と規定されている。

54答2　○　法150条１項～３項。設問の通り正しい。

54答3　×　法150条５項、昭和60.4.6庁保発７号。高額療養費支給見込額の「90%」ではなく、高額療養費支給見込額の「80%」である。

54答4　○　法150条６項、則154条。設問の通り正しい。

55答1　×　法189条１項、法192条。設問の処分取消しの訴えは、当該処分についての審査請求に対する社会保険審査官の決定を経た後でなければ、提起することができない。

56 雑則等

最新問題

56問1 □□□ R6-5C

徴収権の消滅時効の起算日は、保険料についてはその保険料の納期限の翌日、保険料以外の徴収金については徴収金を徴収すべき原因である事実の終わった日の翌日である。

56問2 □□□ R6-5D改 難

健康保険法第183条の規定によりその例によるものとされる国税徴収法第141条の規定による徴収職員の質問(全国健康保険協会又は健康保険組合の職員が行うものを除く。)に対して答弁をせず、又は偽りの陳述をしたとき、その違反行為をした者は、50万円以下の罰金に処せられる。

過去問

56問1 □□□ H28-5C改

健康保険法では、保険給付を受ける権利は、これを行使することができる時から2年を経過したときは時効によって消滅することが規定されている。この場合、消滅時効の起算日は、療養費は療養に要した費用を支払った日の翌日、高額療養費は診療月の末日(ただし、診療費の自己負担分を診療月の翌月以後に支払ったときは、支払った日の翌日)、高額介護合算療養費は計算期間(前年8月1日から7月31日までの期間)の末日の翌日である。

56問2 □□□ R3-4ア

療養の給付を受ける権利は、これを行使することができる時から2年を経過したときは、時効によって消滅する。

56問3 □□□ H29-3B 難

被保険者が死亡したとき、被保険者の高額療養費の請求に関する権利は、被保険者の相続人が有するが、診療日の属する月の翌月の1日から2年を経過したときは、時効により消滅する。なお、診療費の自己負担分は、診療日の属する月に支払済みのものとする。

56問4 □□□ H27-9D

傷病手当金を受ける権利の消滅時効は2年であるが、その起算日は労務不能であった日ごとにその翌日である。

56答1 ○ 法193条１項、昭和3.7.6保発514号。設問の通り正しい。

56答2 ○ 法213条の2,2号。設問の通り正しい。

56答1 × 法193条１項、昭和31.3.13保文発1903号、昭和48.11.7保険発99号・庁保険発21号、平成21.4.30保保発0430001号。高額療養費を受ける権利の消滅時効の起算日は、「診療月の翌月の１日」(ただし、診療費の自己負担分を診療月の翌月以後に支払ったときは、支払った日の翌日)である。

56答2 × 法193条１項。療養の給付は現物給付であり、時効の問題は発生しない。

56答3 ○ 法61条、法193条、昭和2.2.18保理719号、昭和48.11.7保険発99号・庁保険発21号。設問の通り正しい。健康保険法には、未支給給付規定が設けられていないので、未支給給付がある場合は死亡した受給権者の相続人が請求権を承継し、その相続人が受領するという取扱いになる。

56答4 ○ 法193条１項、昭和30.9.7保険発199号の２。設問の通り正しい。

56問5 □□□ R3-6B
傷病手当金を受ける権利の消滅時効は、労務不能であった日ごとにその翌日から起算される。

56問6 □□□ R5-10C
傷病手当金を受ける権利の消滅時効は２年であるが、その起算日は労務不能であった日ごとにその当日である。

56問7 □□□ R元-4ウ
出産手当金を受ける権利は、出産した日の翌日から起算して２年を経過したときは、時効によって消滅する。

56問8 □□□ H30-7D
療養費の請求権の消滅時効については、療養費の請求権が発生し、かつ、これを行使し得るに至った日の翌日より起算される。例えば、コルセット装着に係る療養費については、コルセットを装着した日にコルセットの代金を支払わず、その１か月後に支払った場合、コルセットを装着した日の翌日から消滅時効が起算される。

56問9 □□□ R3-5A 難
厚生労働大臣、保険者、保険医療機関等、指定訪問看護事業者その他の厚生労働省令で定める者は、健康保険事業又は当該事業に関連する事務の遂行のため必要がある場合を除き、何人に対しても、その者又はその者以外の者に係る保険者番号及び被保険者等記号・番号を告知することを求めてはならない。

56問10 □□□ R2-1A
全国健康保険協会は、被保険者の保険料に関して必要があると認めるときは、事業主に対し、文書その他の物件の提出若しくは提示を命じ、又は当該協会の職員をして事業所に立ち入って関係者に質問し、若しくは帳簿書類その他の物件を検査させることができる。

56答5 ○　法193条１項、昭和30.9.7保険発199号の２。設問の通り正しい。

56答6 ×　法193条、昭和30.9.7保険発199号の２。傷病手当金の支給を受ける権利の消滅時効は２年であるが、その起算日は、労務不能であった日ごとにその「翌日」である。

56答7 ×　法193条１項、昭和30.9.7保険発199号の２。出産手当金を受ける権利は、「**労務に服さなかった日ごとに**」その翌日から起算して２年を経過したときは、時効によって消滅する。傷病手当金を受ける権利の時効の起算日との違いに注意。

56答8 ×　法193条１項、昭和31.3.13保文発1903号。設問の場合は、「コルセットの代金を支払った日」(＝療養費の請求権が発生し、かつ、これを行使し得るに至った日)の翌日から消滅時効が起算される。

56答9 ○　法194条の2,1項。設問の通り正しい。

56答10 ×　法198条１項、法204条の7,1項。設問の「全国健康保険協会」は、正しくは「厚生労働大臣」である。厚生労働大臣は、被保険者の保険料に関して必要があると認めるときは、事業主に対し、文書その他の物件の提出若しくは提示を命じ、又は当該職員をして事業所に立ち入って関係者に質問し、若しくは帳簿書類その他の物件を検査させることができるとされているが、厚生労働大臣の当該権限に係る事務は、全国健康保険協会に委任されていない。なお、厚生労働大臣の保険給付に関して事業主に対して行う立入検査等の権限(健康保険組合に係る場合を除く。)に係る事務は、全国健康保険協会に行わせるものとされている。

56 問11 □□□ R3-6A

事業主が、正当な理由がなくて被保険者の資格の取得及び喪失並びに報酬月額及び賞与額に関する事項を保険者等に届出をせず又は虚偽の届出をしたときは、１年以下の懲役又は100万円以下の過料に処せられる。

56 問12 □□□ R5-3オ

療養の給付又は入院時食事療養費、入院時生活療養費、保険外併用療養費、療養費、訪問看護療養費、家族療養費若しくは家族訪問看護療養費の支給を受けた被保険者又は被保険者であった者（日雇特例被保険者又は日雇特例被保険者であった者を含む。）が、厚生労働大臣に報告を命ぜられ、正当な理由がなくてこれに従わず、又は行政庁職員の質問に対して、正当な理由がなくて答弁せず、若しくは虚偽の答弁をしたときは、30万円以下の罰金に処せられる。

56 問13 □□□ H30-1イ 難

健康保険組合でない者が健康保険組合という名称を用いたときは、10万円以下の過料に処する旨の罰則が定められている。

56答11 ×　法208条１号。設問の場合には、「６月以下の懲役又は50万円以下の罰金」に処せられる。

56答12 ○　法210条。設問の通り正しい。

56答13 ○　法10条２項、法220条。設問の通り正しい。健康保険組合でない者は、健康保険組合という名称を用いてはならないとされている。

57 総合問題

過去問

57問 1
□□□
H27-10

被保険者が多胎妊娠し(出産予定日は6月12日)、3月7日から産前休業に入り、6月15日に正常分娩で双子を出産した。産後休業を終了した後は引き続き育児休業を取得し、子が1歳に達した日をもって育児休業を終了し、その翌日から職場復帰した。産前産後休業期間及び育児休業期間に基づく報酬及び賞与は一切支払われておらず、職場復帰後の労働条件等は次のとおりであった。なお、職場復帰後の3か月間は所定労働日における欠勤はなく、育児休業を終了した日の翌日に新たな産前休業に入っていないものとする。この被保険者に関する次のアからオの記述のうち、誤っているものの組合せは、後記AからEまでのうちどれか。

【職場復帰後の労働条件等】

始業時刻	10：00
終業時刻	17：00
休憩時間	1時間
所定の休日	毎週土曜日及び日曜日
給与の支払形態	日額12,000円の日給制
給与の締切日	毎月20日
給与の支払日	当月末日

ア　事業主は出産した年の3月から8月までの期間について、産前産後休業期間中における健康保険料の免除を申し出ることができる。

イ　出産手当金の支給期間は、出産した年の5月2日から同年8月10日までである。

ウ　事業主は産前産後休業期間中における健康保険料の免除期間の終了月の翌月から、子が1歳に達した日の翌日が属する月の前月までの期間について、育児休業期間中における健康保険料の免除を申し出ることができる。

エ　出産した年の翌年の6月末日に支払われた給与の支払基礎日数が17日未満であるため、同年7月末日及び8月末日に受けた給与の総額を2で除した額に基づく標準報酬月額が、従前の標準報酬月額と比べて1等級以上の差がある場合には育児休業等終了時改定を申し出ることができる。

オ　職場復帰後に育児休業等終了時改定に該当した場合は、改定後の標準報酬月額がその翌年の8月までの各月の標準報酬月額となる。なお、標準報酬月額の随時改定には該当しないものとする。

A　(アとイ)　　B　(アとオ)　　C　(イとウ)
D　(ウとエ)　　E　(エとオ)

57答 1　正解　A(アとイ)

ア　×　法159条の３。産前産後休業期間中の保険料は、事業主の申出により、産前産後休業を開始した**日の属する月**からその産前産後休業が終了する**日の翌日が属する月の前月**までの期間免除される。また、「産前産後休業」とは、出産の日(出産の日が出産の予定日後であるときは出産の予定日)以前42日(多胎妊娠の場合においては、98日)から出産の日後56日までの間において労務に服さないこと(妊娠又は出産に関する事由を理由として労務に服さない場合に限る。)とされている。設問の場合は、産前休業を開始した日が３月７日、産後休業が終了する日が８月10日となるため、事業主は、出産した年の３月から「７月」までの期間について、健康保険料の免除を申し出ることができる。

イ　×　法102条１項。多胎妊娠の場合は、出産の日(出産の日が出産の予定日後であるときは出産の予定日)以前98日から、出産の日後56日までの間において労務に服さなかった期間、出産手当金が支給される。したがって、設問の場合の出産手当金の支給期間は、出産した年の「３月７日」から同年８月10日までである。

ウ　○　法159条１項１号。設問の通り正しい。設問の場合、産後休業終了後に引き続き育児休業を取得し、子が１歳に達した日をもって育児休業を終了していることから、育児休業等期間中の健康保険料免除の規定の適用については、法159条１項１号の「その育児休業等を開始した日の属する月とその育児休業等が終了する日の翌日が属する月とが異なる場合」に該当することが判断できる。したがって、当該被保険者に係る育児休業等期間中の健康保険料免除の申出は、当該被保険者の産前産後休業期間中の健康保険料免除の期間の終了月の翌月から子が１歳に達した日の翌日が属する月の前月までの期間について行うことができるということになる。**25答 6**の**Point**参照。

エ　○　法43条の2,1項。設問の通り正しい。育児休業等終了時改定は、随時改定と異なり、２等級以上の差が生じなくても行うことができる。

オ　○　法43条の2,2項。設問の通り正しい。

★ 選択式

★問1 □□□ H27-選改

次の文中の［　　］の部分を選択肢の中の最も適切な語句で埋め、完全な文章とせよ。

1　平成26年４月１日以降に70歳に達した被保険者が療養の給付を受けた場合の一部負担金の割合は、［ A ］から療養の給付に要する費用の額の２割又は３割となる。

例えば、標準報酬月額が28万円以上である70歳の被保険者(昭和19年９月１日生まれ)が平成27年４月１日に療養の給付を受けるとき、当該被保険者の被扶養者が67歳の妻のみである場合、厚生労働省令で定める収入の額について［ B ］であれば、保険者に申請することにより、一部負担金の割合は２割となる。なお、過去５年間に当該被保険者の被扶養者となった者は妻のみである。

本問において、災害その他の特別の事情による一部負担金の徴収猶予又は減免の措置について考慮する必要はない。

2　保険料その他健康保険法の規定による徴収金を滞納する者に督促した場合に保険者等が徴収する延滞金の割合については、同法附則第９条により当分の間、特例が設けられている。令和６年の租税特別措置法の規定による財務大臣が告示する割合は年0.4%とされたため、令和６年における延滞税特例基準割合は年1.4%となった。このため、令和６年における延滞金の割合の特例は、［ C ］までの期間については年［ D ］%とされ、［ C ］の翌日以後については年［ E ］%とされた。

選択肢

① 0.4	② 1.4	③ 2.4	④ 3.4
⑤ 7.1	⑥ 7.3	⑦ 8.1	⑧ 8.7

⑨ 70歳に達する日
⑩ 70歳に達する日の属する月
⑪ 70歳に達する日の属する月の翌月
⑫ 70歳に達する日の翌日
⑬ 督促状による指定期限の翌日から３か月を経過する日
⑭ 督促状による指定期限の翌日から６か月を経過する日
⑮ 納期限の翌日から３か月を経過する日
⑯ 納期限の翌日から６か月を経過する日
⑰ 被保険者と被扶養者の収入を合わせて算定し、その額が383万円未満
⑱ 被保険者と被扶養者の収入を合わせて算定し、その額が520万円未満
⑲ 被保険者のみの収入により算定し、その額が383万円未満
⑳ 被保険者のみの収入により算定し、その額が520万円未満

答１ 法74条１項２号、３号、令34条１項、２項１号、法181条１項、法附則９条、令和5.11.30財務省告示289号。

A ⑪ **70歳に達する日の属する月の翌月**
B ⑲ **被保険者のみの収入により算定し、その額が383万円未満**
C ⑮ **納期限の翌日から３か月を経過する日**
D ③ **2.4**
E ⑧ **8.7**

☆問2 次の文中の［　　］の部分を選択肢の中の最も適切な語句で埋め、完全な文章とせよ。

□□□
H28-選改

1　55歳で標準報酬月額が83万円である被保険者が、特定疾病でない疾病による入院により、同一の月に療養を受け、その療養(食事療養及び生活療養を除く。)に要した費用が1,000,000円であったとき、その月以前の12か月以内に高額療養費の支給を受けたことがない場合の高額療養費算定基準額は、252,600円＋(1,000,000円－［　A　］)×1％の算定式で算出され、当該被保険者に支給される高額療養費は［　B　］となる。また、当該被保険者に対し、その月以前の12か月以内に高額療養費が支給されている月が3か月以上ある場合(高額療養費多数回該当の場合)の高額療養費算定基準額は、［　C　］となる。

2　訪問看護療養費は、健康保険法第88条第2項の規定により、厚生労働省令で定めるところにより、［　D　］が必要と認める場合に限り、支給するものとされている。この指定訪問看護を受けようとする者は、同条第3項の規定により、厚生労働省令で定めるところにより、［　E　］の選定する指定訪問看護事業者から、電子資格確認等により、被保険者であることの確認を受け、当該指定訪問看護を受けるものとされている。

選択肢

①　40,070円	②　42,980円
③　44,100円	④　44,400円
⑤　45,820円	⑥　80,100円
⑦　93,000円	⑧　140,100円
⑨　267,000円	⑩　558,000円
⑪　670,000円	⑫　842,000円
⑬　医　師	⑭　医療機関
⑮　介護福祉士	⑯　看護師
⑰　厚生労働大臣	⑱　自　己
⑲　都道府県知事	⑳　保険者

✪答 2　法88条２項、３項、法115条、令41条１項、令42条１項２号。

A　⑫　**842,000円**

B　⑤　**45,820円**

C　⑧　**140,100円**

D　⑳　**保険者**

E　⑱　**自　己**

※Ｂについて、設問の被保険者は３割負担であるので、一部負担金等の額は1,000,000円×0.3＝300,000円となる。したがって、300,000円－254,180円(高額療養費算定基準額)＝45,820円となる。

✪問3 難・・・AD

□□□

H29-選

次の文中の [　　　] の部分を選択肢の中の最も適切な語句で埋め、完全な文章とせよ。

1　全国健康保険協会管掌健康保険の被保険者に係る報酬額の算定において、事業主から提供される食事の経費の一部を被保険者が負担している場合、当該食事の経費については、厚生労働大臣が定める標準価額から本人負担分を控除したものを現物給与の価額として報酬に含めるが、[　A　] を被保険者が負担している場合には報酬に含めない。

2　健康保険法第160条第４項の規定によると、全国健康保険協会(以下、本問において「協会」という。)は、都道府県別の支部被保険者及びその被扶養者の [　B　] と協会が管掌する健康保険の被保険者及びその被扶養者の [　B　] との差異によって生ずる療養の給付等に要する費用の額の負担の不均衡並びに支部被保険者の [　C　] と協会が管掌する健康保険の被保険者の [　C　] との差異によって生ずる財政力の不均衡を是正するため、政令で定めるところにより、支部被保険者を単位とする健康保険の財政の調整を行うものとされている。

3　健康保険法第90条の規定によると、指定訪問看護事業者は、指定訪問看護の事業の運営に関する基準に従い、訪問看護を受ける者の心身の状況等に応じて [　D　] 適切な指定訪問看護を提供するものとされている。

4　１又は２以上の適用事業所について常時700人以上の被保険者を使用する事業主は、当該１又は２以上の適用事業所について、健康保険組合を設立することができる。また、適用事業所の事業主は、共同して健康保険組合を設立することができる。この場合において、被保険者の数は、合算して常時 [　E　] 人以上でなければならない。

選択肢

① 3,000	② 4,000
③ 5,000	④ 10,000
⑤ １人当たり保険給付費	⑥ 経費の２分の１以上
⑦ 経費の３分の２以上	⑧ 財政収支
⑨ 主治医の指示に基づき	⑩ 所得階級別の分布状況
⑪ 所要財源率	⑫ 総報酬額の平均額
⑬ 年齢階級別の分布状況	⑭ 標準価額の２分の１以上
⑮ 標準価額の３分の２以上	⑯ 平均標準報酬月額
⑰ 保険医療機関の指示に基づき	⑱ 保険者の指示に基づき
⑲ 保険料率	⑳ 自　ら

☆答３　法11条、法46条、法90条１項、法160条４項、令１条の３、昭和31.8.25保文発6425号。

A　⑮　**標準価額の３分の２以上**
B　⑬　**年齢階級別の分布状況**
C　⑫　**総報酬額の平均額**
D　⑳　**自　ら**
E　①　**3,000**

✪問 4　□□□　H30-選

次の文中の［　　　　］の部分を選択肢の中の最も適切な語句で埋め、完全な文章とせよ。

1　健康保険法第２条では、「健康保険制度については、これが医療保険制度の基本をなすものであることにかんがみ、高齢化の進展、［　A　］、社会経済情勢の変化等に対応し、その他の医療保険制度及び後期高齢者医療制度並びにこれらに密接に関連する制度と併せてその在り方に関して常に検討が加えられ、その結果に基づき、医療保険の［　B　］、給付の内容及び費用の負担の適正化並びに国民が受ける医療の［　C　］を総合的に図りつつ、実施されなければならない。」と規定している。

2　健康保険法第102条第１項では、「被保険者が出産したときは、出産の日(出産の日が出産の予定日後であるときは、出産の予定日)［　D　］(多胎妊娠の場合においては、98日)から出産の日［　E　］までの間において労務に服さなかった期間、出産手当金を支給する。」と規定している。

選択肢

①　以後42日	②　以後56日
③　以前42日	④　以前56日
⑤　一元化	⑥　医療技術の進歩
⑦　運営の効率化	⑧　健康意識の変化
⑨　後42日	⑩　後56日
⑪　高度化	⑫　持続可能な運営
⑬　質の向上	⑭　疾病構造の変化
⑮　情報技術の進歩	⑯　多様化
⑰　前42日	⑱　前56日
⑲　民営化	⑳　無駄の排除

✪答 4　法２条、法102条１項。

A　⑭　**疾病構造の変化**
B　⑦　**運営の効率化**
C　⑬　**質の向上**
D　③　**以前42日**
E　⑩　**後56日**

Memo

☆問5 次の文中の［　　　］の部分を選択肢の中の最も適切な語句で埋め、完全な文章とせよ。

□□□
R元-選改

1　任意継続被保険者の標準報酬月額については、原則として、次のアとイに掲げる額のうちいずれか少ない額をもって、その者の標準報酬月額とする。

ア　当該任意継続被保険者が被保険者の資格を喪失したときの標準報酬月額

イ　前年（1月から3月までの標準報酬月額については、前々年）の［　A　］全被保険者の同月の標準報酬月額を平均した額（健康保険組合が当該平均した額の範囲内において規約で定めた額があるときは、当該規約で定めた額）を標準報酬月額の基礎となる報酬月額とみなしたときの標準報酬月額

2　4月1日に労務不能となって3日間休業し、同月4日に一度は通常どおり出勤したものの、翌5日から再び労務不能となって休業した場合の傷病手当金の支給期間は、［　B　］通算されることになる。また、報酬があったために、その当初から支給停止されていた場合の傷病手当金の支給期間は、報酬を受けなくなった［　C　］又は報酬の額が傷病手当金の額より少なくなった［　C　］から通算されることになる。

3　全国健康保険協会は、毎事業年度末において、［　D　］において行った保険給付に要した費用の額（前期高齢者納付金等、後期高齢者支援金等及び日雇拠出金、介護納付金並びに流行初期医療確保拠出金等の納付に要した費用の額（前期高齢者交付金がある場合には、これを控除した額）を含み、出産育児交付金の額並びに健康保険法第153条及び第154条の規定による国庫補助の額を除く。）の1事業年度当たりの平均額の［　E　］に相当する額に達するまでは、当該事業年度の剰余金の額を準備金として積み立てなければならない。

選択肢

① 3月31日における健康保険の
② 3月31日における当該任意継続被保険者の属する保険者が管掌する
③ 4月1日から
④ 4月3日から
⑤ 4月4日から
⑥ 4月5日から
⑦ 9月30日における健康保険の
⑧ 9月30日における当該任意継続被保険者の属する保険者が管掌する
⑨ 12分の1
⑩ 12分の3
⑪ 12分の5
⑫ 12分の7
⑬ 当該事業年度及びその直前の2事業年度内
⑭ 当該事業年度及びその直前の事業年度内
⑮ 当該事業年度の直前の2事業年度内
⑯ 当該事業年度の直前の3事業年度内
⑰ 日
⑱ 日の2日後
⑲ 日の3日後
⑳ 日の翌日

☆答5 法47条1項、法99条1項、4項、法108条1項、法160条の2、令46条1項、昭和26.1.24保文発162号。

A ⑧ **9月30日における当該任意継続被保険者の属する保険者が管掌する**
B ⑥ **4月5日から**
C ⑰ **日**
D ⑬ **当該事業年度及びその直前の2事業年度内**
E ⑨ **12分の1**

問6 □□□ R2-選

次の文中の ＿＿＿ の部分を選択肢の中の最も適切な語句で埋め、完全な文章とせよ。

1　健康保険法第82条第２項の規定によると、厚生労働大臣は、保険医療機関若しくは保険薬局に係る同法第63条第３項第１号の指定を行おうとするとき、若しくはその指定を取り消そうとするとき、又は保険医若しくは保険薬剤師に係る同法第64条の登録を取り消そうとするときは、政令で定めるところにより、［ A ］ものとされている。

2　保険医療機関又は保険薬局から療養の給付を受ける者が負担する一部負担金の割合については、70歳に達する日の属する月の翌月以後である場合であって、療養の給付を受ける月の［ B ］以上であるときは、原則として、療養の給付に要する費用の額の100分の30である。

3　50歳で標準報酬月額が41万円の被保険者が１つの病院において同一月内に入院し治療を受けたとき、医薬品など評価療養に係る特別料金が10万円、室料など選定療養に係る特別料金が20万円、保険診療に要した費用が70万円であった。この場合、保険診療における一部負担金相当額は21万円となり、当該被保険者の高額療養費算定基準額の算定式は「80,100円＋(療養に要した費用－267,000円)×１％」であるので、高額療養費は［ C ］となる。

4　健康保険法施行規則第29条の規定によると、健康保険法第48条の規定による被保険者の資格の喪失に関する届出は、様式第８号又は様式第８号の２による健康保険被保険者資格喪失届を日本年金機構又は健康保険組合(様式第８号の２によるものである場合にあっては、日本年金機構)に提出することによって行うものとするとされており、この日本年金機構に提出する様式第８号の２による届書は、［ D ］を経由して提出することができるとされている。

5　健康保険法第181条の２では、全国健康保険協会による広報及び保険料の納付の勧奨等について、「協会は、その管掌する健康保険の事業の円滑な運営が図られるよう、［ E ］に関する広報を実施するとともに、保険料の納付の勧奨その他厚生労働大臣の行う保険料の徴収に係る業務に対する適切な協力を行うものとする。」と規定している。

選択肢

① 7,330円	② 84,430円
③ 125,570円	④ 127,670円
⑤ 社会保障審議会の意見を聴く	⑥ 住所地の市区町村長
⑦ 傷病の予防及び健康の保持	⑧ 所轄公共職業安定所長
⑨ 所轄労働基準監督署長	
⑩ 前月の標準報酬月額が28万円	
⑪ 前月の標準報酬月額が34万円	
⑫ 全国健康保険協会理事長	
⑬ 地方社会保険医療協議会に諮問する	
⑭ 中央社会保険医療協議会に諮問する	
⑮ 当該事業の意義及び内容	⑯ 当該事業の財政状況
⑰ 都道府県知事の意見を聴く	⑱ 標準報酬月額が28万円
⑲ 標準報酬月額が34万円	
⑳ 療養環境の向上及び福祉の増進	

答6 法74条1項3号、法82条2項、法115条、法181条の2、令34条1項、令41条1項、令42条1項1号、則29条1項、2項。

A ⑬ **地方社会保険医療協議会に諮問する**
B ⑱ **標準報酬月額が28万円**
C ③ **125,570円**
D ⑧ **所轄公共職業安定所長**
E ⑮ **当該事業の意義及び内容**

※Cについて、高額療養費算定基準額は、80,100円＋(700,000円－267,000円)×1％＝84,430円である。したがって、高額療養費は、210,000円－84,430円＝125,570円となる。

☆問7 □□□ R3-選改

次の文中の［　　］の部分を選択肢の中の最も適切な語句で埋め、完全な文章とせよ。

1　健康保険法第156条の規定による一般保険料率とは、基本保険料率と［ A ］とを合算した率をいう。基本保険料率は、一般保険料率から［ A ］を控除した率を基準として、保険者が定める。［ A ］は、各年度において保険者が納付すべき前期高齢者納付金等の額及び後期高齢者支援金等の額並びに流行初期医療確保拠出金等の額（全国健康保険協会が管掌する健康保険及び日雇特例被保険者の保険においては、［ B ］額）の合算額（前期高齢者交付金がある場合には、これを控除した額）を当該年度における当該保険者が管掌する被保険者の［ C ］の見込額で除して得た率を基準として、保険者が定める。

2　毎年３月31日における標準報酬月額等級の最高等級に該当する被保険者数の被保険者総数に占める割合が100分の1.5を超える場合において、その状態が継続すると認められるときは、その年の［ D ］から、政令で、当該最高等級の上に更に等級を加える標準報酬月額の等級区分の改定を行うことができる。ただし、その年の３月31日において、改定後の標準報酬月額等級の最高等級に該当する被保険者数の同日における被保険者総数に占める割合が［ E ］を下回ってはならない。

選択肢

①　６月１日	②　８月１日
③　９月１日	④　10月１日
⑤　100分の0.25	⑥　100分の0.5
⑦　100分の0.75	⑧　100分の１
⑨　総報酬額	⑩　総報酬額の総額

⑪　その額から健康保険法第153条及び第154条の規定による国庫補助額を控除した

⑫　その額から特定納付金を控除した

⑬　その額に健康保険法第153条及び第154条の規定による国庫補助額を加算した

⑭　その額に特定納付金を加算した

⑮　調整保険料率	⑯　特定保険料率
⑰　標準報酬月額の総額	⑱　標準報酬月額の平均額
⑲　標準保険料率	⑳　付加保険料率

答7 法40条２項、法156条１項１号、法160条14項、15項。

A ⑯ **特定保険料率**

B ⑪ **その額から健康保険法第153条及び第154条の規定による国庫補助額を控除した**

C ⑩ **総報酬額の総額**

D ③ **9月1日**

E ⑥ **100分の0.5**

★問8 □□□ **R4-選**

次の文中の［　　　］の部分を選択肢の中の最も適切な語句で埋め、完全な文章とせよ。

1　健康保険法第3条第1項の規定によると、特定適用事業所に勤務する短時間労働者で、被保険者となることのできる要件の1つとして、報酬(最低賃金法に掲げる賃金に相当するものとして厚生労働省令で定めるものを除く。)が1か月当たり［　A　］であることとされている。

2　保険外併用療養費の対象となる選定療養とは、「被保険者の選定に係る特別の病室の提供その他の厚生労働大臣が定める療養」をいい、厚生労働省告示「厚生労働大臣の定める評価療養、患者申出療養及び選定療養」第2条に規定する選定療養として、第1号から第11号が掲げられている。

そのうち第4号によると、「病床数が［　B　］の病院について受けた初診(他の病院又は診療所からの文書による紹介がある場合及び緊急その他やむを得ない事情がある場合に受けたものを除く。)」と規定されており、第7号では、「別に厚生労働大臣が定める方法により計算した入院期間が［　C　］を超えた日以後の入院及びその療養に伴う世話その他の看護(別に厚生労働大臣が定める状態等にある者の入院及びその療養に伴う世話その他の看護を除く。)」と規定されている。

3　被保険者(日雇特例被保険者を除く。)は、同時に2以上の事業所に使用される場合において、保険者が2以上あるときは、その被保険者の保険を管掌する保険者を選択しなければならない。この場合は、同時に2以上の事業所に使用されるに至った日から［　D　］日以内に、被保険者の氏名及び生年月日等を記載した届書を、全国健康保険協会を選択しようとするときは［　E　］に、健康保険組合を選択しようとするときは健康保険組合に提出することによって行うものとする。

選択肢

①　5	②　7
③　10	④　14
⑤　90　日	⑥　120日
⑦　150以上	⑧　150日
⑨　180以上	⑩　180日
⑪　200以上	⑫　250以上
⑬　63,000円以上	⑭　85,000円以上
⑮　88,000円以上	⑯　108,000円以上
⑰　厚生労働大臣	
⑱　全国健康保険協会の都道府県支部	
⑲　全国健康保険協会の本部	⑳　地方厚生局長

✪答8 法３条１項９号ロ、法７条、法63条２項５号、(24) 法附則46条１項、12項、則１条の3,1項、則２条１項、令和6.3.27厚労告122号、令和4.3.18保保発0318第１号。

A ⑮ **88,000円以上**
B ⑪ **200以上**
C ⑩ **180日**
D ③ **10**
E ⑰ **厚生労働大臣**

☆問９ □□□ R5-選

次の文中の　　　　の部分を選択肢の中の最も適切な語句で埋め、完全な文章とせよ。

1　健康保険法第５条第２項によると、全国健康保険協会が管掌する健康保険の事業に関する業務のうち、被保険者の資格の取得及び喪失の確認、標準報酬月額及び標準賞与額の決定並びに保険料の徴収(任意継続被保険者に係るものを除く。)並びにこれらに附帯する業務は、［　A　］が行う。

2　健康保険法施行令第42条によると、高額療養費多数回該当の場合とは、療養のあった月以前の［　B　］以内に既に高額療養費が支給されている月数が３か月以上ある場合をいい、４か月目からは一部負担金等の額が多数回該当の高額療養費算定基準額を超えたときに、その超えた分が高額療養費として支給される。70歳未満の多数回該当の高額療養費算定基準額は、標準報酬月額が83万円以上の場合、［　C　］と定められている。

また、全国健康保険協会管掌健康保険の被保険者から健康保険組合の被保険者に変わる等、管掌する保険者が変わった場合、高額療養費の支給回数は［　D　］。

3　健康保険法第102条によると、被保険者(任意継続被保険者を除く。)が出産したときは、出産の日(出産の日が出産の予定日後であるときは、出産の予定日)以前42日(多胎妊娠の場合においては、［　E　］日)から出産の日後56日までの間において労務に服さなかった期間、出産手当金を支給する。

選択肢

① 84	② 91
③ 98	④ 105
⑤ １年６か月	⑥ ２年
⑦ ６か月	⑧ 12か月
⑨ 70歳以上の者は通算される	⑩ 44,000円
⑪ 93,000円	⑫ 140,100円
⑬ 670,000円	⑭ 厚生労働大臣
⑮ 全国健康保険協会支部	⑯ 全国健康保険協会本部
⑰ 通算されない	⑱ 通算される
⑲ 日本年金機構	
⑳ 保険者の判断により通算される	

✪答9 法5条2項、法102条1項、令42条1項1号、2号、平成19.3.7保保発0307005号。

A ⑭ **厚生労働大臣**
B ⑧ **12か月**
C ⑫ **140,100円**
D ⑰ **通算されない**
E ③ **98**

★問10 難・・・A

□□□

R6-選

次の文中の［　　　］の部分を選択肢の中の最も適切な語句で埋め、完全な文章とせよ。

1　保険外併用療養費の支給対象となる治験は、［　A　］、患者の自由な選択と同意がなされたものに限られるものとし、したがって、治験の内容を患者等に説明することが医療上好ましくないと認められる等の場合にあっては、保険外併用療養費の支給対象としない。

2　任意継続被保険者がその資格を喪失した後、出産育児一時金の支給を受けることができるのは、任意継続被保険者の［　B　］であった者であって、実際の出産日が被保険者の資格を喪失した日後6か月以内の期間でなければならない。

3　健康保険法第111条の規定によると、被保険者の［　C　］が指定訪問看護事業者から指定訪問看護を受けたときは、被保険者に対し、その指定訪問看護に要した費用について、［　D　］を支給する。［　D　］の額は、当該指定訪問看護につき厚生労働大臣の定めの例により算定した費用の額に［　E　］の給付割合を乗じて得た額（［　E　］の支給について［　E　］）の額の特例が適用されるべきときは、当該規定が適用されたものとした場合の額）とする。

選択肢

① ３親等内の親族
② 新たな医療技術、医薬品、医療機器等によるものであることから
③ 家族訪問看護療養費　④ 家族療養費
⑤ 患者に対する情報提供を前提として　⑥ 高額介護合算療養費
⑦ 高額介護サービス費　⑧ 高額療養費
⑨ 困難な病気と闘う患者からの申し出を起点として
⑩ 資格を取得した日の前日まで引き続き１年以上被保険者（任意継続被保険者又は共済組合の組合員である被保険者を除く。）
⑪ 資格を取得した日の前日まで引き続き６か月以上被保険者（任意継続被保険者又は共済組合の組合員である被保険者を除く。）
⑫ 資格を喪失した日の前日まで引き続き１年以上被保険者（任意継続被保険者又は共済組合の組合員である被保険者を含む。）
⑬ 資格を喪失した日の前日まで引き続き６か月以上被保険者（任意継続被保険者又は共済組合の組合員である被保険者を除く。）
⑭ 認定対象者　⑮ 被扶養者
⑯ 扶養者　⑰ 訪問看護療養費
⑱ 保険医療機関が厚生労働大臣の定める施設基準に適合するとともに
⑲ 保険外併用療養費　⑳ 療養費

答10　法63条２項３号、法86条１項、法106条、法111条１項、２項、令和6.3.27厚労告122号、令和6.3.27保医発0327第10号。

A　⑤　**患者に対する情報提供を前提として**
B　⑩　**資格を取得した日の前日まで引き続き１年以上被保険者（任意継続被保険者又は共済組合の組合員である被保険者を除く。）**
C　⑮　**被扶養者**
D　③　**家族訪問看護療養費**
E　④　**家族療養費**

※　Ｂについては、資格喪失後の出産育児一時金の受給要件を満たす者が任意継続被保険者となっていたケースと考えればよい。資格喪失後の出産育児一時金は、一般の被保険者の資格を喪失した日の前日まで、引き続き１年以上被保険者（任意継続被保険者又は共済組合の組合員である被保険者を除く。）であったことを必要とするが、その者が任意継続被保険者となっていた場合は、被保険者の資格を喪失した日は、任意継続被保険者の資格を取得した日と一致するため、⑩が正解となる。

2　社一
（社会保険に関する一般常識）

社会保険に関する一般常識

凡　例

社労士法→社会保険労務士法
則→社会保険労務士法施行規則
国保法→国民健康保険法
令→国民健康保険法施行令
船保法→船員保険法
高齢者医療確保法
→高齢者の医療の確保に関する法律
則→高齢者の医療の確保に関する法律施行規則
介保法→介護保険法
確拠法→確定拠出年金法
法附則→確定拠出年金法附則
確給法→確定給付企業年金法
国年法→国民年金法
厚年法→厚生年金保険法
健保法→健康保険法
社審法→社会保険審査官及び社会保険審査会法

社一：目次

社一：択一式出題ランキング

1位　社会保険労務士法（51問）
2位　高齢者の医療の確保に関する法律（38問）
2位　社会保障制度（38問）

1 社会保険労務士法

最新問題

1問1 □□□ R6-5A
社会保険労務士法第２条第１項柱書きにいう「業とする」とは、社会保険労務士法に定める社会保険労務士の業務を、反復継続して行う意思を持って反復継続して行うことをいい、他人の求めに応ずるか否か、有償、無償の別を問わない。

1問2 □□□ R6-5B改 難
社会保険労務士又は社会保険労務士法人は、社会保険労務士法第２条第１項第１号の３に規定する事務代理又は紛争解決手続代理業務(以下本肢において「事務代理等」という。)をする場合において、申請書等(社会保険労務士法施行規則第16条の２に規定する「申請書等」をいう。)を行政機関等に提出するときは、当該社会保険労務士又は社会保険労務士法人に対して事務代理等の権限を与えた者の氏名又は名称を記載した申請書等に「事務代理者」又は「紛争解決手続代理者」と表示し、かつ、当該事務代理等に係る社会保険労務士の名称を冠してその氏名を記載しなければならない。

1問3 □□□ R6-5C
社会保険労務士となる資格を有する者が、社会保険労務士法第14条の２に定める登録を受ける前に、社会保険労務士の名称を用いて他人の求めに応じ報酬を得て、同法第２条第１項第１号から第２号までに掲げる事務を業として行った場合には、同法第26条(名称の使用制限)違反とはならないが、同法第27条(業務の制限)違反となる。

1問4 □□□ R6-5D
全国社会保険労務士会連合会は、社会保険労務士法第14条の６第１項の規定により登録を拒否しようとするときは、あらかじめ、当該申請者にその旨を通知して、相当の期間内に自ら又はその代理人を通じて弁明する機会を与えなければならず、同項の規定により登録を拒否された者は、当該処分に不服があるときは、厚生労働大臣に対して審査請求をすることができる。

1問5 □□□ R6-5E
開業社会保険労務士及び社会保険労務士法人は、正当な理由がある場合でなければ、依頼(紛争解決手続代理業務に関するものを除く。)を拒んではならない。

1答1 ○　社労士法２条１項、昭和57.1.29庁保発２号。設問の通り正しい。

1答2 ○　社労士法施行規則16条の３。設問の通り正しい。

1答3 ×　社労士法14条の2,1項、２項、法26条、法27条。設問の場合、社労士法26条（名称の使用制限）及び同法27条（業務の制限）違反となる。

1答4 ○　社労士法14条の6,2項、法14条の8,1項。設問の通り正しい。

1答5 ○　社労士法20条、法25条の20。設問の通り正しい。

過去問

1問1 □□□ H27-3ア

特定社会保険労務士が単独で紛争の当事者を代理する場合の紛争の目的の価額の上限は60万円、特定社会保険労務士が弁護士である訴訟代理人とともに補佐人として裁判所に出頭し紛争解決の補佐をする場合の紛争の目的の価額の上限は120万円とされている。

1問2 □□□ R2-5ア

社会保険労務士が、個別労働関係紛争に関する民間紛争解決手続(裁判外紛争解決手続の利用の促進に関する法律(平成16年法律第151号)第2条第1号に規定する民間紛争解決手続をいう。)であって、個別労働関係紛争の民間紛争解決手続の業務を公正かつ適確に行うことができると認められる団体として厚生労働大臣が指定するものが行うものについて、単独で紛争の当事者を代理する場合、紛争の目的の価額の上限は60万円とされている。

1問3 □□□ H27-3イ

社会保険労務士は、事業における労務管理その他の労働に関する事項及び労働社会保険諸法令に基づく社会保険に関する事項について、裁判所において、補佐人として、弁護士である訴訟代理人とともに出頭し、陳述をすることができる。

1問4 □□□ R元-5C

社会保険労務士は、事業における労務管理その他の労働に関する事項及び労働社会保険諸法令に基づく社会保険に関する事項について、裁判所において、補佐人として、弁護士である訴訟代理人に代わって出頭し、陳述をすることができる。

1問5 □□□ R3-5B

社会保険労務士は、事業における労務管理その他の労働に関する事項及び労働社会保険諸法令に基づく社会保険に関する事項について、裁判所において、補佐人として、弁護士である訴訟代理人とともに出頭し、陳述及び尋問をすることができる。

1答1　×　社労士法２条１項１号の６、法２条の２。厚生労働大臣が指定する団体が行う個別労働関係紛争に関する民間紛争解決手続において、特定社会保険労務士が単独で紛争の当事者を代理する場合の紛争の目的の価額の上限額は「120万円」である。また、特定社会保険労務士が、裁判所において、補佐人として、弁護士である訴訟代理人とともに出頭し、陳述をする場合の紛争の目的の価額の上限額は、定められていない。

1答2　×　社労士法２条１項１号の６。社会保険労務士が、個別労働関係紛争に関する民間紛争解決手続であって、個別労働関係紛争の民間紛争解決手続の業務を公正かつ適確に行うことができると認められる団体として厚生労働大臣が指定するものが行うものについて、単独で紛争の当事者を代理する場合、紛争の目的の価額の上限は「120万円」とされている。

1答3　○　社労士法２条の2,1項。設問の通り正しい。

1答4　×　社労士法２条の2,1項。社会保険労務士は、事業における労務管理その他の労働に関する事項及び労働社会保険諸法令に基づく社会保険に関する事項について、裁判所において、補佐人として、弁護士である訴訟代理人「に代わって」ではなく、弁護士である訴訟代理人「とともに」出頭し、陳述をすることができるとされている。

1答5　×　社労士法２条の２。社会保険労務士は、事業における労務管理その他の労働に関する事項及び労働社会保険諸法令に基づく社会保険に関する事項について、裁判所において、補佐人として、弁護士である訴訟代理人とともに「**出頭し、陳述**」をすることができるとされているが、「尋問」をすることができるとはされていない。

❶問6 □□□ H29-3A

社会保険労務士が、補佐人として、弁護士である訴訟代理人とともに裁判所に出頭し、陳述した場合、当事者又は訴訟代理人がその陳述を直ちに取り消し、又は更正しない限り、当事者又は訴訟代理人が自らその陳述をしたものとみなされる。

❶問7 □□□ R4-5A

社会保険労務士が、事業における労務管理その他の労働に関する事項及び労働社会保険諸法令に基づく社会保険に関する事項について、裁判所において、補佐人として、弁護士である訴訟代理人とともに出頭し、行った陳述は、当事者又は訴訟代理人が自らしたものとみなされるが、当事者又は訴訟代理人が社会保険労務士の行った陳述を直ちに取り消し、又は更正したときは、この限りでない。

❶問8 □□□ H28-3A

特定社会保険労務士に限り、補佐人として、労働社会保険に関する行政訴訟の場面や、個別労働関係紛争に関する民事訴訟の場面で、弁護士とともに裁判所に出頭し、陳述することができる。

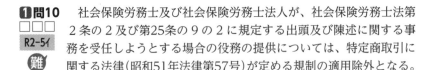

❶問9 □□□ H27-3オ 難

社会保険労務士及び社会保険労務士法人が、社会保険労務士法第２条の２及び第25条の９の２に規定する出頭及び陳述に関する事務を受任しようとする場合の役務の提供については、特定商取引に関する法律が定める規制が適用される。

❶問10 □□□ R2-5イ 難

社会保険労務士及び社会保険労務士法人が、社会保険労務士法第２条の２及び第25条の９の２に規定する出頭及び陳述に関する事務を受任しようとする場合の役務の提供については、特定商取引に関する法律(昭和51年法律第57号)が定める規制の適用除外となる。

1答6 ○ 社労士法２条の２。設問の通り正しい。

1答7 ○ 社労士法２条の２。設問の通り正しい。

1答8 × 社労士法２条の2,1項。社会保険労務士は、事業における労務管理その他の労働に関する事項及び労働社会保険諸法令に基づく社会保険に関する事項について、裁判所において、補佐人として、弁護士である訴訟代理人とともに出頭し、陳述をすることができるとされており、特定社会保険労務士に限られない。

1答9 × 社労士法２条の2,1項、法25条の９の２、平成27.3.30基発0330第３号。社会保険労務士及び社会保険労務士法人が、社会保険労務士法２条の２及び同法25条の９の２に規定する出頭及び陳述に関する事務を受任しようとする場合の役務の提供については、特定商取引に関する法律が定める規制の適用除外となる。

プラスα

特定商取引に関する法律は、特定商取引(一定の販売方法に係る取引、一定の役務の提供に係る取引等)を公正にし、及び購入者等が受けることのある損害の防止を図ることにより、購入者等の利益を保護し、あわせて商品等の流通及び役務の提供を適正かつ円滑にし、もって国民経済の健全な発展に寄与することを目的とする法律であるが、社会保険労務士法に規定する役務の提供は、特定商取引に関する法律施行令において「他の法律の規定によって購入者等の利益を保護することができると認められる役務の提供」とされており、同法の適用除外とされている。

1答10 ○ 社労士法２条の2,1項、法25条の９の２、平成27.3.30基発0330第３号、年管発0330第３号。設問の通り正しい。なお、**1答9**のプラスα参照。

❶問11 □□□ R3-5A

一般の会社の労働社会保険事務担当者又は開業社会保険労務士事務所の職員のように、他人に使用され、その指揮命令のもとに事務を行う場合は、社会保険労務士又は社会保険労務士法人でない者の業務の制限について定めた社会保険労務士法第27条にいう「業として」行うに該当する。

❶問12 □□□ R元-5B

すべての社会保険労務士は、個別労働関係紛争の解決の促進に関する法律第６条第１項の紛争調整委員会における同法第5条第１項のあっせんの手続について相談に応じること、当該あっせんの手続の開始から終了に至るまでの間に和解の交渉を行うこと、当該あっせんの手続により成立した和解における合意を内容とする契約を締結することができる。

❶問13 □□□ R4-5B

懲戒処分により社会保険労務士の失格処分を受けた者で、その処分を受けた日から３年を経過しないものは、社会保険労務士となる資格を有しない。

❶問14 □□□ H29-6E

全国社会保険労務士会連合会が行う試験事務に係る処分又はその不作為について不服がある者は、地方厚生局長又は都道府県労働局長に対して審査請求をすることができる。

❶問15 □□□ H30-5A

社会保険労務士法第14条の３に規定する社会保険労務士名簿は、都道府県の区域に設立されている社会保険労務士会ごとに備えなければならず、その名簿の登録は、都道府県の区域に設立されている社会保険労務士会ごとに行う。

❶問16 □□□ H29-3E

社会保険労務士の登録の拒否及び登録の取消しについて必要な審査を行う資格審査会の委員は、社会保険労務士、労働又は社会保険の行政事務に従事する職員及び学識経験者各同数を委嘱しなければならない。

❶問17 □□□ H29-3B

懲戒処分により、弁護士、公認会計士、税理士又は行政書士の業務を停止された者で、現にその処分を受けているものは、社会保険労務士の登録を受けることができない。

1答11 × 社労士法27条。他人に使用され、その指揮命令のもとに事務を行う場合は、社労士法27条にいう「業として」行うには該当しない。

1答12 × 社労士法２条２項、３項。設問の業務(紛争解決手続代理業務)は、**特定社会保険労務士**に限り、行うことができるとされている。

1答13 ○ 社労士法５条３号。設問の通り正しい。

1答14 × 社労士法13条の２。設問の審査請求は、「**厚生労働大臣**」に対して行うことができる。

1答15 × 社労士法14条の３。社会保険労務士名簿は、全国社会保険労務士会連合会に備えるものとされており、その名簿の登録は、全国社会保険労務士会連合会が行う。

1答16 ○ 社労士法25条の37,2項、５項、則23条の2,1項。設問の通り正しい。

1答17 ○ 社労士法14条の7,1号。設問の通り正しい。

1問18 □□□ H30-5B

社会保険労務士となる資格を有する者が、社会保険労務士となるために社会保険労務士法第14条の５の規定により登録の申請をした場合、申請を行った日から３月を経過してもなんらの処分がなされない場合には、当該登録を拒否されたものとして、厚生労働大臣に対して審査請求をすることができる。

1問19 □□□ H29-3C

社会保険労務士法第16条に定める信用失墜行為を行った社会保険労務士は、同法第33条に基づき100万円以下の罰金に処せられる。

1問20 □□□ R5-5B

他人の求めに応じ報酬を得て、社会保険労務士法第２条に規定する事務を業として行う社会保険労務士は、その業務に関する帳簿を備え、これに事件の名称(必要な場合においては事件の概要)、依頼を受けた年月日、受けた報酬の額、依頼者の住所及び氏名又は名称を記載し、当該帳簿をその関係書類とともに、帳簿閉鎖の時から１年間保存しなければならない。

1問21 □□□ R2-5オ

開業社会保険労務士又は社会保険労務士法人の使用人その他の従業者は、開業社会保険労務士又は社会保険労務士法人の使用人その他の従業者でなくなった後においても、正当な理由がなくて、その業務に関して知り得た秘密を他に漏らし、又は盗用してはならない。

1問22 □□□ H27-3エ

社会保険労務士及び社会保険労務士法人が、社会保険労務士法第２条の２及び第25条の９の２に規定する出頭及び陳述に関する事務を受任しようとする場合には、あらかじめ依頼者に報酬の基準を明示しなければならない。

1問23 □□□ R5-5A

社会保険労務士は、社会保険労務士法第２条の２に規定する出頭及び陳述に関する事務を受任しようとする場合に、依頼をしようとする者が請求しなかったときには、この者に対し、あらかじめ報酬の基準を明示する義務はない。

1 答18 ○　社労士法14条の8,2項。設問の通り正しい。なお、設問の場合には、審査請求のあった日に、全国社会保険労務士会連合会が当該登録を拒否したものとみなされる。

1 答19 ×　社労士法16条、法33条。法16条の規定(信用失墜行為の禁止)違反について、罰則は設けられていない。

1 答20 ×　社労士法19条、則15条。設問の帳簿及び関係書類は、帳簿閉鎖の時から「２年間」保存しなければならない。

1 答21 ○　社労士法27条の２。設問の通り正しい。

1 答22 ○　社労士法25条の９の２、則12条の10。設問の通り正しい。

1 答23 ×　社労士法施行規則12条の10,1号。依頼をしようとする者の請求の有無にかかわらず、あらかじめ報酬の基準を明示する義務がある。

❶問24 □□□ R3-5C

厚生労働大臣は、開業社会保険労務士又は社会保険労務士法人の業務の適正な運営を確保するため必要があると認めるときは、当該開業社会保険労務士又は社会保険労務士法人に対し、その業務に関し必要な報告を求めることができるが、ここにいう「その業務に関し必要な報告」とは、法令上義務づけられているものに限られ、事務所の経営状態等についての報告は含まれない。

❶問25 □□□ R4-5C

社会保険労務士法第25条に定める社会保険労務士に対する懲戒処分のうち戒告は、社会保険労務士の職責又は義務に反する行為を行った者に対し、本人の将来を戒めるため、１年以内の一定期間について、社会保険労務士の業務の実施あるいはその資格について制約を課す処分である。

❶問26 □□□ H28-3C

社会保険労務士法第25条の２第２項では、厚生労働大臣は、開業社会保険労務士が、相当の注意を怠り、労働社会保険諸法令に違反する行為について指示をし、相談に応じたときは、当該社会保険労務士の失格処分をすることができるとされている。

❶問27 □□□ R2-5ウ

開業社会保険労務士が、その職責又は義務に違反し、社会保険労務士法第25条第２号に定める１年以内の社会保険労務士の業務の停止の懲戒処分を受けた場合、所定の期間、その業務を行うことができなくなるので、依頼者との間の受託契約を解除し、社会保険労務士証票も返還しなければならない。

❶問28 □□□ H30-5C

厚生労働大臣は、社会保険労務士が、社会保険労務士たるにふさわしくない重大な非行があったときは、重大な非行の事実を確認した時から３月以内に失格処分(社会保険労務士の資格を失わせる処分)をしなければならない。

1 答24 × 社労士法24条１項。法24条１項にいう「その業務に関し必要な報告」とは、法令上義務づけられているものに限られず、事務所の経営状態等についての報告も含まれる。

1 答25 × 社労士法25条１号。「戒告」とは、職責又は義務に反する行為を行った者に対し、本人の将来を戒める旨を申し渡す処分であり、懲戒処分としては最も軽微なものである。戒告を受けた社会保険労務士は、その業務の実施あるいはその資格について制約を受けることにはならない。

Point

<懲戒処分の種類>
①戒告
②１年以内の開業社会保険労務士若しくは開業社会保険労務士の使用人である社会保険労務士又は社会保険労務士法人の社員若しくは使用人である社会保険労務士の業務の停止
③失格処分（社会保険労務士の資格を失わせる処分）

1 答26 × 社労士法25条の2,2項。厚生労働大臣は、社会保険労務士が、相当の注意を怠り、労働社会保険諸法令に違反する行為について指示をし、相談に応じたときは、「戒告」又は「１年以内の業務の停止」の処分をすることができるが、「失格処分」をすることができるとはされていない。

1 答27 ○ 社労士法14条の12,1項。設問の通り正しい。

1 答28 × 社労士法25条の３。厚生労働大臣は、社会保険労務士が、社会保険労務士たるにふさわしくない重大な非行があったときは、懲戒処分（戒告、１年以内の業務停止又は失格処分）をすることができるとされている（３月以内に失格処分をしなければならないのではない。）。

1問29 □□□ R4-5D
社会保険労務士法第25条に定める社会保険労務士に対する懲戒処分の効力は、当該処分が行われたときより発効し、当該処分を受けた社会保険労務士が、当該処分を不服として法令等により権利救済を求めていることのみによっては、当該処分の効力は妨げられない。

1問30 □□□ R元-5D
何人も、社会保険労務士について、社会保険労務士法第25条の2や第25条の3に規定する行為又は事実があると認めたときは、厚生労働大臣に対し、当該社会保険労務士の氏名及びその行為又は事実を通知し、適当な措置をとるべきことを求めることができる。

1問31 □□□ H28-3D
社会保険労務士法人の設立には2人以上の社員が必要である。

1問32 □□□ H28-3B
社会保険労務士法人を設立する際に定める定款には、解散の事由を必ず記載しなければならず、その記載を欠くと定款全体が無効となる。

1問33 □□□ R5-5C
社会保険労務士法人を設立するには、主たる事務所の所在地において設立の登記をし、当該法人の社員になろうとする社会保険労務士が、定款を定めた上で、厚生労働大臣の認可を受けなければならない。

1問34 □□□ H30-5D
社会保険労務士法は、「社会保険労務士法人は、総社員の同意によってのみ、定款の変更をすることができる。」と定めており、当該法人が定款にこれとは異なる定款の変更基準を定めた場合には、その定めは無効とされる。

1問35 □□□ H29-3D
社会保険労務士法人が行う紛争解決手続代理業務は、社員のうちに特定社会保険労務士がある社会保険労務士法人に限り、行うことができる。

1答29 ○　社労士法25条、法25条の５。設問の通り正しい。設問のように規定されているのは、懲戒処分の確定時まで処分の効力が発生しないものとすれば、その間、社会保険労務士の業務を行うにふさわしくない者が業務を行うことも考えられ、国民一般に不測の損害を与える恐れがあるからである。

1答30 ○　社労士法25条の３の2,2項。設問の通り正しい。

1答31 ×　社労士法25条の６。社会保険労務士法人は、単独で設立することができる。

1答32 ×　社労士法25条の11,1項、３項。定款には、少なくとも①目的、②名称、③事務所の所在地、④社員の氏名及び住所、⑤社員の出資に関する事項、⑥業務の執行に関する事項を記載しなければならないとされており、「解散の事由」を必ず記載しなければならないとはされていない。

1答33 ×　社労士法25条の11,1項、法25条の12。社会保険労務士法人を設立するために厚生労働大臣の認可を受ける必要はない。

1答34 ×　社労士法25条の14,1項。社会保険労務士法人は、「定款に別段の定めがある場合を除き」、総社員の同意によって、定款の変更をすることができる。

1答35 ○　社労士法25条の9,2項。設問の通り正しい。

1 問36 □□□ H27-3ウ

社会保険労務士法第２条の２第１項の規定により社会保険労務士が事業における労務管理その他の労働に関する事項及び労働社会保険諸法令に基づく社会保険に関する事項について、裁判所において、補佐人として、弁護士である訴訟代理人とともに出頭し、陳述をする事務について、社会保険労務士法人は、その社員又は使用人である社会保険労務士に行わせる事務の委託を受けることができる。

1 問37 □□□ H30-5E

社会保険労務士法第２条の２第１項の規定により社会保険労務士が処理することができる事務について、社会保険労務士法人が、その社員である社会保険労務士に行わせる事務の委託を受ける場合、当該社会保険労務士法人がその社員のうちから補佐人を選任しなければならない。

1 問38 □□□ R元-5E

社会保険労務士法人は、いかなる場合であれ、労働者派遣法第２条第３号に規定する労働者派遣事業を行うことができない。

1 問39 □□□ R3-5D

社会保険労務士法人の事務所には、その事務所の所在地の属する都道府県の区域に設立されている社会保険労務士会の会員である社員を常駐させなければならない。

1 問40 □□□ R5-5D

社会保険労務士法人の社員が自己又は第三者のためにその社会保険労務士法人の業務の範囲に属する業務を行ったときは、当該業務によって当該社員又は第三者が得た利益の額は、社会保険労務士法人に生じた損害の額と推定する。

1 問41 □□□ R4-5E

紛争解決手続代理業務を行うことを目的とする社会保険労務士法人は、特定社会保険労務士である社員が常駐していない事務所においては、紛争解決手続代理業務を取り扱うことができない。

1答36 ○　社労士法25条の９の２。設問の通り正しい。なお、設問の場合において、当該社会保険労務士法人は、委託者に、当該社会保険労務士法人の社員又は使用人である社会保険労務士のうちからその補佐人を選任させなければならない。

1答37 ×　社労士法25条の９の２。社会保険労務士法人は、法２条の２第１項の規定により社会保険労務士が処理することができる事務を当該社会保険労務士法人の社員又は使用人である社会保険労務士(「社員等」という。)に行わせる事務の委託を受けることができるが、この場合には、当該社会保険労務士法人は、「**委託者**」に、当該社会保険労務士法人の社員等のうちからその補佐人を選任させなければならない。

1答38 ×　社労士法25条の9,1項１号、則17条の3,2号。社会保険労務士法人は、労働者派遣法５条１項に規定する許可を受けて行う労働者派遣事業であって、当該社会保険労務士法人の使用人である社会保険労務士が労働者派遣の対象となり、かつ、派遣先が開業社会保険労務士又は社会保険労務士法人(一定のものを除く。)であるものに限り、同法２条３号に規定する労働者派遣事業を行うことができる。

1答39 ○　社労士法25条の16。設問の通り正しい。

1答40 ○　社労士法25条の18,2項。設問の通り正しい。

1答41 ○　社労士法25条の16の２。設問の通り正しい。

❶問42 □□□ H28-3E

社会保険労務士法人の財産をもってその債務を完済することができないときは、各社員は、連帯して、その弁済の責任を負う。

❶問43 □□□ R3-5E

社会保険労務士法人の解散及び清算を監督する裁判所は、当該監督に必要な検査をするに先立ち、必ず厚生労働大臣に対し、意見を求めなければならない。

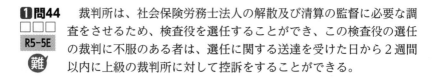

❶問44 □□□ R5-5E 難

裁判所は、社会保険労務士法人の解散及び清算の監督に必要な調査をさせるため、検査役を選任することができ、この検査役の選任の裁判に不服のある者は、選任に関する送達を受けた日から２週間以内に上級の裁判所に対して控訴をすることができる。

❶問45 □□□ R元-5A

社会保険労務士会は、所属の社会保険労務士又は社会保険労務士法人が社会保険労務士法若しくは同法に基づく命令又は労働社会保険諸法令に違反するおそれがあると認めるときは、会則の定めるところにより、当該社会保険労務士又は社会保険労務士法人に対して、社会保険労務士法第25条に規定する懲戒処分をすることができる。

❶問46 □□□ R2-5I

社会保険労務士会は、所属の社会保険労務士又は社会保険労務士法人が社会保険労務士法若しくはこの法律に基づく命令又は労働社会保険諸法令に違反するおそれがあると認めるときは、会則の定めにかかわらず、当該社会保険労務士又は社会保険労務士法人に対して、注意を促し、又は必要な措置を講ずべきことを勧告することができる。

❶答42 ○　社労士法25条の15の3,1項。設問の通り正しい。

❶答43 ×　社労士法25条の22の3,3項。社会保険労務士法人の解散及び清算を監督する裁判所は、厚生労働大臣に対し、意見を求め、又は調査を嘱託することができるとされており、「必ず厚生労働大臣に対し、意見を求めなければならない」とはされていない。

❶答44 ×　社労士法25条の22の6,1項、2項。設問の検査役の選任の裁判に対しては、不服を申し立てることができない。

❶答45 ×　社労士法25条の33。社会保険労務士会は、設問の場合には、社会保険労務士又は社会保険労務士法人に対して、「注意を促し、又は必要な措置を講ずべきことを勧告することができる。」とされている。

❶答46 ×　社労士法25条の33。社会保険労務士会は、所属の社会保険労務士又は社会保険労務士法人が社会保険労務士法若しくはこの法律に基づく命令又は労働社会保険諸法令に違反するおそれがあると認めるときは、会則の定めるところにより、当該社会保険労務士又は社会保険労務士法人に対して、注意を促し、又は必要な措置を講ずべきことを勧告することができるとされている。

2 国民健康保険法

最新問題

2 問 1 □□□ R6-8A

市町村（特別区を含む。以下本問において同じ。）は、国民健康保険事業の運営が適切かつ円滑に行われるよう、国民健康保険組合（以下「国保組合」という。）その他の関係者に対し、必要な指導及び助言を行うものとする。

2 問 2 □□□ R6-8B

国保組合は、規約の定めるところにより、組合員の世帯に属する者を包括して被保険者としないことができる。

2 問 3 □□□ R6-8C 難

国保組合が解散したときは、破産手続開始の決定による解散の場合を除き、監事がその清算人となる。ただし、規約に別段の定めがあるとき、又は組合会において監事以外の者を選任したときは、この限りでない。

2 問 4 □□□ R6-10B

市町村（特別区を含む。）及び国保組合は、国民健康保険の被保険者の死亡に関しては、条例又は規約の定めるところにより、埋葬料として、５万円を支給する。

2 問 5 □□□ R6-8D 難

国民健康保険審査会は、各都道府県に置かれ、被保険者を代表する委員、保険者を代表する委員及び保険医又は保険薬剤師を代表する委員各３人をもって組織される。

2 問 6 □□□ R6-8E改 難

市町村（特別区を含む。）若しくは国保組合又は国民健康保険団体連合会は、厚生労働省令で定めるところにより、事業状況を厚生労働大臣に報告しなければならない。

2答1 ×　国保法4条5項。設問の責務を負うのは、「市町村(特別区を含む。)」ではなく「**都道府県**」である。

2答2 ○　国保法19条2項。設問の通り正しい。

2答3 ×　国保法32条の4。設問文の「監事」(2箇所)を「理事」とすると、正しい記述となる。

2答4 ×　国保法58条1項。市町村及び国保組合は、被保険者の死亡に関しては、条例又は規約の定めるところにより、葬祭費の支給又は葬祭の給付を行うものとする。ただし、特別の理由があるときは、その全部又は一部を行わないことができるとされている(死亡に関する給付は相対的必要給付であり、必ずしも埋葬料として5万円が支給されるわけではない。)。

2答5 ×　国保法92条、法93条1項。国民健康保険審査会は、被保険者を代表する委員、保険者を代表する委員及び「公益を代表する委員」各3人をもって組織する。

2答6 ×　国保法107条2号。市町村若しくは国保組合又は国民健康保険団体連合会は、事業状況を「厚生労働大臣」ではなく「当該市町村若しくは国保組合又は国民健康保険団体連合会をその地域内に含む都道府県を統括する都道府県知事」に報告しなければならない。なお、厚生労働大臣に事業状況を報告しなければならないのは、都道府県である。

以下の問題において、「市町村」には特別区を含むものとし、また、「都道府県等が行う国民健康保険」とは、都道府県が当該都道府県内の市町村とともに行う国民健康保険のことであり、「組合」とは、国民健康保険組合のことである。

過去問

2 問1 □□□ R3-9A

国民健康保険法第1条では、「この法律は、被保険者の疾病、負傷、出産又は死亡に関して必要な保険給付を行い、もつて社会保障及び国民保健の向上に寄与することを目的とする。」と規定している。

2 問2 □□□ H28-6ア

国民健康保険法では、国民健康保険組合を設立しようとするときは、主たる事務所の所在地の都道府県知事の認可を受けなければならないことを規定している。

2 問3 □□□ R4-8A

国民健康保険組合(以下本問において「組合」という。)を設立しようとするときは、主たる事務所の所在地の都道府県知事の認可を受けなければならない。当該認可の申請は、10人以上の発起人が規約を作成し、組合員となるべき者100人以上の同意を得て行うものとされている。

2 問4 □□□ R元-6C

都道府県若しくは市町村又は組合は、共同してその目的を達成するため、国民健康保険団体連合会を設立することができる。

2 問5 □□□ R4-8E

都道府県若しくは市町村又は組合は、共同してその目的を達成するため、国民健康保険団体連合会(以下本問において「連合会」という。)を設立することができる。都道府県の区域を区域とする連合会に、その区域内の都道府県及び市町村並びに組合の2分の1以上が加入したときは、当該区域内のその他の都道府県及び市町村並びに組合は、すべて当該連合会の会員となる。

2 問6 □□□ R元-6D

国民健康保険団体連合会を設立しようとするときは、当該連合会の区域をその区域に含む都道府県を統轄する都道府県知事の認可を受けなければならない。

社一

❷答1 × 国保法１条。国民健康保険法１条では、「この法律は、国民健康保険事業の健全な運営を確保し、もつて社会保障及び国民保健の向上に寄与することを目的とする。」と規定している。なお、同法２条では、「国民健康保険は、被保険者の**疾病、負傷、出産又は死亡**に関して必要な保険給付を行うものとする。」と規定している。

❷答2 ○ 国保法17条１項。設問の通り正しい。「市町村長(特別区の区長を含む。)」が認可をするのではないことに注意する。

❷答3 × 国保法17条１項、２項。組合の設立に係る認可の申請は、「**15人**」以上の発起人が規約を作成し、組合員となるべき者「**300人**」以上の同意を得て行うものとされている。なお、設問の前段の記述は正しい。

❷答4 ○ 国保法83条１項。設問の通り正しい。

❷答5 × 国保法83条１項、法84条３項。設問文の「２分の１」を「**３分の２**」とすると正しい記述となる。なお、設問の前段の記述は正しい。

❷答6 ○ 国保法84条１項。設問の通り正しい。

2問7 □□□ R3-7D

国民健康保険診療報酬審査委員会は、都道府県の区域を区域とする国民健康保険団体連合会(その区域内の都道府県若しくは市町村又は組合の３分の２以上が加入しないものを除く。)に置かれ、都道府県知事が定める保険医及び保険薬剤師を代表する委員、保険者を代表する委員並びに被保険者を代表する委員をもって組織される。

2問8 □□□ R3-7B

生活保護法による保護を受けている世帯に属する者は、都道府県等が行う国民健康保険の被保険者となる。

2問9 □□□ R3-7A改

都道府県等が行う国民健康保険の被保険者は、都道府県の区域内に住所を有するに至った日の翌日又は国民健康保険法第６条各号のいずれにも該当しなくなった日の翌日から、その資格を取得する。

2問10 □□□ R元-6B

市町村及び組合は、被保険者の出産及び死亡に関しては、条例又は規約の定めるところにより、出産育児一時金の支給又は葬祭費の支給若しくは葬祭の給付を行うものとする。ただし、特別の理由があるときは、その全部又は一部を行わないことができる。

2問11 □□□ R4-10B

国民健康保険組合の被保険者が、業務上の事故により負傷し、労災保険法の規定による療養補償給付を受けることができるときは、国民健康保険法による療養の給付は行われない。

2問12 □□□ R4-9A

国民健康保険において、都道府県は、毎年度、厚生労働省令で定めるところにより、当該都道府県内の市町村(特別区を含む。以下本問において同じ。)ごとの保険料率の標準的な水準を表す数値を算定するものとされている。

2答7 × 国保法87条１項、法88条１項。設問後段部分が誤りである。国民健康保険診療報酬審査委員会は、都道府県知事が定める保険医及び保険薬剤師を代表する委員及び保険者を代表する委員並びに「公益」を代表する委員をもって組織する。

Point

「国民健康保険診療報酬審査委員会」とは、市町村(特別区)及び国民健康保険組合の委託を受けて診療報酬請求書の審査を行うため、都道府県の区域を区域とする国民健康保険団体連合会(その区域内の都道府県若しくは市町村又は国民健康保険組合の３分の２以上が加入しないものを除く。)に置かれるものであり、その委員は、都道府県知事が委嘱することとされている。

2答8 × 国保法６条９号。生活保護法による保護を受けている世帯に属する者は、その保護が停止されている場合を除き、国民健康保険の被保険者とならない。

2答9 × 国保法７条。都道府県等が行う国民健康保険の被保険者は、都道府県の区域内に住所を有するに至った「日」又は国民健康保険法６条各号(適用除外)のいずれにも該当しなくなった「日」から、その資格を取得する。

2答10 ○ 国保法58条１項。設問の通り正しい。

プラス α

国民健康保険法における出産育児一時金又は葬祭費若しくは葬祭の給付は、設問文にある通り「特別の理由があるときは、その全部又は一部の支給を行わないことができる。」とされていることから、相対的必要給付とされている。

2答11 ○ 国保法56条１項。設問の通り正しい。

2答12 ○ 国保法82条の3,1項。設問の通り正しい。

❷問13 □□□ H27-6A改

国民健康保険法では、国は、都道府県等が行う国民健康保険の財政の安定化を図るため、政令で定めるところにより、都道府県に対し、療養の給付等に要する費用並びに前期高齢者納付金及び後期高齢者支援金、介護納付金並びに流行初期医療確保拠出金の納付に要する費用について、一定の額の合算額の100分の32を負担することを規定している。

❷問14 □□□ H30-9A

国民健康保険法施行令第29条の７の規定では、市町村が徴収する世帯主に対する国民健康保険料の賦課額は、世帯主の世帯に属する被保険者につき算定した基礎賦課額、前期高齢者納付金等賦課額、後期高齢者支援金等賦課額及び介護納付金賦課額の合算額とされている。

❷問15 □□□ H27-6B改 難

国民健康保険法施行令では、市町村又は特別区が徴収する世帯主に対する保険料の賦課額のうちの基礎賦課額は、16万円を超えることはできないことを規定している。

❷問16 □□□ R2-10B改

国民健康保険の保険給付を受けることができる世帯主であって、市町村から特別療養費の適用を受けている者が、国民健康保険料を滞納しており、当該保険料の納期限から１年６か月が経過するまでの間に、当該市町村が保険料納付の勧奨等を行ってもなお当該保険料を納付しないことにより、当該保険給付の全部又は一部の支払いを一時差し止めされている。当該世帯主が、この場合においても、なお滞納している保険料を納付しないときは、市町村は、あらかじめ、当該世帯主に通知して、当該一時差し止めに係る保険給付の額から当該世帯主が滞納している保険料額を控除することができる。

2答13 ○　国保法70条1項。設問の通り正しい。

2答14 ×　国保法76条1項、令29条の7,1項。国民健康保険法施行令29条の7の規定では、市町村が徴収する世帯主に対する国民健康保険料の賦課額は、世帯主の世帯に属する被保険者につき算定した基礎賦課額及び後期高齢者支援金等賦課額並びに介護納付金賦課額の合算額とされており、「前期高齢者納付金等賦課額」については合算されない(「前期高齢者納付金等賦課額」については、国民健康保険法令において規定されていない。)。

プラスα

「基礎賦課額」…国民健康保険料賦課額のうち、国民健康保険事業に要する費用(後期高齢者支援金等及び介護納付金の納付に要する費用を除く。)に充てるための賦課額
「後期高齢者支援金等賦課額」…国民健康保険料賦課額のうち、後期高齢者支援金等を納付する費用に充てるため賦課額
「介護納付金賦課額」…国民健康保険料賦課額のうち、介護納付金の納付に要する費用に充てるための賦課額

2答15 ×　国保法施行令29条の7,2項9号。基礎賦課額は、「16万円」ではなく「65万円」を超えることはできないと規定されている。なお、**2答14**のプラスα参照。

2答16 ○　国保法63条の2,1項、3項、則32条の2。設問の通り正しい。

2問17 □□□ R3-7C改

市町村及び組合は、被保険者又は被保険者であった者が、正当な理由なしに療養に関する指示に従わないときは、療養の給付等の一部を行わないことができる。

2問18 □□□ R元-6E改

保険給付に関する処分（国民健康保険法第９条第２項及び第４項の規定による求めに対する処分を含む。）又は保険料その他国民健康保険法の規定による徴収金に関する処分に不服がある者は、国民健康保険審査会に審査請求をすることができる。

2問19 □□□ H29-6B

国民健康保険の保険料に関する処分の取消しの訴えは、当該処分についての審査請求に対する裁決を経た後でなければ、提起することができない。

2問20 □□□ R3-7E 難

市町村は、条例で、偽りその他不正の行為により保険料その他国民健康保険法の規定による徴収金の徴収を免れた者に対し、その徴収を免れた金額の10倍に相当する金額以下の過料を科する規定を設けることができる。

3 船員保険法

最新問題

3問１ □□□ R6-10A

船員保険の被保険者が職務外の事由により死亡したとき、又は船員保険の被保険者であった者が、その資格を喪失した後６か月以内に職務外の事由により死亡したときは、被保険者又は被保険者であった者により生計を維持していた者であって、埋葬を行った者に対し、埋葬料として、５万円を支給する。

2答17 ○　国保法62条。設問の通り正しい。

2答18 ○　国保法91条１項。設問の通り正しい。なお、国民健康保険法第９条第２項の規定による求めとは、世帯に属する全て又は一部の被保険者のうち、電子資格確認を受けることができない状況にある被保険者の資格に係る情報の提供の(世帯主による)求めであり、同条第４項の規定による求めとは、世帯に属する全て又は一部の被保険者の資格に係る事実の確認のための書面の交付又は当該書面に記載すべき事項の電磁的方法による提供の(世帯主による)求めのことである。

2答19 ○　国保法91条１項、法103条。設問の通り正しい。

2答20 ×　国保法127条３項。設問の過料は、偽り又は不正の行為により徴収を免れた金額の「10倍」ではなく、「５倍」に相当する金額以下とされている。

3答１ ×　船保法72条１項、令６条。船員保険の被保険者が職務外の事由により死亡したとき、又は船員保険の被保険者であった者が、その資格を喪失した後「**３か月以内**」に職務外の事由により死亡したときは、被保険者又は被保険者であった者により生計を維持していた者であって、「埋葬を行うもの」に対し、埋葬料として、５万円を支給する。

過去問

③問1 □□□ R3-9D

船員保険法第１条では、「この法律は、船員又はその被扶養者の職務外の事由による疾病、負傷若しくは死亡又は出産に関して保険給付を行うとともに、労働者災害補償保険による保険給付と併せて船員の職務上の事由又は通勤による疾病、負傷、障害又は死亡に関して保険給付を行うこと等により、船員の生活の安定と福祉の向上に寄与することを目的とする。」と規定している。

③問2 □□□ H30-6B

船員保険法では、船員保険は、健康保険法による全国健康保険協会が管掌し、船員保険事業に関して船舶所有者及び被保険者（その意見を代表する者を含む。）の意見を聴き、当該事業の円滑な運営を図るため、全国健康保険協会に船員保険協議会を置くと規定している。

③問3 □□□ R4-8D

船員保険は、全国健康保険協会が管掌する。船員保険事業に関して船舶所有者及び被保険者（その意見を代表する者を含む。）の意見を聴き、当該事業の円滑な運営を図るため、全国健康保険協会に船員保険協議会を置く。船員保険協議会の委員は、10人以内とし、船舶所有者及び被保険者のうちから、厚生労働大臣が任命する。

③問4 □□□ H30-8B

標準報酬月額は、被保険者の報酬月額に基づき、第１級から第31級までの等級区分に応じた額によって定めることとされている。

③問5 □□□ R5-7B

船舶所有者は、厚生労働省令で定めるところにより、被保険者の資格の取得及び喪失並びに報酬月額及び賞与額に関する事項を厚生労働大臣に届け出なければならない。

③問6 □□□ R5-7A

被保険者（疾病任意継続被保険者を除く。）は、船員として船舶所有者に使用されるに至った日から、被保険者の資格を取得する。

3答1 ○　船保法１条。設問の通り正しい。

3答2 ○　船保法４条１項、法６条１項。設問の通り正しい。

3答3 ×　船保法４条１項、法６条１項、２項。船員保険協議会の委員は、「12人」以内とし、船舶所有者、被保険者及び「船員保険事業の円滑かつ適正な運営に必要な学識経験を有する者」のうちから、厚生労働大臣が任命する。なお、その他の記述は正しい。

3答4 ×　船保法16条１項。船員保険の標準報酬月額等級は、被保険者の報酬月額に基づき、第１級から「第50級」までの等級区分に応じた額によって定めることとされている。

3答5 ○　船保法24条。設問の通り正しい。

3答6 ○　船保法11条。設問の通り正しい。

Point

被保険者(疾病任意継続被保険者を除く。)は、死亡した日又は船員として船舶所有者に使用されなくなるに至った日の翌日(その事実があった日に更に被保険者の資格を取得するに至ったときは、その日)から、被保険者の資格を喪失する。

3 問7 □□□ H30-8A改

船員保険法第２条第２項に規定する疾病任意継続被保険者となるための申出は、被保険者の資格を喪失した日から20日以内にしなければならないとされている。ただし、全国健康保険協会(以下「協会」という。)は、正当な理由があると認めるときは、この期間を経過した後の申出であっても、受理することができるとされている。

3 問8 □□□ R元-9C

船員保険の被保険者であった者が、74歳で船員保険の被保険者資格を喪失した。喪失した日に保険者である全国健康保険協会へ申出をし、疾病任意継続被保険者となった場合、当該被保険者は、75歳となっても後期高齢者医療制度の被保険者とはならず、疾病任意継続被保険者の資格を喪失しない。

3 問9 □□□ H28-7A

被保険者又は被保険者であった者の給付対象傷病に関しては、療養の給付を行なうが、自宅以外の場所における療養に必要な宿泊及び食事の支給も当該療養の給付に含まれる。

3 問10 □□□ R4-10D

船員保険の被保険者であった者が、令和３年10月５日にその資格を喪失したが、同日、疾病任意継続被保険者の資格を取得した。その後、令和４年４月11日に発した職務外の事由による疾病若しくは負傷又はこれにより発した疾病につき療養のため職務に服することができない状況となった場合は、船員保険の傷病手当金の支給を受けることはできない。

3 問11 □□□ H28-7B改

傷病手当金の支給期間は、同一の疾病又は負傷及びこれにより発した疾病に関しては、その支給を始めた日から通算して１年６か月間とする。

3 問12 □□□ R2-7C

被保険者又は被保険者であった者が被保険者の資格を喪失する前に発した職務外の事由による疾病又は負傷及びこれにより発した疾病につき療養のため職務に服することができないときは、その職務に服することができなくなった日から起算して３日を経過した日から職務に服することができない期間、傷病手当金を支給する。

3答7 ○　船保法13条1項。設問の通り正しい。

Point

「疾病任意継続被保険者」とは、船舶所有者に使用されなくなったため、被保険者(独立行政法人等職員被保険者を除く。)の資格を喪失した者であって、喪失の日の前日まで継続して2月以上被保険者(一定の者を除く。)であったもののうち、全国健康保険協会に申し出て、継続して被保険者になった者をいうが、当該疾病任意継続被保険者の資格取得の申出は、所定の事項を記載した申出書を直接全国健康保険協会に提出することによって行うものとされている。

3答8 ×　船保法2条2項、法14条6号。設問の疾病任意継続被保険者は、75歳となったときに後期高齢者医療の被保険者となり、その日に疾病任意継続被保険者の資格を喪失する。

3答9 ○　船保法53条1項6号。設問の通り正しい。

3答10 ×　船保法69条1項、4項。疾病任意継続被保険者にも傷病手当金は支給される。なお、疾病任意継続被保険者又は疾病任意継続被保険者であった者に係る傷病手当金の支給は、当該被保険者の資格を取得した日から起算して1年以上経過したときに発した疾病若しくは負傷又はこれにより発した疾病については、行われないが、設問の場合には、1年を経過していないので、傷病手当金の支給を受けることが「できる」。

3答11 ×　船保法69条5項。船員保険法による傷病手当金の支給期間は、同一の疾病又は負傷及びこれにより発した疾病に関しては、その支給を始めた日から**通算して「3年間」**とされている。

3答12 ×　船保法69条1項。船員保険法の規定による傷病手当金には、待期期間は設けられていないため、職務外の事由による疾病又は負傷等につき療養のため職務に服することができなくなったときは、「その初日」から職務に服することができない期間、傷病手当金が支給される。

3問13 □□□ H28-7C
出産手当金の支給期間は、出産の日以前において妊娠中のため職務に服さなかった期間及び出産の日後56日以内において職務に服さなかった期間である。

3問14 □□□ R5-7C
被保険者であった者(後期高齢者医療の被保険者等である者を除く。)がその資格を喪失した日後に出産したことにより船員保険法第73条第1項の規定による出産育児一時金の支給を受けるには、被保険者であった者がその資格を喪失した日より6か月以内に出産したこと及び被保険者であった期間が支給要件期間であることを要する。

3問15 □□□ H28-7D
休業手当金は、被保険者又は被保険者であった者が職務上の事由又は通勤による疾病又は負傷及びこれにより発した疾病につき療養のため労働することができないために報酬を受けない日について支給され、当該報酬を受けない最初の日から支給の対象となる。

3問16 □□□ R2-7B
遺族年金を受けることができる遺族の範囲は、被保険者又は被保険者であった者の配偶者(婚姻の届出をしていないが、事実上婚姻関係と同様の事情にある者を含む。)、子、父母、孫、祖父母及び兄弟姉妹であって、被保険者又は被保険者であった者の死亡の当時その収入によって生計を維持していたものである。なお、年齢に関する要件など所定の要件は満たしているものとする。

3問17 □□□ R2-7D
障害年金及び遺族年金の支給は、支給すべき事由が生じた月の翌月から始め、支給を受ける権利が消滅した月で終わるものとする。

3問18 □□□ H28-7E
被保険者が職務上の事由により行方不明となったときは、その期間、被扶養者に対し、行方不明手当金を支給する。ただし、行方不明の期間が1か月未満であるときは、この限りでない。また、被保険者の行方不明の期間に係る報酬が支払われる場合においては、その報酬の額の限度において行方不明手当金を支給しない。

3問19 □□□ R2-7E
被保険者が職務上の事由により行方不明となったときは、その期間、被扶養者に対し、行方不明手当金を支給する。ただし、行方不明の期間が1か月未満であるときは、この限りでない。

❸答13 ○　船保法74条１項、船員法87条１項。設問の通り正しい。

❸答14 ○　船保法73条１項。設問の通り正しい。

❸答15 ○　船保法85条１項、２項。設問の通り正しい。

❸答16 ○　船保法35条１項。設問の通り正しい。

❸答17 ○　船保法41条１項。設問の通り正しい。

❸答18 ○　船保法93条、法96条。設問の通り正しい。

❸答19 ○　船保法93条。設問の通り正しい。

3 問20 □□□ R5-7D

行方不明手当金の支給を受ける期間は、被保険者が行方不明となった日の翌日から起算して２か月を限度とする。

3 問21 □□□ R4-9B

船員保険において、被保険者の行方不明の期間に係る報酬が支払われる場合には、その報酬の額の限度において行方不明手当金は支給されない。

3 問22 □□□ R5-7E改

厚生労働大臣は、船員保険事業に要する費用（前期高齢者納付金等及び後期高齢者支援金等、介護納付金並びに流行初期医療確保拠出金等の納付に要する費用を含む。）に充てるため、保険料（疾病任意継続被保険者に関する保険料を除く。）を徴収する。

3 問23 □□□ R2-7A改

育児休業等（その育児休業等を開始した日の属する月と終了する日の翌日が属する月とが異なるものとし、その期間が１月を超えるものとする。）をしている被保険者（産前産後休業による保険料免除の適用を受けている被保険者を除く。）を使用する船舶所有者が、厚生労働省令で定めるところにより厚生労働大臣に申出をしたときは、その育児休業等を開始した日の属する月からその育児休業等が終了する日の翌日の属する月の前月までの期間、当該被保険者に関する保険料は徴収されない。

3 問24 □□□ H30-8C

一般保険料率は、疾病保険料率、災害保健福祉保険料率及び介護保険料率を合算して得た率とされている。ただし、後期高齢者医療の被保険者等である被保険者及び独立行政法人等職員被保険者にあっては、一般保険料率は、災害保健福祉保険料率のみとされている。

3答20 ×　船保法95条。行方不明手当金の支給を受ける期間は、被保険者が行方不明となった日の翌日から起算して「２か月」ではなく「３か月」を限度とする。

3答21 ○　船保法96条。設問の通り正しい。

3答22 ○　船保法114条。設問の通り正しい。なお、疾病任意継続被保険者に関する保険料は、全国健康保険協会が徴収する。

3答23 ○　船保法118条。設問の通り正しい。本書「1 健保(健康保険法)」25「保険料の負担等」の25答６の**Point**参照。

3答24 ×　船保法120条。船員保険の一般保険料率は、疾病保険料率と災害保健福祉保険料率とを合算して得た率とされており、介護保険料率は合算されない。なお、設問ただし書については、その通り正しい。また、「疾病保険料率」については**3答26**の解説、「災害保健福祉保険料率」については**3答27**の解説を参照のこと。

3 問25 □□□ R2-10C

船員法第１条に規定する船員として船舶所有者に使用されている後期高齢者医療制度の被保険者である船員保険の被保険者に対する船員保険の保険料額は、標準報酬月額及び標準賞与額にそれぞれ疾病保険料率と災害保健福祉保険料率とを合算した率を乗じて算定される。

3 問26 □□□ H30-8D

疾病保険料率は、1000分の10から1000分の35までの範囲内において、協会が決定するものとされている。

3 問27 □□□ H30-8E

災害保健福祉保険料率は、1000分の40から1000分の130までの範囲内において、協会が決定するものとされている。

4 高齢者の医療の確保に関する法律

最新問題

4 問1 □□□ R6-10E

後期高齢者医療広域連合は、高齢者医療確保法の被保険者の死亡に関しては、条例の定めるところにより、埋葬料として、５万円を支給する。

❸答25 ×　船保法120条２項。後期高齢者医療制度の被保険者である船員保険の被保険者に対する船員保険の保険料額は、標準報酬月額及び標準賞与額に「災害保健福祉保険料率」のみを乗じて算定される。

Point

船員保険の被保険者に係る保険料額については、以下のように算定するものとされており、以下の「一般保険料率」は、後期高齢者医療制度の被保険者以外の者については、「疾病保険料率と災害保健福祉保険料率を合算した率」であり、後期高齢者医療制度の被保険者については、「災害保健福祉保険料率」のみとなっている。

<介護保険第２号被保険者である船員保険の被保険者>

標準報酬月額及び標準賞与額 × 一般保険料率
標準報酬月額及び標準賞与額 × 介護保険料率　┘ **合算した額**

<介護保険第２号被保険者以外の船員保険の被保険者>

標準報酬月額及び標準賞与額 × 一般保険料率

※「疾病保険料率」については、**❸答26**の解説、「災害保健福祉保険料率」については、**❸答27**の解説を参照のこと。

❸答26 ×　船保法121条１項。疾病保険料率は、「1000分の10から1000分の35」ではなく、「1000分の40から1000分の130」までの範囲内において協会が決定することとされている。なお、「疾病保険料率」とは、船員保険の職務外疾病給付等に充てる保険料の算定に用いる率である。

❸答27 ×　船保法122条１項。災害保健福祉保険料率は、「1000分の40から1000分の130」ではなく、「1000分の10から1000分の35」までの範囲内において協会が決定するものとされている。なお、「災害保健福祉保険料率」とは、船員保険の職務上疾病・年金給付、保健福祉事業等に充てる保険料の算定に用いる率である。

❹答１ ×　高齢者医療確保法86条１項。後期高齢者医療広域連合は、被保険者の死亡に関しては、条例の定めるところにより、葬祭費の支給又は葬祭の給付を行うものとする。ただし、特別の理由があるときは、その全部又は一部を行わないことができるとされている(死亡に関する給付は相対的必要給付であり、必ずしも埋葬料として５万円が支給されるわけではない。)。

以下の問題において、「市町村」には特別区を含むものとし、また、「広域連合」とは、後期高齢者医療広域連合のことである。

過去問

4 問1 □□□ R3-9C

高齢者医療確保法第1条では、「この法律は、国民の高齢期における適切な医療の確保を図るため、医療費の適正化を推進するための計画の作成及び保険者による健康診査等の実施に関する措置を講ずるとともに、高齢者の医療について、国民の共同連帯の理念等に基づき、前期高齢者に係る保険者間の費用負担の調整、後期高齢者に対する適切な医療の給付等を行うために必要な制度を設け、もつて国民保健の向上及び高齢者の福祉の増進を図ることを目的とする。」と規定している。

4 問2 □□□ H29-8C改

高齢者医療確保法における保険者には、医療保険各法の規定により医療に関する給付を行う全国健康保険協会、健康保険組合、都道府県及び市町村(特別区を含む。)、国民健康保険組合のほか、共済組合及び日本私立学校振興・共済事業団も含まれる。

4 問3 □□□ H30-7A改

都道府県は、医療費適正化基本方針に即して、5年ごとに、5年を1期として、当該都道府県における医療費適正化を推進するための計画(以下「都道府県医療費適正化計画」という。)を定めるものとする。

4 問4 □□□ R5-10B

都道府県は、医療費適正化基本方針に即して、6年ごとに、6年を1期として、当該都道府県における医療費適正化を推進するための計画を定めるものとする。

4 問5 □□□ H30-7B

都道府県は、都道府県医療費適正化計画を定め、又はこれを変更したときは、遅滞なく、これを公表するよう努めるとともに、厚生労働大臣に提出するものとする。

4答1 ○ 高齢者医療確保法1条。設問の通り正しい。

4答2 ○ 高齢者医療確保法7条2項。設問の通り正しい。

4答3 × 高齢者医療確保法9条1項。設問の都道府県医療費適正化計画は、「**6年ごとに、6年を1期**として」、定めるものとされている。

プラスα

都道府県医療費適正化計画においては、次に掲げる事項等を定めるものとする。
①住民の健康の保持の推進に関し、当該都道府県における医療費適正化の推進のために達成すべき目標に関する事項
②医療の効率的な提供の推進に関し、当該都道府県における医療費適正化の推進のために達成すべき目標に関する事項
③当該都道府県の医療計画に基づく事業の実施を踏まえ、計画の期間において見込まれる病床の機能の分化及び連携の推進の成果に関する事項

4答4 ○ 高齢者医療確保法9条1項。設問の通り正しい。設問は、「都道府県医療費適正化計画」に関する問題である。なお、**4答3**の プラスα 参照。

4答5 ○ 高齢者医療確保法9条8項。設問の通り正しい。

4 問6 □□□ H29-8B改

保険者(国民健康保険法の定めるところにより都道府県が当該都道府県内の市町村(特別区を含む。以下本問において同じ。)とともに行う国民健康保険にあっては、市町村)は、特定健康診査等基本指針に即して、６年ごとに、６年を１期として、特定健康診査等の実施に関する計画を定めるものとされている。

4 問7 □□□ H29-8A

後期高齢者医療は、高齢者の疾病又は負傷に関して必要な給付を行うものとしており、死亡に関しては給付を行わない。

4 問8 □□□ H29-8D

後期高齢者医療広域連合は、後期高齢者医療の事務(保険料の徴収の事務及び被保険者の便益の増進に寄与するものとして政令で定める事務を除く。)を処理するため、都道府県の区域ごとに当該区域内のすべての市町村(特別区を含む。)が加入して設けられる。

4 問9 □□□ R5-10C

都道府県は、後期高齢者医療の事務(保険料の徴収の事務及び被保険者の便益の増進に寄与するものとして政令で定める事務を除く。)を処理するため、都道府県の区域ごとに当該区域内のすべての市町村が加入する広域連合(以下本問において「後期高齢者医療広域連合」という。)を設けるものとする。

4 問10 □□□ R4-7A

後期高齢者医療広域連合(以下本問において「広域連合」という。)の区域内に住所を有する75歳以上の者及び広域連合の区域内に住所を有する65歳以上75歳未満の者であって、厚生労働省令で定めるところにより、政令で定める程度の障害の状態にある旨の当該広域連合の認定を受けたもののいずれかに該当する者は、広域連合が行う後期高齢者医療の被保険者とする。

4 問11 □□□ H28-6エ

高齢者医療確保法では、生活保護法による保護を受けている世帯(その保護を停止されている世帯を除く。)に属する者は、後期高齢者医療広域連合が行う後期高齢者医療の被保険者としないことを規定している。

4答6 ○ 高齢者医療確保法18条１項、法19条１項。設問の通り正しい。

4答7 × 高齢者医療確保法47条。後期高齢者医療は、高齢者の**疾病**、**負傷**又は**死亡**に関して給付を行うものとされており、死亡についても給付の対象となっている。

4答8 ○ 高齢者医療確保法48条。設問の通り正しい。

4答9 × 高齢者医療確保法48条。「市町村」は、後期高齢者医療の事務（保険料の徴収の事務及び被保険者の便益の増進に寄与するものとして政令で定める事務を除く。）を処理するため、都道府県の区域ごとに当該区域内のすべての市町村が加入する広域連合（後期高齢者医療広域連合）を設けるものとするとされている。

4答10 ○ 高齢者医療確保法50条。設問の通り正しい。

4答11 ○ 高齢者医療確保法51条１号。設問の通り正しい。

プラスα

次の①又は②のいずれかに該当する者は、後期高齢者医療広域連合が行う後期高齢者医療の被保険者としない。

①生活保護法による保護を受けている世帯（その保護を停止されている世帯を除く。）に属する者

②①に掲げるもののほか、後期高齢者医療の適用除外とすべき特別の理由がある者で厚生労働省令で定めるもの

4 問12 □□□ R元-9D 難

Ａ県Ａ市に居住していた国民健康保険の被保険者が、Ｂ県Ｂ市の病院に入院し、住民票を異動させたが、住所地特例の適用を受けることにより入院前のＡ県Ａ市が保険者となり、引き続きＡ県Ａ市の国民健康保険の被保険者となっている。その者が入院中に国民健康保険の被保険者から後期高齢者医療制度の被保険者となった場合は、入院前のＡ県の後期高齢者医療広域連合が行う後期高齢者医療の被保険者となるのではなく、住民票上のＢ県の後期高齢者医療広域連合が行う後期高齢者医療の被保険者となる。

4 問13 □□□ R4-7B

被保険者は、厚生労働省令で定めるところにより、当該被保険者の資格の取得及び喪失に関する事項その他必要な事項を広域連合に届け出なければならないが、当該被保険者の属する世帯の世帯主は、当該被保険者に代わって届出をすることができない。

4 問14 □□□ R4-9E改

後期高齢者医療制度において、後期高齢者医療広域連合は、被保険者が、自己の選定する保険医療機関等について評価療養、患者申出療養又は選定療養を受けたときは、当該被保険者に対し、その療養に要した費用について、保険外併用療養費を支給する。ただし、当該被保険者が特別療養費の適用を受けている間は、この限りでない。

4 問15 □□□ H30-7C

偽りその他不正の行為によって後期高齢者医療給付を受けた者があるときは、都道府県は、その者からその後期高齢者医療給付の価額の全部又は一部を徴収することができる。

4 問16 □□□ H30-7D

保険医療機関等は療養の給付に関し、保険医等は後期高齢者医療の診療又は調剤に関し、都道府県知事から指導を受けることはない。

4 問17 □□□ R元-8C

指定訪問看護事業者及び当該指定に係る事業所の看護師その他の従業者は、指定訪問看護に関し、市町村長(特別区の区長を含む。)の指導を受けなければならない。

4答12 ×　高齢者医療確保法55条の２。設問の場合は、住民票の異動前（入院前）のＡ県の後期高齢者医療広域連合が行う後期高齢者医療の被保険者となるのであり、住民票上のＢ県の後期高齢者医療広域連合が行う後期高齢者医療の被保険者となるのではない。

Point
入院等により国民健康保険の被保険者として住所地特例の適用を受けることで住所を有するとみなされた市町村（特別区）（「従前住所地市町村」という。設問の場合Ａ県Ａ市）の加入する後期高齢者医療広域連合以外の後期高齢者医療広域連合の区域内（設問の場合Ｂ県Ｂ市）に住所を有する者が、後期高齢者医療の被保険者の要件を満たしたときは、従前住所地市町村の加入する後期高齢者医療広域連合（従前住所地後期高齢者医療広域連合）が行う後期高齢者医療の被保険者となる。

4答13 ×　高齢者医療確保法54条１項、２項。被保険者の資格の取得及び喪失に関する事項その他必要な事項について、当該被保険者の属する世帯の世帯主は、当該被保険者に代わって届け出をすることが「できる」。

4答14 ○　高齢者医療確保法76条１項。設問の通り正しい。

4答15 ×　高齢者医療確保法59条１項。設問の不正利得者からの徴収は、「都道府県」ではなく、「**後期高齢者医療広域連合**」が行う。

4答16 ×　高齢者医療確保法66条１項。高齢者医療確保法66条１項において、「保険医療機関等は療養の給付に関し、保険医等は後期高齢者医療の診療又は調剤に関し、**厚生労働大臣又は都道府県知事**の指導を受けなければならない。」と規定している。

4答17 ×　高齢者医療確保法80条。設問の指定訪問看護に関する指導は、「市町村長（特別区の区長を含む。）」ではなく、「厚生労働大臣又は都道府県知事」から受けるものとされている。

4 問18 □□□ H30-7E

療養の給付の取扱い及び担当に関する基準並びに療養の給付に要する費用の額の算定に関する基準については、厚生労働大臣が後期高齢者医療広域連合の意見を聴いて定めるものとする。

4 問19 □□□ R元-8D

後期高齢者医療広域連合は、被保険者が療養の給付(保険外併用療養費に係る療養及び特別療養費に係る療養を含む。)を受けるため病院又は診療所に移送されたときは、当該被保険者に対し、移送費として、厚生労働省令で定めるところにより算定した額を支給する。この移送費は、厚生労働省令で定めるところにより、後期高齢者医療広域連合が必要であると認める場合に限り、支給するものとする。

4 問20 □□□ R元-8A

後期高齢者医療広域連合は、生活療養標準負担額を定めた後に勘案又はしん酌すべき事項に係る事情が著しく変動したときは、速やかにその額を改定しなければならない。

4 問21 □□□ R元-8B

厚生労働大臣は、指定訪問看護の事業の運営に関する基準(指定訪問看護の取扱いに関する部分に限る。)を定めようとするときは、あらかじめ後期高齢者医療審査会の意見を聴かなければならない。

4 問22 □□□ R元-8E

後期高齢者医療広域連合は、被保険者の死亡に関しては、あらかじめ中央社会保険医療協議会の意見を聴いて、葬祭費の支給又は葬祭の給付を行うものとする。ただし、特別の理由があるときは、その全部又は一部を行わないことができる。

4 答18 × 高齢者医療確保法71条１項。設問の基準については、厚生労働大臣が、「後期高齢者医療広域連合」ではなく、「**中央社会保険医療協議会**」の意見を聴いて定めるものとされている。

4 答19 ○ 高齢者医療確保法83条。設問の通り正しい。

4 答20 × 高齢者医療確保法75条３項。設問の場合に生活療養標準負担額の改定を義務付けられているのは、「後期高齢者医療広域連合」ではなく、「**厚生労働大臣**」である。

プラスα
後期高齢者医療における「生活療養標準負担額」は、平均的な家計における食費及び光熱水費の状況並びに病院及び診療所における生活療養に要する費用について介護保険法に規定する食費の基準費用額及び居住費の基準費用額に相当する費用の額を勘案して厚生労働大臣が定める額（所得の状況、病状の程度、治療の内容その他の事情をしん酌して厚生労働大臣が定める者については、別に定める額）である。

4 答21 × 高齢者医療確保法79条３項。設問の場合に意見を聴かなければならないとされているのは、「後期高齢者医療審査会」ではなく、「**中央社会保険医療協議会**」である。

4 答22 × 高齢者医療確保法86条１項。後期高齢者医療広域連合は、被保険者の死亡に関しては、「条例の定めるところにより」、葬祭費の支給又は葬祭の給付を行うものとされている。なお、設問のその他の記述については正しい。

プラスα
設問にあるように「特別の理由があるときは、その全部又は一部を行わないことができる。」とされていることから、後期高齢者医療制度における葬祭費の支給及び葬祭の給付は、「相対的必要給付」とされている。

4 問23 □□□ R5-10E

都道府県は、被保険者の死亡に関しては、高齢者医療確保法の定めるところにより、葬祭費の支給又は葬祭の給付を行うものとする。ただし、特別の理由があるときは、その全部又は一部を行わないことができる。

4 問24 □□□ R4-7C改

後期高齢者医療広域連合は、後期高齢者医療広域連合の条例の定めるところにより、傷病手当金の支給その他の後期高齢者医療給付を行うことができる。

4 問25 □□□ H29-8E改

市町村(特別区を含む。)は、政令で定めるところにより、後期高齢者医療広域連合に対し、その一般会計において、負担対象総額の一部を負担している。

4 問26 □□□ R5-10D

市町村は、後期高齢者医療に要する費用に充てるため、保険料を徴収し、後期高齢者医療広域連合に対し納付する。市町村による保険料の徴収については、市町村が老齢等年金給付を受ける被保険者(政令で定める者を除く。)から老齢等年金給付の支払をする者に保険料を徴収させ、かつ、その徴収すべき保険料を納入させる普通徴収の方法による場合を除くほか、地方自治法の規定により納入の通知をすることによって保険料を徴収する特別徴収の方法によらなければならない。

4 答23 × 高齢者医療確保法86条１項。「後期高齢者医療広域連合」は、被保険者の死亡に関しては、「条例」の定めるところにより、葬祭費の支給又は葬祭の給付を行うものとする。ただし、特別の理由があるときは、その全部又は一部を行わないことができるとされている。

4 答24 ○ 高齢者医療確保法86条２項。設問の通り正しい。傷病手当金は、国民健康保険と同様、任意給付である。

4 答25 ○ 高齢者医療確保法98条。設問の通り正しい。市町村(特別区)は、政令で定めるところにより、後期高齢者医療広域連合に対し、その一般会計において、負担対象総額の12分の１に相当する額を負担するものとされている。

Point

後期高齢者医療に要する費用の負担割合

費用の負担者		負担割合	
公費負担	国	6 /12 (50%)	4 /12(33.33%)※1
	都道府県		1 /12(8.33%)
	市町村(特別区)		1 /12(8.33%)
保険料等	被保険者の保険料 (75歳以上の者等の保険料)	6 /12 (50%)	約13%
	後期高齢者交付金※2		約37%

※１ 国庫負担12分の4のうち12分の１は、後期高齢者医療の財政の調整を行うための調整交付金である。
※２ 後期高齢者交付金は、後期高齢者支援金を財源とする。

4 答26 × 高齢者医療確保法104条１項、法105条、法107条１項。設問の「普通徴収」と「特別徴収」の記述が逆である。市町村による保険料の徴収については、市町村が老齢等年金給付を受ける被保険者(政令で定める者を除く。)から老齢等年金給付の支払をする者に保険料を徴収させ、かつ、その徴収すべき保険料を納入させる方法を「特別徴収」といい、地方自治法の規定により納入の通知をすることによって保険料を徴収する方法を「普通徴収」という。

4 問27 □□□ H30-9C

高齢者医療確保法では、老齢基礎年金の年間の給付額が18万円以上である場合、後期高齢者医療制度の被保険者が支払う後期高齢者医療制度の保険料は、年金からの特別徴収の方法によらなければならず、口座振替の方法により保険料を納付することは一切できない。

4 問28 □□□ H27-6C改 難

高齢者医療確保法では、市町村又は特別区が後期高齢者医療に要する費用に充てるため徴収する保険料は、後期高齢者医療広域連合(以下本問において「広域連合」という。)が被保険者に対し、広域連合の全区域にわたって均一の保険料率であることその他の政令で定める基準に従い広域連合の条例で定めるところにより算定された保険料率によって算定された保険料額によって課する、ただし、離島その他の医療の確保が著しく困難であって厚生労働大臣が定める基準に該当するものに住所を有する被保険者の保険料についてはこの限りでないことを規定している。

4 問29 □□□ H27-6E改 難

高齢者医療確保法施行令では、広域連合が被保険者に対して課する保険料の賦課額は、80万円を超えることができないものであることを規定している。

4 問30 □□□ R4-9D

後期高齢者医療制度において、世帯主は、市町村が当該世帯に属する被保険者の保険料を普通徴収の方法によって徴収しようとする場合において、当該保険料を連帯して納付する義務を負う。

4 問31 □□□ H27-6D改

高齢者医療確保法では、配偶者の一方は、市町村又は特別区が被保険者たる他方の保険料を普通徴収の方法によって徴収しようとする場合において、当該保険料を連帯して納付する義務を負うことを規定している。

④答27 × 高齢者医療確保法110条、令21条～令23条、則94条。老齢基礎年金の年間の給付額が18万円以上であっても、同一の月に徴収されると見込まれる後期高齢者医療の保険料額と介護保険の保険料額の合算額が、老齢等年金給付の額の２分の１に相当する額を超える場合等においては、特別徴収の対象とならず、普通徴収の対象となる。したがって、設問の場合において口座振替の方法により保険料を納付することが「一切できない」ということではない。

④答28 ○ 高齢者医療確保法104条２項。設問の通り正しい。

④答29 ○ 高齢者医療確保法施行令18条１項６号、２項５号。設問の通り正しい。

④答30 ○ 高齢者医療確保法108条２項。設問の通り正しい。

④答31 ○ 高齢者医療確保法108条３項。設問の通り正しい。

プラスα

世帯主についても、市町村（特別区）が当該世帯に属する被保険者の保険料を　普通徴収の方法によって徴収しようとする場合において、当該保険料を連帯して納付する義務を負うものとされている。

4問32 □□□ R4-7D改

市町村(特別区を含む。以下本問において同じ。)は、普通徴収の方法によって徴収する保険料の徴収の事務については、収入の確保及び被保険者の便益の増進に寄与すると認める場合に限り、地方自治法第243条の２第１項の規定により指定する者に委託することができる。

4問33 □□□ H28-6ウ

高齢者医療確保法では、都道府県は、年度ごとに、保険者から、後期高齢者支援金及び後期高齢者関係事務費拠出金を徴収することを規定している。

4問34 □□□ R5-10A

都道府県は、年度ごとに、保険者から、後期高齢者支援金及び後期高齢者関係事務費拠出金を徴収する。

4問35 □□□ R4-7E改

後期高齢者医療給付に関する処分(高齢者医療確保法第54条第３項及び第５項の規定による求めに対する処分を含む。)又は保険料その他高齢者医療確保法第４章の規定による徴収金(市町村及び広域連合が徴収するものに限る。)に関する処分に不服がある者は、後期高齢者医療審査会に審査請求をすることができる。

4問36 □□□ R4-8B

後期高齢者医療広域連合は、被保険者の資格、後期高齢者医療給付及び保険料に関して必要があると認めるときは、被保険者、被保険者の配偶者若しくは被保険者の属する世帯の世帯主その他その世帯に属する者又はこれらであった者に対し、文書その他の物件の提出若しくは提示を命じ、又は当該職員に質問させることができる。

4問37 □□□ H30-6D 難

高齢者医療確保法では、社会保険診療報酬支払基金は、高齢者医療制度関係業務に関し、当該業務の開始前に、業務方法書を作成し、厚生労働大臣の認可を受けなければならず、これを変更するときも同様とすると規定している。

4答32 ○　高齢者医療確保法114条。設問の通り正しい。地方自治法243条の2,1項の規定では、普通地方公共団体(都道府県及び市町村)の長は、公金事務(公金の徴収若しくは収納又は支出に関する事務)を適切かつ確実に遂行することができる者として政令で定める者のうち当該普通地方公共団体の長が総務省令で定めるところにより指定するものに、公金事務を委託することができるとされている。

4答33 ×　高齢者医療確保法118条１項。後期高齢者支援金及び後期高齢者関係事務費拠出金は、「**社会保険診療報酬支払基金**」が、年度ごとに、保険者(都道府県が当該都道府県内の市町村とともに行う国民健康保険にあっては、都道府県)から徴収する。

4答34 ×　高齢者医療確保法118条１項。後期高齢者支援金及び後期高齢者関係事務費拠出金は、「社会保険診療報酬支払基金」が、年度ごとに、保険者(都道府県が当該都道府県内の市町村とともに行う国民健康保険にあっては、都道府県)から徴収する。

4答35 ○　高齢者医療確保法128条１項。設問の通り正しい。なお、高齢者医療確保法第54条第３項の規定による求めとは、電子資格確認を受けることができない状況にある被保険者の資格に係る情報の提供の(当該被保険者による)求めであり、同条第５項の規定による求めとは、被保険者の資格に係る事実の確認のための書面の交付又は当該書面に記載すべき事項の電磁的方法による提供の(当該被保険者による)求めのことである。

4答36 ○　高齢者医療確保法137条１項。設問の通り正しい。

4答37 ○　高齢者医療確保法141条１項。設問の通り正しい。

5 介護保険法

過去問

5問1 □□□ R3-9E

介護保険法第１条では、「この法律は、加齢に伴って生ずる心身の変化に起因する疾病等により要介護状態となり、入浴、排せつ、食事等の介護、機能訓練並びに看護及び療養上の管理その他の医療を要する者等について、これらの者が尊厳を保持し、その有する能力に応じ自立した日常生活を営むことができるよう、必要な保健医療サービス及び福祉サービスに係る給付を行うため、国民の共同連帯の理念に基づき介護保険制度を設け、その行う保険給付等に関して必要な事項を定め、もって国民の保健医療の向上及び福祉の増進を図ることを目的とする。」と規定している。

5問2 □□□ R5-8A

都道府県及び市町村(特別区を含む。以下本問において同じ。)は、介護保険法の定めるところにより、介護保険を行うものとする。

5問3 □□□ H27-7A

市町村又は特別区(以下本問において「市町村」という。)は、介護保険事業の運営が健全かつ円滑に行われるよう保健医療サービス及び福祉サービスを提供する体制の確保に関する施策その他の必要な各般の措置を講じなければならない。

5答1　○　介保法1条。設問の通り正しい。

5答2　×　介保法3条1項。介護保険を行うのは、市町村及び特別区である(都道府県は含まれない。)。

Point

介護保険は、地域住民に身近な行政主体である市町村(特別区)が保険者となり、これを国、都道府県、医療保険者及び年金保険者が重層的に支える仕組みで運営される。

5答3　×　介保法5条1項。設問の措置を講じなければならないとされているのは、「市町村又は特別区」ではなく「国」である。

5 問4 □□□ R元-9E

A県A市に住所を有する医療保険加入者(介護保険法に規定する医療保険加入者をいう。以下同じ。)ではない60歳の者は、介護保険の被保険者とならないが、A県A市に住所を有する医療保険加入者ではない65歳の者は、介護保険の被保険者となる。なお、介護保険法施行法に規定する適用除外に関する経過措置には該当しないものとする。

5 問5 □□□ R4-8C

介護保険の第２号被保険者(市町村(特別区を含む。以下本問において同じ。)の区域内に住所を有する40歳以上65歳未満の、介護保険法第７条第８項に規定する医療保険加入者)は、当該医療保険加入者でなくなった日の翌日から、その資格を喪失する。

5 問6 □□□ H29-7E

第２号被保険者は、医療保険加入者でなくなった日以後も、医療保険者に申し出ることにより第2号被保険者の資格を継続することができる。

5 問7 □□□ R元-9A

A県A市に住所を有していた介護保険の第２号被保険者(健康保険の被扶養者)が、B県B市の介護保険法に規定する介護保険施設に入所することとなり住民票を異動させた。この場合、住所地特例の適用を受けることはなく、住民票の異動により介護保険の保険者はB県B市となる。

5答4 ○　介保法９条。設問の通り正しい。介護保険の被保険者には、①市町村(特別区)の区域内に住所を有する65歳以上の者(第１号被保険者)、及び②市町村(特別区)の区域内に住所を有する40歳以上65歳未満の医療保険加入者(第２号被保険者)、の２種類がある。設問前段部分の「Ａ県Ａ市に住所を有する医療保険加入者(介護保険法に規定する医療保険加入者をいう。以下同じ。)ではない60歳の者」は、60歳であるため第１号被保険者に該当せず、また、医療保険加入者ではないため第２号被保険者にも該当しない。設問後段の「Ａ県Ａ市に住所を有する医療保険加入者ではない65歳の者」は、医療保険加入者ではないが、「市町村(特別区)の区域内に住所を有する65歳以上の者」に該当するため、第１号被保険者となる。

※　本問中「介護保険法施行法に規定する適用除外に関する経過措置」とは、当分の間、40歳以上65歳未満の医療保険加入者又は65歳以上の者であって、障害者の日常生活及び社会生活を総合的に支援するための法律の規定による支給決定(一定のものに限る。)を受けて同法に規定する指定障害者支援施設に入所しているもの又は身体障害者福祉法の規定により障害者の日常生活及び社会生活を総合的に支援するための法律に規定する障害者支援施設(一定のものに限る。)に入所しているもののうち厚生労働省令で定めるものその他特別の理由がある者で厚生労働省令で定めるものは、介護保険の被保険者としない、とするものなどである。

5答5 ×　介保法９条２号、法11条２項。介護保険の第２号被保険者は、当該医療保険加入者でなくなった「**日**」から、その資格を喪失する。

5答6 ×　介保法11条２項。設問のような規定はない。介護保険第２号被保険者は、医療保険加入者でなくなった日から、その資格を喪失する。

5答7 ×　介保法13条１項。設問の介護保険第２号被保険者がＢ県Ｂ市に住民票を異動させても、住所地特例の適用を受けることとなり、異動前(入院前)の住所地であるＡ県Ａ市が当該被保険者に係る介護保険の保険者となる。

5 問8
□□□
R4-10E

介護保険法における特定施設は、有料老人ホームその他厚生労働省令で定める施設であって、地域密着型特定施設ではないものをいい、介護保険の被保険者が自身の居宅からこれら特定施設に入居することとなり、当該特定施設の所在する場所に住民票を移した場合は、住所地特例により、当該特定施設に入居する前に住所を有していた自身の居宅が所在する市町村が引き続き保険者となる。

5 問9
□□□
R元-7A

要介護認定は、その申請のあった日にさかのぼってその効力を生ずる。

5 問10
□□□
R5-8C改

要介護認定は、市町村(特別区を含む。)が当該認定をした日からその効力を生ずる。

5 問11
□□□
H27-7E改

要介護認定を受けようとする被保険者は、厚生労働省令で定めるところにより、申請書に被保険者証を添付して市町村又は特別区に申請をしなければならず、当該申請に関する手続を代行又は代理することができるのは社会保険労務士のみである。

5 問12
□□□
R3-8B

介護認定審査会は、市町村(特別区を含む。)に置かれ、介護認定審査会の委員は、介護保険法第7条第5項に規定する介護支援専門員から任命される。

5 問13
□□□
H27-7B改

市町村又は特別区は、介護保険法第38条第2項に規定する審査判定業務を行わせるため介護認定審査会を設置するが、市町村又は特別区がこれを共同で設置することはできない。

5 問14
□□□
H29-7B

要介護認定の申請に対する処分は、当該申請に係る被保険者の心身の状況の調査に日時を要する等特別な理由がある場合を除き、当該申請のあった日から30日以内にしなければならない。

5答8 ○　介保法８条11項、法13条１項。設問の通り正しい。

5答9 ○　介保法27条８項。設問の通り正しい。

5答10 ×　介保法27条８項。要介護認定は、「その申請のあった日にさかのぼって」その効力を生ずる。

5答11 ×　介保法27条１項。要介護認定の申請に関する手続は、指定居宅介護支援事業者、地域密着型介護老人福祉施設若しくは介護保険施設であって厚生労働省令で定めるもの又は地域包括支援センターに代わって行わせることができるものとされている。

5答12 ×　介保法14条、法15条２項。介護認定審査会の委員は、介護支援専門員から任命されるのではなく、「要介護者等の保健、医療又は福祉に関する学識経験を有する者」のうちから任命される。なお、介護認定審査会が市町村に置かれるとする設問の記述は正しい。

5答13 ×　介保法14条、法16条１項。介護認定審査会は、地方自治法252条の７第１項の規定により共同設置することができるものとされている。

プラスα

介護認定審査会の委員の定数は、政令で定める基準に従い条例で定める数とされており、その委員は、要介護者等の保健、医療又は福祉に関する学識経験を有する者のうちから、市町村長（特別区の区長）が任命する。

5答14 ○　介保法27条11項。設問の通り正しい。

5 問15 □□□ H29-7A

介護認定審査会は、市町村又は特別区(以下本問において「市町村」という。)から要介護認定の審査及び判定を求められたときは、厚生労働大臣が定める基準に従い審査及び判定を行い、その結果を市町村に通知するものとされている。

5 問16 □□□ H29-7C

要介護認定は、要介護状態区分に応じて厚生労働省令で定める期間(以下本問において「有効期間」という。)内に限り、その効力を有する。要介護認定を受けた被保険者は、有効期間の満了後においても要介護状態に該当すると見込まれるときは、厚生労働省令で定めるところにより、市町村又は特別区に対し、当該要介護認定の更新の申請をすることができる。

5 問17 □□□ R3-8E

介護保険法第28条第2項の規定による要介護更新認定の申請をすることができる被保険者が、災害その他やむを得ない理由により当該申請に係る要介護認定の有効期間の満了前に当該申請をすることができなかったときは、当該被保険者は、その理由のやんだ日から14日以内に限り、要介護更新認定の申請をすることができる。

5 問18 □□□ R5-8D改

要介護認定を受けた被保険者は、その介護の必要の程度が現に受けている要介護認定に係る要介護状態区分以外の要介護状態区分に該当すると認めるときは、厚生労働省令で定めるところにより、市町村(特別区を含む。)に対し、要介護状態区分の変更の認定の申請をすることができる。

5 問19 □□□ H29-7D

介護保険法による保険給付には、被保険者の要介護状態に関する保険給付である「介護給付」及び被保険者の要支援状態に関する保険給付である「予防給付」のほかに、要介護状態等の軽減又は悪化の防止に資する保険給付として条例で定める「市町村特別給付」がある。

5 問20 □□□ R元-7B

厚生労働大臣又は都道府県知事は、必要があると認めるときは、介護給付等(居宅介護住宅改修費の支給及び介護予防住宅改修費の支給を除く。)を受けた被保険者又は被保険者であった者に対し、当該介護給付等に係る居宅サービス等の内容に関し、報告を命じ、又は当該職員に質問させることができる。

5答15 ○　介保法27条５項。設問の通り正しい。

5答16 ○　介保法28条１項～３項。設問の通り正しい。

5答17 ×　介保法28条３項。設問の場合の要介護更新認定の申請は、要介護認定の有効期間の満了前に当該申請をすることができなかった理由がやんだ日から「１月」以内に限り、することができる。

5答18 ○　介保法29条１項。設問の通り正しい。

5答19 ○　介保法18条。設問の通り正しい。

5答20 ○　介保法24条２項。設問の通り正しい。

プラスα

設問のほか、厚生労働大臣又は都道府県知事は、介護給付等(居宅介護住宅改修費の支給及び介護予防住宅改修費の支給を除く。)に関して必要があると認めるときは、居宅サービス等を行った者又はこれを使用する者に対し、その行った居宅サービス等に関し、報告若しくは当該居宅サービス等の提供の記録、帳簿書類その他の物件の提示を命じ、又は当該職員に質問させることができるとする規定がある。

5 問21 □□□ R5-8B

「介護保険施設」とは、指定介護老人福祉施設（都道府県知事が指定する介護老人福祉施設）、介護専用型特定施設及び介護医療院をいう。

5 問22 □□□ H30-6C

介護保険法では、訪問看護とは、居宅要介護者（主治の医師がその治療の必要の程度につき厚生労働省令で定める基準に適合していると認めたものに限る。）について、その者の居宅において看護師その他厚生労働省令で定める者により行われる療養上の世話又は必要な診療の補助をいうと規定している。

5 問23 □□□ R元-7C改

居宅介護住宅改修費は、厚生労働省令で定めるところにより、市町村（特別区を含む。）が必要と認める場合に限り、支給するものとする。居宅介護住宅改修費の額は、現に住宅改修に要した費用の額の100分の75に相当する額とする。

5 問24 □□□ H28-6オ 難

介護保険法では、指定介護予防サービス事業者は、当該指定介護予防サービスの事業を廃止し、又は休止しようとするときは、厚生労働省令で定めるところにより、その廃止又は休止の日の１か月前までに、その旨を都道府県知事に届け出なければならないことを規定している。

5 問25 □□□ R4-9C改

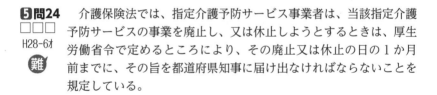

介護保険において、市町村（特別区を含む。）は、要介護被保険者又は居宅要支援被保険者（要支援認定を受けた被保険者のうち居宅において支援を受けるもの）に対し、条例で定めるところにより、市町村特別給付（要介護状態等の軽減又は悪化の防止に資する保険給付として条例で定めるもの）を行わなければならない。

5 問26 □□□ R元-7D改

市町村（特別区を含む。）は、地域支援事業の利用者に対し、厚生労働省令で定めるところにより、利用料を請求することができる。

5答21 ×　介保法８条25項。「介護保険施設」とは、指定介護老人福祉施設(都道府県知事が指定する介護老人福祉施設)、「介護老人保健施設」及び介護医療院をいう。なお、設問の「介護専用型特定施設」とは、有料老人ホームその他の厚生労働省令で定める施設であって、その入居者が要介護者、その配偶者その他厚生労働省令で定める者に限られるものをいう。

5答22 ○　介保法８条４項。設問の通り正しい。

5答23 ×　介保法45条２項、３項、法49条の２。居宅介護住宅改修費の額は、現に住宅改修に要した費用の額の「100分の75」ではなく、「100分の90(一定の場合には100分の80又は100分の70)」である。なお、設問のその他の記述については正しい。

5答24 ○　介保法115条の5,2項。設問の通り正しい。なお、指定介護予防サービス事業者は、当該指定に係る事業所の名称及び所在地等に変更があったとき、又は休止した当該指定介護予防サービスの事業を再開したときは、10日以内に、その旨を都道府県知事に届け出なければならない。

5答25 ×　介保法18条３号、法53条１項、法62条。市町村は、要介護被保険者又は居宅要支援被保険者に対し、条例で定めるところにより、市町村特別給付を「行わなければならない」のではなく「行うことができる」とされている。

5答26 ○　介保法115条の45,10項。設問の通り正しい。

5 問27 □□□ H27-7C改

市町村又は特別区は、政令で定めるところにより、その一般会計において、介護給付及び予防給付に要する費用の額の100分の25に相当する額を負担する。

5 問28 □□□ H27-7D改

市町村又は特別区は、政令で定めるところにより、その一般会計において、介護予防・日常生活支援総合事業に要する費用の額の100分の12.5に相当する額を負担する。

5 問29 □□□ R3-8A改

市町村(特別区を含む。)は、第2号被保険者から保険料を普通徴収の方法によって徴収する。

5 問30 □□□ R3-8C改

配偶者(婚姻の届出をしていないが、事実上婚姻関係と同様の事情にある者を含む。)の一方は、市町村(特別区を含む。)が第1号被保険者である他方の保険料を普通徴収の方法によって徴収しようとする場合において、当該保険料を連帯して納付する義務を負うものではない。

5 問31 □□□ R元-7E改

市町村(特別区を含む。)は、基本指針に即して、3年を1期とする当該市町村が行う介護保険事業に係る保険給付の円滑な実施に関する計画を定めるものとする。

5答27 × 介保法124条１項。市町村(特別区)は、介護給付及び予防給付に要する費用の額の「100分の25」ではなく「100分の12.5」に相当する額を負担するものとされている。

Point

介護給付及び予防給付に要する費用の負担割合

費用の負担者		負担割合	
公費負担	国	50%	25%（20%※）
	都道府県		12.5%（17.5%※）
	市町村(特別区)		12.5%
保険料		50%	

※20%・17.5%は、介護保険施設及び特定施設入居者生活介護に係る介護給付及び介護予防特定施設入居者生活介護に係る予防給付の負担割合。
国の負担割合(25%・20%)のうち、5%は調整交付金として、市町村間の介護保険の財政の調整を行うため、市町村(特別区)に交付される。

5答28 ○ 介保法124条３項。設問の通り正しい。

5答29 × 介保法129条４項。市町村は、第２号被保険者からは保険料を徴収しない。

5答30 × 介保法132条３項。設問の場合、配偶者の一方は、当該保険料を連帯して納付する義務を負う。

5答31 ○ 介保法117条１項。設問の通り正しい。設問は、「市町村介護保険事業計画」に関するものである。

社一

5 問32 □□□ R2-10A

介護保険の第１号被保険者である要介護被保険者が、介護保険料の納期限から１年が経過するまでの間に、当該保険料を納付しない場合は、特別の事情等があると認められる場合を除き、市町村は、被保険者に被保険者証の返還を求め、被保険者が被保険者証を返還したときは、被保険者資格証明書を交付する。

5 問33 □□□ H29-6C

介護保険法の要介護認定に関する処分に不服がある者は、都道府県知事に審査請求をすることができる。

5 問34 □□□ R3-8D

介護保険審査会は、各都道府県に置かれ、保険給付に関する処分に対する審査請求は、当該処分をした市町村をその区域に含む都道府県の介護保険審査会に対してしなければならない。

5 問35 □□□ R5-8E

保険給付に関する処分(被保険者証の交付の請求に関する処分及び要介護認定又は要支援認定に関する処分を含む。)に不服がある者は、介護保険審査会に審査請求をすることができる。介護保険審査会の決定に不服がある者は、社会保険審査会に対して再審査請求をすることができる。

6 児童手当法

過去問

6 問1 □□□ R2-8A

「児童」とは、18歳に達する日以後の最初の３月31日までの間にある者であって、日本国内に住所を有するもの又は留学その他の内閣府令で定める理由により日本国内に住所を有しないものをいう。

6 問2 □□□ R2-8B

児童手当は、毎年１月、５月及び９月の３期に、それぞれの前月までの分を支払う。ただし、前支払期月に支払うべきであった児童手当又は支給すべき事由が消滅した場合におけるその期の児童手当は、その支払期月でない月であっても、支払うものとする。

5答32 ×　介保法66条１項、則99条。設問の場合には、被保険者証の返還及び被保険者資格証明書の交付の手続きではなく、原則として、被保険者証の提出を求め、当該被保険者証に「支払方法変更の記載」をする手続きが行われる。この支払方法変更の記載を受けた要介護被保険者等が当該支払方法の変更の記載がなされている間に受けた居宅介護サービス費の支給等については、現物給付の方法による保険給付の支払は行われず、償還払いの方法による保険給付の支払が行われることになる。

5答33 ×　介保法183条１項。設問の審査請求は、介護保険審査会に対してすることができる。

5答34 ○　介保法183条１項、法184条、法191条１項。設問の通り正しい。

5答35 ×　介保法183条１項。介護保険審査会の決定に不服がある者は、社会保険審査会に対して再審査請求をすることができるとする規定はない。なお、設問の前段の記述は正しい。

6答１ ○　児童手当法３条１項。設問の通り正しい。

6答２ ×　児童手当法８条４項。児童手当は、毎年「**２月、４月、６月、８月、10月及び12月の６期**」に、それぞれの前月までの分を支払う。なお、設問のその他の記述は正しい。

6 問3 □□□ R2-8C

児童手当の支給を受けている者につき、児童手当の額が増額することとなるに至った場合における児童手当の額の改定は、その者がその改定後の額につき認定の請求をした日の属する月の翌月から行う。

6 問4 □□□ H30-6E

児童手当法では、児童手当の支給を受けている者につき、児童手当の額が減額することとなるに至った場合における児童手当の額の改定は、その事由が生じた日の属する月から行うと規定している。

6 問5 □□□ R4-10A

児童手当の支給を受ける権利は、譲り渡し、担保に供し、又は差し押えることができない。

6 問6 □□□ R2-8D改

児童手当の一般受給資格者が死亡した場合において、その死亡した者に支払うべき児童手当(その者が監護していた児童であった者に係る部分に限る。)で、まだその者に支払っていなかったものがあるときは、当該児童であった者にその未支払の児童手当を支払うことができる。

6 問7 □□□ R4-10C

児童手当の受給資格者が、次代の社会を担う児童の健やかな成長を支援するため、当該受給資格者に児童手当を支給する市町村(特別区を含む。以下本問において同じ。)に対し、当該児童手当の支払を受ける前に、内閣府令で定めるところにより、当該児童手当の額の全部又は一部を当該市町村に寄附する旨を申し出たときは、当該市町村は、内閣府令で定めるところにより、当該寄附を受けるため、当該受給資格者が支払を受けるべき児童手当の額のうち当該寄附に係る部分を、当該受給資格者に代わって受けることができる。

6 問8 □□□ R2-8E

偽りその他不正の手段により児童手当の支給を受けた者は、3年以下の懲役又は30万円以下の罰金に処する。ただし、刑法に正条があるときは、刑法による。

6答3 ○　児童手当法９条１項。設問の通り正しい。

> **プラスα**
> 児童手当の支給を受けている者につき、児童手当の額が**減額**することとなるに至った場合における児童手当の額の改定は、**その事由が生じた日**の属する月の翌月から行う

6答4 ×　児童手当法９条３項。児童手当法では、児童手当の支給を受けている者につき、児童手当の額が減額することとなるに至った場合における児童手当の額の改定は、その事由が生じた日の属する「月の翌月」から行うと規定している。

6答5 ○　児童手当法15条。設問の通り正しい。

6答6 ○　児童手当法12条１項。設問の通り正しい。

6答7 ○　児童手当法20条１項。設問の通り正しい。

> **プラスα**
> 市町村は、設問の規定により受けた寄附を、次代の社会を担う児童の健やかな成長を支援するために使用しなければならない。

6答8 ○　児童手当法31条。設問の通り正しい。

7 確定拠出年金法

最新問題

7 問 1 □□□ R6-7A

企業型年金加入者は、政令で定める基準に従い企業型年金規約で定めるところにより、年1回以上、定期的に自ら掛金を拠出することができる。

7 問 2 □□□ R6-7B

企業型年金加入者掛金を拠出する企業型年金加入者は、企業型年金加入者掛金を企業型年金規約で定める日までに事業主を介して資産管理機関に納付するものとする。

7 問 3 □□□ R6-7D 難

個人型年金加入者は、厚生労働省令で定めるところにより、氏名及び住所その他の事項を、当該個人型年金加入者が指定した運用関連業務を行う確定拠出年金運営管理機関に届け出なければならない。

7 問 4 □□□ R6-7E

個人型年金加入者掛金の額は、個人型年金規約で定めるところにより、個人型年金加入者が決定し、又は変更する。

7 問 5 □□□ R6-7C

企業型年金の給付のうち年金として支給されるもの(以下本肢において「年金給付」という。)の支給は、これを支給すべき事由が生じた月の翌月から始め、権利が消滅した月で終わるものとする。年金給付の支払期月については、企業型年金規約で定めるところによる。

過去問

7 問 1 □□□ H27-8A

「個人型年金」とは、国民年金基金連合会が、確定拠出年金法第3章の規定に基づいて実施する年金制度をいう。

7 問 2 □□□ R3-6A

企業型年金加入者の資格を取得した月にその資格を喪失した者は、その資格を取得した月のみ、企業型年金加入者となる。

社一

7答1　○　確拠法19条３項。設問の通り正しい。

7答2　○　確拠法21条の2,1項。設問の通り正しい。

7答3　×　確拠法66条１項。個人型年金加入者は、氏名及び住所その他の事項を、「当該個人型年金加入者が指定した運用関連業務を行う確定拠出年金運営管理機関」ではなく「国民年金基金連合会」に届け出なければならない。

7答4　○　確拠法68条２項。設問の通り正しい。

7答5　○　確拠法31条。設問の通り正しい。

7答1　○　確拠法２条３項。設問の通り正しい。

7答2　×　確拠法12条。企業型年金加入者の資格を取得した月にその資格を喪失した者は、その資格を取得した日にさかのぼって、企業型年金加入者でなかったものとみなされる。

7 問3
□□□
R5-6B
難

同時に２以上の企業型年金の企業型年金加入者となる資格を有する者は、確定拠出年金法第９条の規定にかかわらず、その者の選択する１つの企業型年金以外の企業型年金の企業型年金加入者としないものとする。この場合、その者が２以上の企業型年金の企業型年金加入者となる資格を有するに至った日から起算して20日以内に、１つの企業型年金を選択しなければならない。

7 問4
□□□
R5-6A

確定拠出年金法第２条第12項によると、「個人別管理資産」とは、個人型年金加入者又は個人型年金加入者であった者のみに支給する給付に充てるべきものとして、個人型年金のみにおいて積み立てられている資産をいう。

7 問5
□□□
R3-6B

企業型年金において、事業主は、政令で定めるところにより、年１回以上、定期的に掛金を拠出する。

7 問6
□□□
H27-8D改

企業型年金加入者の拠出限度額について、他制度加入者以外のものの場合は月額で55,000円である。

7 問7
□□□
R3-6C

企業型年金加入者掛金の額は、企業型年金規約で定めるところにより、企業型年金加入者が決定し、又は変更する。

7 答3 ×　確拠法13条1項、2項。設問の選択は、その者が2以上の企業型年金の企業型年金加入者となる資格を有するに至った日から起算して「10日以内」にしなければならない。なお、設問の前段の記述は正しい。

7 答4 ×　確拠法2条12項。設問文中の「個人型年金加入者又は個人型年金加入者であった者のみ」及び「個人型年金のみ」が誤り。「個人別管理資産」とは、「企業型年金加入者若しくは企業型年金加入者であった者」又は個人型年金加入者若しくは個人型年金加入者であった者に支給する給付に充てるべきものとして、一の「企業型年金」又は個人型年金において積み立てられている資産をいう。

7 答5 ○　確拠法19条1項。設問の通り正しい。

プラスα

事業主は、事業主掛金を企業型年金規約で定める日までに資産管理機関に納付するものとされる。また、事業主は、事業主掛金を納付する場合においては、当該事業主が記録関連業務の全部を行う場合を除き、各企業型年金加入者に係る事業主掛金の額を企業型記録関連運営管理機関に通知しなければならない。

7 答6 ○　確拠法20条、令11条1号。設問の通り正しい。なお「他制度加入者」とは、確定給付企業年金等の他の企業年金制度等に加入している者のことである。

Point

＜企業型年金加入者の拠出限度額(月額)＞

区分	拠出限度額(月額)
①他制度加入者以外の者	55,000円
②他制度加入者	55,000円から他制度掛金相当額を控除した額※

※当該額が零を下回る場合には、零とする。

7 答7 ○　確拠法19条4項。設問の通り正しい。

7問8 □□□ H29-9B
確定拠出年金法の改正により、平成29年１月から60歳未満の第４号厚生年金被保険者(企業型年金等対象者を除く。)は、確定拠出年金の個人型年金の加入者になることができるとされた。

7問9 □□□ R3-6D
国民年金法第７条第１項第３号に規定する第３号被保険者は、厚生労働省令で定めるところにより、国民年金基金連合会に申し出て、個人型年金加入者となることができる。

7問10 □□□ H29-9C
障害基礎年金の受給権者であることにより、国民年金保険料の法定免除の適用を受けている者は、確定拠出年金の個人型年金の加入者になることができる。

7問11 □□□ H27-8B
「個人型年金加入者」とは、個人型年金において、掛金を拠出し、かつ、その個人別管理資産について運用の指図を行う者をいう。

7問12 □□□ R3-6E
個人型年金加入者期間を計算する場合には、個人型年金加入者の資格を喪失した後、さらにその資格を取得した者については、前後の個人型年金加入者期間を合算する。

7問13 □□□ R5-6D
個人型年金加入者は、政令で定めるところにより、年２回以上、定期的に掛金を拠出する。

7問14 □□□ R5-6E
個人型年金加入者は、個人型年金規約で定めるところにより、個人型年金加入者掛金を確定拠出年金運営管理機関に納付するものとする。

7問15 □□□ R5-6C
企業型年金加入者又は企業型年金加入者であった者(当該企業型年金に個人別管理資産がある者に限る。)が確定拠出年金法第33条の規定により老齢給付金の支給を請求することなく75歳に達したときは、資産管理機関は、その者に、企業型記録関連運営管理機関等の裁定に基づいて、老齢給付金を支給する。

7答8 ○　確拠法２条６項、法62条１項２号、(28)法附則１条。設問の通り正しい。なお、令和４年５月から「60歳未満」という要件がなくなり、第４号厚生年金被保険者等国民年金の第２号被保険者〔企業型年金等対象者(同年10月からは企業型掛金拠出者等)を除く。〕については、60歳以上であっても、確定拠出年金の個人型年金の加入者となることができることとされた。

7答9 ○　確拠法62条１項３号。設問の通り正しい。

7答10 ○　確拠法62条１項１号。設問の通り正しい。

7答11 ○　確拠法２条10項。設問の通り正しい。

7答12 ○　確拠法63条２項。設問の通り正しい。

7答13 ×　確拠法68条１項。個人型年金加入者は、政令で定めるところにより、年「１回」以上、定期的に掛金を拠出するとされている。

7答14 ×　確拠法70条１項。個人型年金加入者掛金の納付先は、「国民年金基金連合会」である。

7答15 ○　確拠法34条。設問の通り正しい。

7 問16 □□□ H29-9D

確定拠出年金の個人型年金に加入していた者は、一定要件を満たした場合、脱退一時金を請求することができるが、この要件においては、通算拠出期間については４年以下であること、個人別管理資産の額として政令で定めるところにより計算した額については50万円未満であることとされている。

7 問17 □□□ H27-8E改

企業型年金の企業型年金加入者であった者(当該企業型年金に個人別管理資産がある者に限る。)が、国民年金基金連合会に対して、個人別管理資産の移換の申出をし、当該移換の申出と同時に確定拠出年金法第62条第１項の規定による個人型年金への加入の申出をしたときは、当該企業型年金の資産管理機関は、当該申出をした者の個人別管理資産を国民年金基金連合会に移換するものとする。

8 確定給付企業年金法

最新問題

8 問 1 □□□ R6-6A

企業年金基金(以下本問において「基金」という。)は、分割しようとするときは、厚生労働大臣の認可を受けなければならない。また、基金の分割は、実施事業所の一部について行うことができる。

8 問 2 □□□ R6-6B

確定給付企業年金法第78条第１項によると、事業主等がその実施事業所を増加させ、又は減少させようとするときは、その増加又は減少に係る厚生年金適用事業所の事業主の過半数の同意及び労働組合等の同意を得なければならない。

8 問 3 □□□ R6-6C

基金は、代議員会において代議員の定数の３分の２以上の多数により議決したとき、又は基金の事業の継続が不可能となったときは、厚生労働大臣の認可を受けて、解散することができる。

8 問 4 □□□ R6-6D 難

確定給付企業年金を実施する厚生年金適用事業所の事業主は、厚生労働大臣の認可を受けて、その実施する確定給付企業年金の清算人になることができる。

7答16 ×　確拠法附則３条１項３号、令60条３項。設問の脱退一時金の支給要件のうち、通算拠出期間は、「４年以下」ではなく「政令で定める期間内」であり、また、個人別管理資産の額として政令で定めるところにより計算した額については、「50万円未満」ではなく、「**25万円以下**」とされている。なお、上記「政令で定める期間内」の期間は、「**１月以上５年以下**」の期間とされている。

7答17 ○　確拠法82条１項。設問の通り正しい。

Point

企業型年金の企業型年金加入者であった者(当該企業型年金に個人別管理資産がある者に限る。)が、国民年金基金連合会に対し、その個人別管理資産の移換の申出をした場合であって、当該移換の申出と同時に、個人型年金加入者若しくは個人型年金運用指図者となる申出をしたとき、又は個人型年金加入者若しくは個人型年金運用指図者であるときは、当該企業型年金の資産管理機関は、当該申出をした者の個人別管理資産を国民年金基金連合会に移換するものとする。

8答１ ×　確給法77条１項、２項。基金の分割は、実施事業所の一部について行うことはできない。なお、設問の前半の記述は正しい。

8答２ ×　確給法78条１項。設問の場合は、その増加又は減少に係る厚生年金適用事業所の事業主の「全部」の同意及び労働組合等の同意を得なければならない。

8答３ ×　確給法85条１項。設問文の「３分の２以上」を「**４分の３以上**」とすると、正しい記述となる。

8答４ ×　確給法89条３項。事業主は、その実施する確定給付企業年金の清算人となることはできない。

8 問5 □□□ R6-6E 難

確定給付企業年金法第89条第６項によると、終了した確定給付企業年金の残余財産(政令で定めるものを除く。)は、政令で定める基準に従い規約で定めるところにより、その終了した日において当該確定給付企業年金を実施する事業主等が給付の支給に関する義務を負っていた者に分配しなければならない。

過去問

8 問1 □□□ H28-8C

企業年金基金の設立については、厚生労働大臣の許可を受けなければならない。

8 問2 □□□ H28-8B

確定給付企業年金法における「厚生年金保険の被保険者」には、厚生年金保険法に規定する第４号厚生年金被保険者は含まれない。

8 問3 □□□ R4-6A

確定給付企業年金法第16条の規定によると、企業年金基金(以下本問において「基金」という。)は、規約の変更(厚生労働省令で定める軽微な変更を除く。)をしようとするときは、その変更について厚生労働大臣の同意を得なければならないとされている。

8 問4 □□□ H28-8A

加入者である期間を計算する場合には、原則として月によるものとし、加入者の資格を取得した月から加入者の資格を喪失した月の前月までをこれに算入する。ただし、規約で別段の定めをすることができる。

8 問5 □□□ R2-6A

加入者である期間を計算する場合には、月によるものとし、加入者の資格を取得した月から加入者の資格を喪失した月までをこれに算入する。ただし、規約で別段の定めをした場合にあっては、この限りでない。

8答5 ○　確給法89条6項。設問の通り正しい。

8答1 ×　確給法3条1項2号。企業年金基金の設立については、厚生労働大臣の「**認可**」を受けなければならない。

8答2 ×　確給法2条3項。確定給付企業年金法における「厚生年金保険の被保険者」とは、厚生年金保険の被保険者(厚生年金保険法に規定する第1号厚生年金被保険者又は同法に規定する第4号厚生年金被保険者に限る。)をいうのであり、第4号厚生年金被保険者も含まれる。

8答3 ×　確給法16条1項。規約の変更(厚生労働省令で定める軽微な変更を除く。)をするに当たっては、厚生労働大臣の「同意」ではなく「**認可**」を受けなければならない。

8答4 ○　確給法28条1項。設問の通り正しい。

8答5 ×　確給法28条1項。加入者である期間を計算する場合には、月によるものとし、加入者の資格を取得した**月**から加入者の資格を喪失した「**月の前月**」までをこれに算入する。なお、規約で別段の定めをした場合にあっては、この限りでないとされていることについては、設問の通りである。

8問6 □□□ R4-6B

事業主(基金を設立して実施する確定給付企業年金を実施する場合にあっては、基金。以下本問において「事業主等」という。)は、障害給付金の給付を行わなければならない。

8問7 □□□ R2-6C

年金給付の支給期間及び支払期月は、政令で定める基準に従い規約で定めるところによる。ただし、終身又は10年以上にわたり、毎年１回以上定期的に支給するものでなければならない。

8問8 □□□ R2-6D

老齢給付金の受給権者が、障害給付金を支給されたときは、確定給付企業年金法第36条第１項の規定にかかわらず、政令で定める基準に従い規約で定めるところにより、老齢給付金の額の全部又は一部につき、その支給を停止することができる。

8問9 □□□ R2-6E

老齢給付金の受給権は、老齢給付金の受給権者が死亡したとき又は老齢給付金の支給期間が終了したときにのみ、消滅する。

8問10 □□□ H28-8D

事業主は、給付に関する事業に要する費用に充てるため、規約で定めるところにより、毎月、翌月末までに掛金を拠出しなければならない。

8問11 □□□ R2-6B

加入者は、政令で定める基準に従い規約で定めるところにより、事業主が拠出すべき掛金の全部を負担することができる。

8問12 □□□ R4-6C

掛金の額は、給付に要する費用の額の予想額及び予定運用収入の額に照らし、厚生労働省令で定めるところにより、将来にわたって財政の均衡を保つことができるように計算されるものでなければならない。この基準にしたがって、事業主等は、少なくとも６年ごとに掛金の額を再計算しなければならない。

❽答6 × 確給法29条２項１号。障害給付金の給付は、規約で定めるところにより行うことができるとされている。

❽答7 × 確給法33条。年金給付の支払期間及び支払期月は、終身又は「**５年**」以上にわたり、年１回以上定期的に支給するものでなければならない。なお、設問のその他の記述は正しい。

❽答8 ○ 確給法39条。設問の通り正しい。

❽答9 × 確給法40条。老齢給付金の受給権は、「老齢給付金の受給権者の死亡」、「老齢給付金の支給期間が終了したとき」のほか、「老齢給付金の全部を一時金として支給されたとき」についても、消滅する。

❽答10 × 確給法55条１項、法56条１項。掛金は、事業主が「**年１回以上、定期的**」に拠出しなければならず、「規約で定める日まで」に資産管理運用機関等に納付するものとされている。

❽答11 × 確給法55条２項。加入者は、政令で定める基準に従い規約で定めるところにより、事業主が拠出すべき掛金の「一部」を負担することができるのであり、「全部」を加入者が負担することはできない。

❽答12 × 確給法57条、法58条１項。事業主等は、少なくとも「６年」ではなく「**５年**」ごとに掛金の額を再計算しなければならない。なお、設問の前段の記述は正しい。

8 問13 □□□ H28-8E

事業主等は企業年金連合会(以下「連合会」という。)を設立することができる。連合会は、都道府県単位で、又は複数の都道府県が共同で設立することができる。

8 問14 □□□ R4-6D

企業年金連合会(以下本問において「連合会」という。)を設立するには、その会員となろうとする10以上の事業主等が発起人とならなければならない。

8 問15 □□□ R4-6E 難

連合会は、毎事業年度終了後6か月以内に、厚生労働省令で定めるところにより、その業務についての報告書を作成し、厚生労働大臣に提出しなければならない。

8 問16 □□□ H29-9E

確定給付企業年金を実施している企業を退職したため、その加入者の資格を喪失した一定要件を満たしている者が、転職し、転職先企業において他の確定給付企業年金の加入者の資格を取得した場合、当該他の確定給付企業年金の規約において、あらかじめ、転職前の企業が実施している確定給付企業年金の資産管理運用機関等から脱退一時金相当額の移換を受けることができる旨が定められているときは、その者は、転職前の企業が実施している確定給付企業年金の事業主等に脱退一時金相当額の移換を申し出ることができる。

9 社会保険審査官及び社会保険審査会法

過去問

9 問1 □□□ H29-6A

社会保険審査官は、人格が高潔であって、社会保障に関する識見を有し、かつ、法律又は社会保険に関する学識経験を有する者のうちから、厚生労働大臣が任命することとされている。

9 問2 □□□ R5-9A

社会保険審査官(以下本問において「審査官」という。)は、厚生労働省の職員のうちから厚生労働大臣が命じ、各地方厚生局(地方厚生支局を含む。)に置かれる。

8答13 × 確給法91条の２。企業年金連合会は、「全国を通じて１個」とされている。なお、確定給付企業年金法における企業年金連合会は、確定給付企業年金の中途脱退者及び同法に規定する終了制度加入者等に係る老齢給付金の支給を共同して行うとともに、同法に規定する積立金の移換を円滑に行うために設立されるものである。

8答14 × 確給法91条の５。連合会を成立するには、その会員となろうとする「10」以上ではなく「20」以上の事業主等が発起人とならなければならない。

8答15 ○ 確給法100条の2,1項。設問の通り正しい。

8答16 ○ 確給法81条の２。設問の通り正しい。

プラスα

設問中の「一定要件」とは、退職により退職前の企業が実施している確定給付企業年金の加入者の資格を喪失した者が、当該確定給付企業年金に係る規約で定める脱退一時金を受けるための要件を満たしていることである。

9答1 × 社審法２条。社会保険審査官は、厚生労働省の職員のうちから、厚生労働大臣が命ずるものとされているが、設問のような規定はない。なお、社会保険審査会の委員長及び委員にあっては、「人格が高潔であって、社会保障に関する識見を有し、かつ、法律又は社会保険に関する学識経験を有する者のうちから、両議院の同意を得て、厚生労働大臣が任命する。」とされている。

9答2 ○ 社審法１条１項、法２条。設問の通り正しい。

9問3 □□□ R2-9C

社会保険審査官は、原処分の執行の停止又は執行の停止の取消をしたときは、審査請求人及び社会保険審査官及び社会保険審査会法第9条第1項の規定により通知を受けた保険者以外の利害関係人に通知しなければならない。

9問4 □□□ R2-9A

審査請求は、政令の定めるところにより、文書のみならず口頭でもすることができる。

9問5 □□□ R2-9B

審査請求は、代理人によってすることができる。代理人は、各自、審査請求人のために、当該審査請求に関する一切の行為をすることができる。ただし、審査請求の取下げは、特別の委任を受けた場合に限り、することができる。

9問6 □□□ R2-9D

審査請求人は、社会保険審査官の決定があるまでは、いつでも審査請求を取り下げることができる。審査請求の取下げは、文書のみならず口頭でもすることができる。

9問7 □□□ R5-9B改 難

審査請求は、原処分の執行を停止しない。ただし、社会保険審査官は、原処分の執行により生ずることのある償うことの困難な損害を避けるため緊急の必要があると認めるときは、職権でその執行を停止することができる。その執行の停止は、審査請求があった日から2か月以内に審査請求についての決定がない場合において、審査請求人が、審査請求を棄却する決定があったものとみなして再審査請求をしたときは、その効力を失う。

9答3 ○　社審法10条5項。設問の通り正しい。社会保険審査官及び社会保険審査会法9条1項によれば、社会保険審査官は、審査請求がされたときは、同法の規定により審査請求を却下する場合を除き、政令で定めるところにより、原処分をした保険者(石炭鉱業年金基金、国民年金事業の管掌者、国民年金基金、日本年金機構、財務大臣又は健康保険法若しくは船員保険法の規定により健康保険若しくは船員保険の事務を行う厚生労働大臣等を含む。)及びその他の利害関係人に通知しなければならないとされているが、同法10条1項の規定により職権でその執行を停止したとき、又は、同条2項の規定によりその執行の停止を取り消したときは、審査請求人及び上記の通知(同法9条1項による通知)を受けた保険者以外の利害関係人に通知しなければならない。

9答4 ○　社審法5条1項。設問の通り正しい。

9答5 ○　社審法5条の2。設問の通り正しい。

9答6 ×　社審法12条の2。審査請求の取下げは、口頭ですることはできず、文書でしなければならない。なお、設問における審査請求の取下げに関するその他の記述は正しい。

9答7 ○　社審法10条1項、3項。設問の通り正しい。

9問8 □□□ R5-9C

審査請求の決定は、審査請求人に送達されたときに、その効力を生じる。決定の送達は、決定書の謄本を送付することによって行う。ただし、送達を受けるべき者の所在が知れないとき、その他決定書の謄本を送付することができないときは、公示の方法によってすることができる。

9問9 □□□ R2-9E

健康保険法の被保険者の資格に関する処分に不服がある者が行った審査請求に対する社会保険審査官の決定に不服がある場合の、社会保険審査会に対する再審査請求は、社会保険審査官の決定書の謄本が送付された日の翌日から起算して２か月を経過したときは、することができない。ただし、正当な事由によりこの期間内に再審査請求をすることができなかったことを疎明したときは、この限りでない。

9問10 □□□ R5-9D

社会保険審査会(以下本問において「審査会」という。)は、審査会が定める場合を除き、委員長及び委員のうちから、審査会が指名する者３人をもって構成する合議体で、再審査請求又は審査請求の事件を取り扱う。審査会の合議は、公開しない。

9問11 □□□ R5-9E改 難

社会保険審査会は、必要があると認めるときは、申立てにより又は職権で、利害関係のある第三者を当事者として再審査請求又は審査請求の手続に参加させることができるが、再審査請求又は審査請求への参加は、代理人によってすることができない。

9問12 □□□ H29-6D

社会保険審査会の審理は、原則として非公開とされる。ただし、当事者の申立があったときは、公開することができる。

9答8 ○　社審法15条１項、２項。設問の通り正しい。

9答9 ○　社審法32条１項、３項。設問の通り正しい。

プラスα

健康保険法、船員保険法、厚生年金保険法等の保険料等の賦課等に関して不服がある場合の社会保険審査会に対する審査請求については、処分があったことを知った日の翌日から起算して**3月**を経過したときは、することができないとされ、正当な事由によりこの期間内に審査請求をすることができなかったことを疎明したときは、この限りでないとされている。

9答10 ○　社審法27条、法42条。設問の通り正しい。

9答11 ×　社審法34条１項、３項。設問の後段が誤り。再審査請求又は審査請求への参加は、代理人によってすることが「できる」。

9答12 ×　社審法37条。社会保険審査会の審理は、公開しなければならないとするのが原則である。ただし、当事者の申立があったときは、公開しないことができる。

10 社会保障関係統計

以下の問題及び解説においては、各種統計等に関して本試験当時のまま掲載しています。

過去問

10問1 □□□ H28-9A
厚生労働省から平成27年12月に公表された「平成26年国民年金被保険者実態調査結果の概要」によると、平成24年度及び平成25年度の納付対象月の国民年金保険料を全く納付していない者(平成25年度末に申請全額免除、学生納付特例又は若年者納付猶予を受けていた者を除く。)が納付しない理由は、「保険料が高く、経済的に支払うのが困難」が約７割と最も高くなっている。

10問2 □□□ H28-9B
厚生労働省から平成27年12月に公表された「平成26年年金制度基礎調査(障害年金受給者実態調査)」によると、障害年金受給者(本問において、当該調査における障害厚生年金又は障害基礎年金等を受給している者をいう。)のうち、生活保護を受給している者の割合は、日本の全人口に対する生活保護受給人口の割合(1.7%)より高くなっている。

10問3 □□□ H28-9C改
厚生労働省から平成27年10月に公表された「平成25年度国民医療費の概況」(**10問4**において「平成25年度国民医療費の概況」という。)によると、医療機関等における保険診療の対象となり得る傷病の治療に要した費用の推計である平成25年度の国民医療費は全体で40兆円を超え、人口一人当たりでは30万円を超えている。

10問4 □□□ H28-9D
「平成25年度国民医療費の概況」によると、「公費負担医療給付分」、「医療保険等給付分」、「後期高齢者医療給付分」、「患者等負担分」等に区分される平成25年度の制度区分別国民医療費において、「後期高齢者医療給付分」は全体の30%を超えている。

⑩答1 ○ 「平成26年国民年金被保険者実態調査結果の概要(厚生労働省)」。設問の通り正しい。

⑩答2 ○ 「平成26年年金制度基礎調査(障害年金受給者実態調査)(厚生労働省)」。設問の通り正しい。

⑩答3 ○ 「平成25年度国民医療費の概況(厚生労働省)」。設問の通り正しい。

⑩答4 ○ 「平成25年度国民医療費の概況(厚生労働省)」。設問の通り正しい。

⑩問5 □□□ H28-9E

厚生労働省が公表した平成26年度の国民年金保険料の納付状況によると、平成26年度中に納付された現年度分保険料にかかる納付率は73.1％となり、前年度の70.9％から2.2ポイントの上昇となった。また、国民年金保険料の納付率(現年度分)の推移をみてみると、基礎年金制度が導入された時から約10年は、納付率は80％台であったが、平成14年度以降、現在に至るまで70％台になっている。

⑩問6 □□□ H28-10C

平成22年に厚生労働省が実施した「介護保険制度に関する国民の皆さまからのご意見募集」によれば、「介護保険を評価している(「大いに評価」又は「多少は評価」)」と回答した方は全体の約２割にとどまっている。

※　本問は平成27年版厚生労働白書を参照している。

⑩問7 □□□ H27-9E

日本の高齢化率(人口に対する65歳以上人口の占める割合)は、昭和45年に７％を超えて、いわゆる高齢化社会となったが、その後の急速な少子高齢化の進展により、平成25年９月にはついに25％を超える状況となった。

※　本問は平成26年版厚生労働白書を参照している。

⑩問8 □□□ H27-10A

「平成24年度社会保障費用統計(国立社会保障・人口問題研究所)」によると、平成24年度の社会保障給付費の総額は108兆5,568億円であり、部門別にみると、「医療」が53兆9,861億円で全体の49.7％を占めている。次いで「年金」が34兆6,230億円で全体の31.9％、「福祉その他」は19兆9,476億円で18.4％となっている。

⑩問9 □□□ R3-10D

社会保障給付費の部門別構成割合の推移を見ると、1989(平成元)年度においては医療が49.5％、介護、福祉その他が39.4％を占めていたが、医療は1990年台半ばから、介護、福祉その他は2004(平成16)年度からその割合が減少に転じ、年金の割合が増加してきている。2017(平成29)年度には、年金が21.6％と1989年度の約２倍となっている。

※　本問は令和２年版厚生労働白書を参照している。

⑩答5　×　「平成26年度の国民年金の加入・保険料納付状況(厚生労働省)」。平成26年度中に納付された現年度分保険料にかかる納付率は、「63.1％」となり、「前年度の60.9％」から2.2ポイントの上昇となった。また、国民年金保険料の納付率(現年度分)の推移をみてみると、「基礎年金制度が導入された時から平成８年度までは、納付率は80％台であったが、平成９年度から平成13年度については70％台、平成14年度から平成21年度は60％台、平成22年度から平成24年度は50％台、その後現在に至るまでは、60％台」と推移している。

⑩答6　×　「平成27年版厚生労働白書(厚生労働省)」P.412。「介護保険を評価している(「大いに評価」又は「多少は評価」)」と回答した割合は、「全体の約２割にとどまっている」のではなく、６割を超える割合となっている。

⑩答7　○　「平成26年版厚生労働白書(厚生労働省)」P.250。設問の通り正しい。

⑩答8　×　「平成24年度社会保障費用統計(国立社会保障・人口問題研究所)」。「年金」が53兆9,861億円で全体の49.7％を占めており、「医療」が34兆6,230億円で全体の31.9％となっている。

⑩答9　×　「令和２年版厚生労働白書(厚生労働省)」P.120。社会保障給付費の部門別構成割合の推移を見ると、1989(平成元)年度においては年金が49.5％、医療が39.4％を占めていたが、医療は1990年代半ばから、年金は2004(平成16)年度からその割合が減少に転じ、「介護、福祉その他の割合」が増加してきている。2017(平成29)年度には、「介護と福祉その他を合わせて」21.6％と、1989年度の約２倍となっている。

⑩問10 □□□ H27-10B

「平成25年国民生活基礎調査(厚生労働省)」によると、高齢者世帯(65歳以上の者のみで構成するか、又はこれに18歳未満の未婚の者が加わった世帯。以下本問において同じ。)における所得の種類別に1世帯当たりの平均所得金額の構成割合をみると、「公的年金・恩給」が68.5%と最も高くなっている。なお、公的年金・恩給を受給している高齢者世帯のなかで「公的年金・恩給の総所得に占める割合が100%の世帯」は57.8%となっている。

⑩問11 □□□ H27-10C

「平成25年度厚生年金保険・国民年金事業の概況(厚生労働省)」によると、国民年金の第1号被保険者数(任意加入被保険者を含む。以下本問において同じ。)は、平成25年度末現在で1,805万人となっており、前年度末に比べて3.1%増加し、第1号被保険者数は、対前年度末比において5年連続増加となっている。

⑩問12 □□□ R3-10A

公的年金制度の被保険者数の増減について見ると、第1号被保険者は、対前年比70万人増で近年増加傾向にある一方、第2号被保険者等(65歳以上70歳未満の厚生年金被保険者を含む。)や第3号被保険者は、それぞれ対前年比34万人減、23万人減で、近年減少傾向にある。これらの要因として、新型コロナウイルス感染症の影響による生活に困窮する人の増加、失業率の上昇等があげられる。

※　本問は令和2年版厚生労働白書を参照している。

⑩問13 □□□ H27-10D

「平成26年度後期高齢者医療制度被保険者実態調査(厚生労働省)」によると、平成26年9月30日現在の後期高齢者医療制度の被保険者数は、5,547千人となっており、うち75歳以上の被保険者数は被保険者の79.6%を占めている。

⑩問14 □□□ H27-10E

「平成24年度介護保険事業状況報告(厚生労働省)」によると、要介護(要支援)認定者数は、平成24年度末現在で1,561万人となっており、そのうち軽度(要支援1から要介護2)の認定者が、全体の約83.5%を占めている。

⑩問15 □□□ H30-10A

我が国の国民負担率(社会保障負担と租税負担の合計額の国民所得比)は、昭和45年度の24.3%から平成27年度の42.8%へと45年間で約1.8倍となっている。

※　本問は、平成29年版厚生労働白書を参照している。

⑩答10 ○ 「平成25年国民生活基礎調査(厚生労働省)」。設問の通り正しい。

⑩答11 × 「平成25年度厚生年金保険・国民年金事業の概況(厚生労働省)」。国民年金の第1号被保険者数は、前年度末に比べて3.1%減少している。また、対前年度末比においては、平成16年度以降引き続き減少している。

⑩答12 × 「令和2年版厚生労働白書(厚生労働省)」P.296。公的年金制度の被保険者数の増減について見てみると、第2号被保険者等(65歳以上70歳未満の厚生年金被保険者を含む。)は対前年比70万人増で、近年増加傾向にある一方、第1号被保険者や第3号被保険者はそれぞれ対前年比34万人、23万人減で、近年減少傾向にある。これらの要因として、被用者保険の適用拡大や厚生年金の加入促進策の実施、高齢者等の就労促進などが考えられる。

⑩答13 × 「平成26年度後期高齢者医療制度被保険者実態調査(厚生労働省)」。後期高齢者医療制度の被保険者数は、15,547千人であり、うち75歳以上の被保険者数は被保険者の97.6%を占めている。

⑩答14 × 「平成24年度介護保険事業状況報告(厚生労働省)」。要介護(要支援)認定者数は、平成24年度末現在で561万人であり、そのうち軽度の認定者が全体の63.5%を占めている。

⑩答15 ○ 「平成29年版厚生労働白書(厚生労働省)」P.12。設問の通り正しい。

11 社会保障制度

最新問題

11 問 1 □□□ R6-9ア

日本の公的年金制度は、予測することが難しい将来のリスクに対して、社会全体であらかじめ備えるための制度であり、現役世代の保険料負担により、その時々の高齢世代の年金給付をまかなう世代間扶養である賦課方式を基本とした仕組みで運営されている。賃金や物価の変化を年金額に反映させながら、生涯にわたって年金が支給される制度として設計されており、必要なときに給付を受けることができる保険として機能している。

※　本問は、令和５年版厚生労働白書を参照している。

11 問 2 □□□ R6-9イ

公的年金制度の給付の状況としては、全人口の約3割が公的年金の受給権を有している。高齢者世帯に関してみれば、その収入の約８割を公的年金等が占めるなど、年金給付が国民の老後生活の基本を支えるものとしての役割を担っていることがわかる。

※　本問は、令和５年版厚生労働白書を参照している。

11 問 3 □□□ R6-9ウ

「年金制度の機能強化のための国民年金法等の一部を改正する法律」による短時間労働者に対する被用者保険の適用拡大には、これまで国民年金・国民健康保険に加入していた人が被用者保険の適用を受けることにより、基礎年金に加えて報酬比例の厚生年金保険給付が支給されることに加え、障害厚生年金には、障害等級3級や障害手当金も用意されているといった大きなメリットがある。また、医療保険においても傷病手当金や出産手当金が支給される。

※　本問は、令和５年版厚生労働白書を参照している。

11 問 4 □□□ R6-9エ

日本から海外に派遣され就労する邦人等が日本と外国の年金制度等に加入し保険料を二重に負担することを防ぎ、また、両国での年金制度の加入期間を通算できるようにすることを目的として、外国との間で社会保障協定の締結を進めている。2024(令和６)年４月１日現在、22か国との間で協定が発効しており、一番初めに協定を締結した国はドイツである。

⑪答1 ○ 「令和５年版厚生労働白書(厚生労働省)」P.256。設問の通り正しい。

⑪答2 × 「令和５年版厚生労働白書(厚生労働省)」P.256。高齢者世帯に関してみれば、その収入の「約８割」ではなく「約６割」を公的年金等が占めている。

⑪答3 ○ 「令和５年版厚生労働白書(厚生労働省)」P.258。設問の通り正しい。

⑪答4 × 「令和５年版厚生労働白書(厚生労働省)」P.265他。2024(令和６)年４月１日現在、「23か国」との間で協定が発効している。なお、設問のその他の記述は正しい。

⑪問５ □□□ R6-9オ

日本と社会保障協定を発効している国のうち英国、韓国、中国及びイタリアとの協定については、「両国での年金制度の加入期間を通算すること」を主な内容としている。

⑪問６ □□□ R6-10C

健康保険の日雇特例被保険者が死亡した場合において、その死亡の日の属する月の前２か月間に通算して26日分以上若しくは当該月の前６か月間に通算して78日分以上の保険料がその者について納付されていなくても、その死亡の際その者が療養の給付を受けていたときは、その者により生計を維持していた者であって、埋葬を行うものに対し、埋葬料として、５万円を支給する。

⑪問７ □□□ R6-10D

健康保険の被保険者が死亡したときに、その者により生計を維持していた者がいない場合には、埋葬を行った者に対し、埋葬料として、５万円を支給する。

過去問

⑪問１ □□□ R3-9B

健康保険法第１条では、「この法律は、労働者又はその被扶養者の業務災害(労働者災害補償保険法(昭和二十二年法律第五十号)第七条第一項第一号に規定する業務災害をいう。)以外の疾病、負傷若しくは死亡又は出産に関して保険給付を行い、もって国民の生活の安定と福祉の向上に寄与することを目的とする。」と規定している。

⑪問２ □□□ H30-6A

健康保険法では、健康保険組合の組合員でない被保険者に係る健康保険事業を行うため、全国健康保険協会を設けるが、その主たる事務所は東京都に、従たる事務所は各都道府県に設置すると規定している。

⑪問３ □□□ H30-9D

健康保険法では、健康保険組合は、規約で定めるところにより、介護保険第２号被保険者である被保険者以外の被保険者(介護保険第２号被保険者である被扶養者があるものに限る。)に関する保険料額を一般保険料額と介護保険料額との合算額とすることができるとされている。

⑪答５　×　社会保障に関する日本国とグレート・ブリテン及び北部アイルランド連合王国との間の協定、社会保障に関する日本国と大韓民国との間の協定他。英国、韓国、中国及びイタリアとの協定については、「保険料の二重負担防止」のみである。

⑪答６　○　健保法136条１項、令35条。設問の通り正しい。

⑪答７　×　健保法100条２項。設問の場合には、埋葬を行った者に対し、埋葬料の金額（５万円）の範囲内においてその埋葬に要した費用に相当する金額が支給される。

---

⑪答１　○　健保法１条。設問の通り正しい。

⑪答２　○　健保法７条の2,1項、法７条の4,1項。設問の通り正しい。

⑪答３　○　健保法附則７条１項。設問の通り正しい。設問は、健康保険組合の「特定被保険者」に係る保険料額の特例に関する問題である。

⑪問 4 □□□ H30-9E

国民年金第１号被保険者、健康保険法に規定する任意継続被保険者、厚生年金保険法に規定する適用事業所に使用される高齢任意加入被保険者及び船員保険法に規定する疾病任意継続被保険者は、被保険者自身が保険料を全額納付する義務を負い、毎月の保険料は各月の納付期限までに納付しなければならないが、いずれの被保険者も申出により一定期間の保険料を前納することができる。

⑪問 5 □□□ H28-10D

平成12年から平成14年にかけ、物価が下落したにも関わらず、特例措置により年金額を据え置いた結果、平成25年９月時点において本来の年金額より2.5％高い水準（特例水準）の年金額が支給されている状況であったが、国民年金法等の一部を改正する法律等の一部を改正する法律（平成24年法律第99号）の施行により、平成25年10月から平成27年４月にかけて特例水準の解消が行われた。この特例水準が解消したことにより、平成16年の制度改正により導入されたマクロ経済スライドが、平成27年４月から初めて発動されることとなった。

※　本問は平成27年版厚生労働白書を参照している。

⑪問 6 □□□ H30-9B

厚生年金保険法では、第１号厚生年金被保険者に係る保険料率は、平成16年10月分から毎年0.354％ずつ引き上げられ、平成29年９月分以後は、19.3％で固定されている。

⑪問 7 □□□ H28-10E

日本年金機構では、毎年誕生月に送付している「ねんきん定期便」によって、国民年金・厚生年金保険の全ての現役加入者及び受給権者に対し、年金加入期間、年金見込額、保険料納付額、国民年金の納付状況や厚生年金保険の標準報酬月額等をお知らせしている。

※　本問は平成27年版厚生労働白書を参照している。

⑪答4 × 国年法88条１項、法93条１項、健保法161条３項、法165条１項、厚年法附則４条の3,7項、船保法126条２項、法128条１項。保険料の負担及び納付義務については、設問の通り、設問の被保険者自身が保険料を全額納付する義務を負い、毎月の保険料は各月の納付期日までに納付しなければならないが、保険料の前納については、厚生年金保険法に規定する適用事業所に使用される高齢任意加入被保険者のみ、規定されていない。なお、厚生年金保険法に規定する適用事業所に使用される高齢任意加入被保険者については、事業主による保険料の納付に係る同意を前提に、事業主が保険料を全額納付する義務を負い、各月の納付期限までに保険料を納付しなければならないとする例外がある。

⑪答5 ○ 「平成27年版厚生労働白書(厚生労働省)」P.367。設問の通り正しい。

⑪答6 × 厚年法81条４項、(16)法附則33条。厚生年金保険法では、第１号厚生年金被保険者に係る保険料率は、平成16年10月分から毎年0.354％（第３種被保険者については0.248％)ずつ引き上げられ、平成29年９月分以後は、「19.3％」ではなく、「18.3％」で固定されている。

⑪答7 × 「平成27年版厚生労働白書(厚生労働省)」P.381。ねんきん定期便による通知の対象となっている者は、「国民年金・厚生年金保険のすべての現役加入者」であり、「受給権者」は含まれない。

⑪問８
□□□
R3-10B

年金を受給しながら生活をしている高齢者や障害者などの中で、年金を含めても所得が低い方々を支援するため、年金に上乗せして支給する「年金生活者支援給付金制度」がある。老齢年金生活者支援給付金の支給要件に該当している場合は、本人による請求手続きは一切不要であり、日本年金機構が職権で認定手続きを行う。
※　本問は令和２年版厚生労働白書を参照している。

⑪問９
□□□
H28-10A

75歳以上の方々の医療給付費は、その約４割を現役世代からの後期高齢者支援金によって賄われている。この支援金は、加入者数に応じた負担から負担能力に応じた負担とする観点から、被用者保険者間の按分について、平成22年度から３分の１を総報酬割（被保険者の給与や賞与などすべての所得で按分）、残りの３分の２を加入者割とする負担方法を導入した。また、より負担能力に応じた負担とするために、平成26年度には総報酬割を２分の１、平成27年度には３分の２と段階的に引き上げ、平成28年度からは全面総報酬割を実施することとされた。
※　本問は平成27年版厚生労働白書を参照している。

⑪問10
□□□
H28-10B

主治医と大病院に係る外来の機能分化をさらに進めるとともに、病院勤務医の負担軽減を図るため、平成28年度から、特定機能病院等において、紹介状なく受診する患者に対して、原則として療養に要した費用の２割の負担を求めることとされた。
※　本問は平成27年版厚生労働白書を参照している。

⑪問11
□□□
H30-10E

国民健康保険制度の安定化を図るため、持続可能な医療保険制度を構築するための国民健康保険法等の一部を改正する法律が平成27年５月に成立した。改正の内容の１つの柱が、国民健康保険への財政支援の拡充等により、財政基盤を強化することであり、もう１つの柱は、都道府県が安定的な財政運営や効率的な事業運営の確保等の国民健康保険の運営に中心的な役割を担うことである。
※　本問は平成29年版厚生労働白書を参照している。

⑪答8　×　「令和２年版厚生労働白書(厚生労働省)」P.304。設問の「老齢年金生活者支援給付金の支給要件に該当している場合は、本人による請求手続きは一切不要である」としている点が誤りである。日本年金機構が受給資格要件に該当する者に対して送付する請求書に、氏名等を記載して返送することが必要である。

⑪答9　×　「平成27年版厚生労働白書(厚生労働省)」P.409、410。後期高齢者支援金の負担方法については、平成22年度から３分の１を総報酬割、残りの３分の２を加入者割とする負担方法を導入したことについては設問の通りであるが、より負担能力に応じた負担とするために、総報酬割を２分の１としたのは「平成27年度」、３分の２としたのは「平成28年度」、全面総報酬割を実施することとしたのは「平成29年度」である。

⑪答10　×　「平成27年版厚生労働白書(厚生労働省)」P.410。平成28年度から、特定機能病院等において、紹介状なく受診する患者に対して負担を求めることとなった金額は、設問のような療養に要した費用に対する定率によるものではなく、一定額(療養に要する費用の範囲内において厚生労働大臣が定める金額)である。

プラスα

＜厚生労働大臣が定める額(令和４年10月～)＞

	医師による場合	歯科医師による場合
初診	7,000円	5,000円
再診	3,000円	1,900円

⑪答11　○　「平成29年版厚生労働白書(厚生労働省)」P.331。設問の通り正しい。

⑪問12 □□□ R3-10E

保険医療機関等で療養の給付等を受ける場合の被保険者資格の確認について、確実な本人確認と保険資格確認を可能とし、医療保険事務の効率化や患者の利便性の向上等を図るため、オンライン資格確認の導入を進める。オンライン資格確認に当たっては、既存の健康保険証による資格確認に加えて、個人番号カード（マイナンバーカード）による資格確認を可能とする。

※　本問は、令和２年版厚生労働白書を参照している。

⑪問13 □□□ H27-9D

年金制度では、少なくとも５年に一度、将来の人口や経済の前提を設定した上で、長期的な年金財政の見通しを作成し、給付と負担の均衡が図られているかどうかの確認である「財政検証」を行っている。平成16年改正以前は、給付に必要な保険料を再計算していたが、平成16年改正により、保険料水準を固定し、給付水準の自動調整を図る仕組みの下で年金財政の健全性を検証する現在の財政検証へ転換した。

※　本問は平成26年版厚生労働白書を参照している。

⑪問14 □□□ H30-10C

年金額については、マクロ経済スライドによる調整をできるだけ早期に実施するために、現在の年金受給者に配慮する観点から、年金の名目額が前年度を下回らない措置（名目下限措置）は維持しつつ、賃金・物価上昇の範囲内で、前年度までの未調整分（キャリーオーバー分）を含めて調整することとした。この調整ルールの見直しは、平成30年４月に施行された。

※　本問は平成29年版厚生労働白書を参照している。

⑪問15 □□□ H30-10D

年金積立金の運用状況については、年金積立金管理運用独立行政法人が半期に１度公表を行っている。厚生労働大臣が年金積立金の自主運用を開始した平成11年度から平成27年度までの運用実績の累積収益額は、約56.5兆円となっており、収益率でみると名目賃金上昇率を平均で約3.1％下回っている。

※　本問は平成29年版厚生労働白書を参照している。

⑪問16 □□□ H29-9A

厚生年金保険法の改正により平成26年４月１日以降は、経過措置に該当する場合を除き新たな厚生年金基金の設立は認められないこととされた。

⑪答12 ○ 「令和２年版厚生労働白書(厚生労働省)」P.355。設問の通り正しい。

⑪答13 ○ 「平成26年版厚生労働白書(厚生労働省)」P.360。設問の通り正しい。

⑪答14 ○ 「平成29年版厚生労働白書(厚生労働省)」P.285。設問の通り正しい。

⑪答15 × 「平成29年版厚生労働白書(厚生労働省)」P.287、288。年金積立金の運用状況については、年金積立金管理運用独立行政法人が「四半期」に１度公表を行っている。また、厚生労働大臣が年金積立金の自主運用を開始した「平成13年度」から平成27年度までの運用実績の累積収益額は、約56.5兆円となっており、収益率でみると名目賃金上昇率を平均で約3.1%「上回って」いる。

⑪答16 ○ (25)厚年法附則６条。設問の通り正しい。

⑪問17 第190回国会において成立した「確定拠出年金法等の一部を改正する法律」では、私的年金の普及・拡大を図るため、個人型確定拠出年金の加入者範囲を基本的に20歳以上60歳未満の全ての方に拡大した。
□□□
H30-10B

※　本問は平成29年版厚生労働白書を参照している。

⑪問18 国民健康保険及び後期高齢者医療の保険料(税)は、被保険者の負担能力に応じて賦課される応能分と、受益に応じて等しく被保険者に賦課される応益分から構成され、世帯の所得が一定額以下の場合には、応益分保険料(税)の７割、５割又は２割を軽減している。低所得者の保険料(税)負担を軽減するため、平成26年度の保険料(税)から、５割軽減と２割軽減の対象世帯を拡大することとした。
□□□
H27-9C

※　本問は平成26年版厚生労働白書を参照している。

⑪問19 2008(平成20)年度の後期高齢者医療制度発足時における75歳以上の保険料の激変緩和措置として、政令で定めた軽減割合を超えて、予算措置により軽減を行っていたが、段階的に見直しを実施し、保険料の所得割を５割軽減する特例について、2019(令和元)年度から本則(軽減なし)とし、元被扶養者の保険料の均等割を９割軽減する特例について、2020(令和２)年度から本則(資格取得後３年間に限り７割軽減とする。)とするといった見直しを行っている。
□□□
R3-10C

※　本問は令和２年版厚生労働白書を参照している。

⑪問20 社会保障と税の一体改革では、年金、高齢者医療、介護といった「高齢者三経費」に消費税増収分の全てを充てることが消費税法等に明記された。
□□□
H27-9A

※　本問は平成26年版厚生労働白書を参照している。

⑪答17 ○ 「平成29年版厚生労働白書(厚生労働省)」P.289。設問の通り正しい。

⑪答18 ○ 「平成26年版厚生労働白書(厚生労働省)」P.395。設問の通り正しい。

⑪答19 × 「令和２年版厚生労働白書(厚生労働省)」P.359。2008(平成20)年度の後期高齢者医療制度発足時における激変緩和措置として、政令で定めた軽減割合を超えて、予算措置により軽減を行っていたが、世代間・世代内の負担の公平を図り、負担能力に応じた負担を求める観点から、段階的に見直しを実施し、保険料の所得割を５割軽減する特例について、「2018(平成30)」年度から本則(軽減なし)とし、元被扶養者の保険料の均等割を９割軽減する特例について、「2019(令和元)」年度から本則(資格取得後「２年間に限り５割」軽減とする)とするといった見直しを行っている。

⑪答20 × 「平成26年版厚生労働白書(厚生労働省)」P.252。設問の改革では、年金、高齢者医療、介護といった「高齢者三経費」に、子育てや現役世代の医療を加えた「社会保障四経費」に消費税増収分の全てを充てることが消費税法等に明記された。

⑪問21 □□□ H27-9B

社会保障制度改革国民会議において取りまとめられた報告書等を踏まえ、社会保障制度改革の全体像及び進め方を明らかにするための「持続可能な社会保障制度の確立を図るための改革の推進に関する法律」が平成25年12月に成立・施行(一部の規定を除く。)された。この法律では、講ずべき社会保障制度改革の措置等として、受益と負担の均衡がとれた持続可能な社会保障制度の確立を図るため、医療制度、介護保険制度等の改革について、①改革の検討項目、②改革の実施時期と関連法案の国会提出時期の目途を明らかにしている。

※　本問は平成26年版厚生労働白書を参照している。

⑪問22 □□□ H29-10A 難

社会保障協定とは、日本の年金制度と外国の年金制度の重複適用の回避をするために締結される年金に関する条約その他の国際約束であり、日本の医療保険制度と外国の医療保険制度の重複適用の回避については、対象とされていない。

⑪問23 □□□ H29-10B 難

平成29年３月末日現在、日本と社会保障協定を締結している全ての国との協定において、日本と相手国の年金制度における給付を受ける資格を得るために必要とされる期間の通算並びに当該通算により支給することとされる給付の額の計算に関する事項が定められている。

⑪問24 □□□ H29-10C 難

日本の事業所で勤務し厚生年金保険の被保険者である40歳の労働者が、３年の期間を定めて、日本と社会保障協定を締結している国に派遣されて当該事業所の駐在員として働く場合は、社会保障協定に基づいて派遣先の国における年金制度の適用が免除され、引き続き日本の厚生年金保険の被保険者でいることとなる。

⑪問25 □□□ H29-10D 難

社会保障協定により相手国の年金制度の適用が免除されるのは、厚生年金保険の被保険者であり、国民年金の第１号被保険者については、当該協定により相手国の年金制度の適用が免除されることはない。

⑪答21 ○ 「平成26年版厚生労働白書(厚生労働省)」P.253、254。設問の通り正しい。

⑪答22 × 社会保障協定の実施に伴う厚生年金保険法等の特例等に関する法律2条1号イ。社会保障協定の実施に伴う厚生年金保険法等の特例等に関する法律においては、日本の医療保険制度と外国の医療保険制度の重複適用の回避についても、対象としている。

⑪答23 × 社会保障に関する日本国とグレート・ブリテン及び北部アイルランド連合王国との間の協定、社会保障に関する日本国と大韓民国との間の協定他。年金通算に関する事項については、全ての国との協定において定められているわけではない［例：イギリス、韓国、中国(令和3年5月現在)］。

⑪答24 ○ 社会保障に関する日本国とベルギー王国との間の協定、社会保障に関する日本国政府とフランス共和国政府との間の協定他。設問の通り正しい。日本において被用者として就労する者が事業主により日本から海外に派遣される場合、社会保障協定により就労する国の年金制度のみ適用されることが原則とされるが、設問のように、5年以内の期間が見込まれる一時的な派遣の場合は、社会保障協定に基づいて派遣先における年金制度の適用が免除され、引き続き日本の厚生年金保険の被保険者でいることとなる。

⑪答25 × 社会保障に関する日本国とベルギー王国との間の協定、社会保障に関する日本国政府とフランス共和国政府との間の協定他。国民年金の第1号被保険者についても、社会保障協定相手国での就労期間が5年以内と見込まれる場合には、当該社会保障協定により、相手国の年金制度の適用が免除される。

⑪問26 日本と社会保障協定を締結している相手国に居住し、日本国籍を有する40歳の者が、当該相手国の企業に現地採用されることとなった場合でも、その雇用期間が一定期間以内であれば、日本の年金制度に加入することとなり、相手国の年金制度に加入することはない。

□□□
H29-10E
難

⑪問27 社会保険制度の改正に関する次の①から⑥の記述について、改正の施行日が古いものからの順序で記載されているものは、後記ＡからＥまでのうちどれか。

□□□
R元-10
難

① 被用者年金一元化により、所定の要件に該当する国家公務員共済組合の組合員が厚生年金保険の被保険者資格を取得した。

② 健康保険の傷病手当金の１日当たりの金額が、原則、支給開始日の属する月以前の直近の継続した12か月間の各月の標準報酬月額を平均した額を30で除した額に３分の２を乗じた額となった。

③ 国民年金第３号被保険者が、個人型確定拠出年金に加入できるようになった。

④ 基礎年金番号を記載して行っていた老齢基礎年金の年金請求について、個人番号(マイナンバー)でも行えるようになった。

⑤ 老齢基礎年金の受給資格期間が25年以上から10年以上に短縮された。

⑥ 国民年金第１号被保険者の産前産後期間の国民年金保険料が免除されるようになった。

Ａ ①→②→③→⑤→④→⑥

Ｂ ③→①→②→⑤→⑥→④

Ｃ ②→①→④→⑤→③→⑥

Ｄ ③→②→①→⑤→⑥→④

Ｅ ②→③→①→⑤→⑥→④

⑪答26 × 社会保障に関する日本国とベルギー王国との間の協定、社会保障に関する日本国政府とフランス共和国政府との間の協定他。社会保障協定相手国において、当該相手国の企業に現地採用されることとなった場合には、当該相手国の年金制度に加入することとなる。

⑪答27 **正解 A**

① (24)厚年法附則1条。設問の改正の施行日は、「平成27年10月1日」である。

② (27)健保法附則1条。設問の改正の施行日は、「平成28年4月1日」である。

③ (28)確拠法附則1条。設問の改正の施行日は、「平成29年1月1日」である。

④ (30)国民年金法施行規則附則1条、平成30.2.27年管企発0227第2号。設問の改正の施行日は、「平成30年3月5日」である。

⑤ (24)国年法附則1条3号。設問の改正の施行日は、「平成29年8月1日」である。なお、設問の老齢基礎年金の受給資格期間の短縮の改正は、当初は消費税率の10%への引上げと同時に行われることとされていたが、無年金者をできる限り救済すると同時に、納付した年金保険料を極力給付に結びつける観点から、平成29年8月1日から施行されることとなった。

⑥ (28)国年法附則1条5号。設問の改正の施行日は、「平成31年4月1日」である。

上記改正の施行日を古いものから並べると、①→②→③→⑤→④→⑥となるため、Aが正解となる。

★ 選択式

★問1
□□□
H27-選

次の文中の[　　]の部分を選択肢の中の最も適切な語句で埋め、完全な文章とせよ。

1　社会保険労務士法第１条は、「この法律は、社会保険労務士の制度を定めて、その業務の適正を図り、もって労働及び社会保険に関する法令の円滑な実施に寄与するとともに、[　A　]を目的とする。」と規定している。

2　児童手当法第１条は、「この法律は、子ども・子育て支援法第７条第１項に規定する子ども・子育て支援の適切な実施を図るため、父母その他の保護者が子育てについての第一義的責任を有するという基本的認識の下に、児童を養育している者に児童手当を支給することにより、家庭等における生活の安定に寄与するとともに、[　B　]を目的とする。」と規定している。

3　介護保険法第１条は、「この法律は、加齢に伴って生ずる心身の変化に起因する疾病等により要介護状態となり、入浴、排せつ、食事等の介護、[　C　]並びに看護及び療養上の管理その他の医療を要する者等について、これらの者が尊厳を保持し、その有する能力に応じ自立した日常生活を営むことができるよう、必要な保健医療サービス及び福祉サービスに係る給付を行うため、[　D　]に基づき介護保険制度を設け、その行う保険給付等に関して必要な事項を定め、もって国民の保健医療の向上及び福祉の増進を図ることを目的とする。」と規定している。

4　高齢者医療確保法第２条第１項は、「国民は、[　E　]に基づき、自ら加齢に伴って生ずる心身の変化を自覚して常に健康の保持増進に努めるとともに、高齢者の医療に要する費用を公平に負担するものとする。」と規定している。

選択肢

① 機能訓練
② 経済及び産業の発展と国民の利便に資すること
③ 経済及び産業の発展と社会福祉の増進に寄与すること
④ 公的責任の実現と社会連帯の精神
⑤ 高齢者の尊厳と相互扶助の理念
⑥ 国民の共同連帯の理念
⑦ 国民の相互扶助の理念
⑧ 作業療法
⑨ 施設サービス
⑩ 社会保障制度の健全な発展と福祉の増進を図ること
⑪ 事業の健全な発達と労働者等の福祉の向上に資すること
⑫ 自己管理と世代間扶養の理念
⑬ 自助と連帯の精神
⑭ 次代の社会を担う児童が育成される社会の形成に資すること
⑮ 次代の社会を担う児童の健やかな成長に資すること
⑯ 児童の福祉の増進を図ること
⑰ 自立と公助の精神
⑱ 一人一人の児童が健やかに成長することができる社会の実現に寄与すること
⑲ 扶助と貢献の精神
⑳ 理学療法

✪答1 社労士法1条、児童手当法1条、介保法1条、高齢者医療確保法2条1項。

A ⑪ **事業の健全な発達と労働者等の福祉の向上に資すること**
B ⑮ **次代の社会を担う児童の健やかな成長に資すること**
C ① **機能訓練**
D ⑥ **国民の共同連帯の理念**
E ⑬ **自助と連帯の精神**

☆問2 □□□ H28-選改

次の文中の[　　　]の部分を選択肢の中の最も適切な語句で埋め、完全な文章とせよ。なお、本問の「1」は、平成23年版厚生労働白書を参照している。

1　世界初の社会保険は、[　A　]で誕生した。当時の[　A　]では、資本主義経済の発達に伴って深刻化した労働問題や労働運動に対処するため、明治16年に医療保険に相当する疾病保険法、翌年には労災保険に相当する災害保険法を公布した。

一方日本では、政府は、労使関係の対立緩和、社会不安の沈静化を図る観点から、[　A　]に倣い労働者を対象とする疾病保険制度の検討を開始し、[　B　]に「健康保険法」を制定した。

2　児童手当の一般受給資格者が死亡した場合において、その死亡した者に支払うべき児童手当(その者が監護していた[　C　]に係る部分に限る。)で、まだその者に支払っていなかったものがあるときは、当該[　C　]にその未支払の児童手当を支払うことができる。

3　(改正により削除)

選択肢

① １年間	② １年６か月間
③ ２年間	④ ６か月間
⑤ 18歳に達する日以後の最初の３月31日までの児童であった者	
⑥ アメリカ	⑦ イギリス
⑧ 小学校修了前の児童であった者	
⑨ 昭和13年	⑩ 昭和16年
⑪ 大正11年	⑫ 大正15年
⑬ 児童であった者	⑭ 適用認定証
⑮ ドイツ	⑯ 被保険者資格証明書
⑰ 被保険者受給資格者証	⑱ フランス
⑲ 満20歳に満たない者	⑳ 療養受療証

☆答２ 児童手当法12条１項、「平成23年版厚生労働白書(厚生労働省)」P.35、36。

A ⑮ **ドイツ**
B ⑪ **大正11年**
C ⑬ **児童であった者**
D (改正により削除)
E (改正により削除)

☆問3 次の文中の［　　　］の部分を選択肢の中の最も適切な語句で埋め、完全な文章とせよ。

□□□
H29-選改

1 国民健康保険法第１条では、「この法律は、国民健康保険事業の健全な運営を確保し、もつて［ A ］に寄与することを目的とする。」としており、同法第２条では、「国民健康保険は、［ B ］に関して必要な保険給付を行うものとする。」と規定している。

2 介護保険法第４条第１項では、「国民は、自ら要介護状態となることを予防するため、加齢に伴って生ずる心身の変化を自覚して［ C ］とともに、要介護状態となった場合においても、進んでリハビリテーションその他の適切な保健医療サービス及び福祉サービスを利用することにより、その有する能力の維持向上に努めるものとする。」と規定している。

3 児童手当の一般受給資格者（公務員である者を除く。）は、児童手当の支給を受けようとするときは、その受給資格及び児童手当の額について、内閣府令で定めるところにより、［ D ］の認定を受けなければならない。児童手当は、毎年［ E ］に、それぞれの前月までの分を支払う。ただし、前支払期月に支払うべきであった児童手当又は支給すべき事由が消滅した場合におけるその期の児童手当は、その支払期月でない月であっても、支払うものとする。なお、本問において一般受給資格者は、法人でないものとする。

選択肢

① １月、４月、７月及び10月の４期
② ２月、４月、６月、８月、10月及び12月の６期
③ ３月、６月、９月及び12月の４期
④ ４月、８月及び12月の３期
⑤ 医療の質の向上
⑥ 健全な国民生活の維持及び向上
⑦ 厚生労働大臣
⑧ 国民の疾病、負傷、出産又は死亡
⑨ 国民の生活の安定と福祉の向上
⑩ 社会保障及び国民保健の向上
⑪ 住所地の市町村長（特別区の区長を含む。）
⑫ 住み慣れた地域で必要な援助を受ける
⑬ その有する能力に応じ自立した日常生活を営む
⑭ 常に健康の保持増進に努める
⑮ 都道府県知事
⑯ 内閣総理大臣
⑰ 被保険者及び組合員の疾病、負傷又は死亡
⑱ 被保険者の業務災害以外の疾病、負傷、出産又は死亡
⑲ 被保険者の疾病、負傷、出産又は死亡
⑳ 要介護状態等の軽減又は悪化の防止に努める

☆答３　国保法１条、法２条、介保法４条１項、児童手当法７条１項、法８条４項。

A　⑩　**社会保障及び国民保健の向上**
B　⑲　**被保険者の疾病、負傷、出産又は死亡**
C　⑭　**常に健康の保持増進に努める**
D　⑪　**住所地の市町村長（特別区の区長を含む。）**
E　②　**２月、４月、６月、８月、10月及び12月の６期**

☆問４ 次の文中の［　　　］の部分を選択肢の中の最も適切な語句で埋め、完全な文章とせよ。

□□□

H30-選改

1　介護保険法第129条の規定では、市町村又は特別区が介護保険事業に要する費用に充てるため徴収しなければならない保険料は、第１号被保険者に対し、政令で定める基準に従い条例で定めるところにより算定された保険料率により算定された額とされ、その保険料率は、おおむね［　A　］を通じ財政の均衡を保つことができるものでなければならないとされている。

2　11歳、８歳、５歳の３人の児童を監護し、かつ、この３人の児童と生計を同じくしている日本国内に住所を有する父に支給する児童手当の額は、１か月につき［　B　］である。なお、この３人の児童は、施設入所等児童ではないものとする。

3　確定給付企業年金法第29条第１項では、事業主(企業年金基金を設立して実施する確定給付企業年金を実施する場合にあっては、企業年金基金。)は、次に掲げる給付を行うものとすると規定している。

⑴　老齢給付金

⑵　［　C　］

4　確定給付企業年金法第36条の規定によると、老齢給付金は、加入者又は加入者であった者が、規約で定める老齢給付金を受けるための要件を満たすこととなったときに、その者に支給するものとするが、この規約で定める要件は、次に掲げる要件を満たすものでなければならないとされている。

⑴　［　D　］の規約で定める年齢に達したときに支給するものであること。

⑵　政令で定める年齢以上⑴の規約で定める年齢未満の規約で定める年齢に達した日以後に実施事業所に使用されなくなったときに支給するものであること(規約において当該状態に至ったときに老齢給付金を支給する旨が定められている場合に限る。)。

また、⑵の政令で定める年齢は、［　E　］であってはならないとされている。

選択肢

① 2 年	② 3 年
③ 5 年	④ 10 年
⑤ 40歳未満	⑥ 45歳未満
⑦ 50歳未満	⑧ 55歳以上70歳以下
⑨ 55歳未満	⑩ 60歳以上70歳以下
⑪ 60歳以上75歳以下	⑫ 65歳以上75歳以下
⑬ 30,000円	⑭ 50,000円
⑮ 40,000円	⑯ 45,000円
⑰ 遺族給付金	⑱ 障害給付金
⑲ 脱退一時金	⑳ 特別給付金

答4 介保法129条1項～3項、児童手当法6条1項1号、2項2号、4号、3項、確給法29条1項、法36条1項～3項。

A ② **3 年**
B ⑭ **50,000円**
C ⑲ **脱退一時金**
D ⑩ **60歳以上70歳以下**
E ⑦ **50歳未満**

〔補足説明〕

Bについては、支給要件児童の3人がいずれも「3歳以上18歳に達する日以後の最初の3月31日まで」に該当するので、1人当たりの月額は、「10,000円(第3子以降30,000円)」である。したがって、Bの支給額は、

10,000円(第1子)＋10,000円(第2子)＋30,000円(第3子)＝50,000円

となる。

★問5 次の文中の □ の部分を選択肢の中の最も適切な語句で埋め、完全な文章とせよ。

□□□
R元-選改

1　船員保険法の規定では、被保険者であった者が、 A に職務外の事由により死亡した場合は、被保険者であった者により生計を維持していた者であって、葬祭を行う者に対し、葬祭料として B を支給するとされている。また、船員保険法施行令の規定では、葬祭料の支給に併せて葬祭料付加金を支給することとされている。

2　介護保険法第115条の46第1項の規定によると、地域包括支援センターは、第1号介護予防支援事業(居宅要支援被保険者に係るものを除く。)及び包括的支援事業その他厚生労働省令で定める事業を実施し、地域住民の心身の健康の保持及び生活の安定のために必要な援助を行うことにより、 C を包括的に支援することを目的とする施設とされている。

3　国民健康保険法第4条第2項の規定によると、都道府県は、 D 、市町村の国民健康保険事業の効率的な実施の確保その他の都道府県及び当該都道府県内の市町村の国民健康保険事業の健全な運営について中心的な役割を果たすものとされている。

4　確定拠出年金法第37条第1項によると、企業型年金加入者又は企業型年金加入者であった者(当該企業型年金に個人別管理資産がある者に限る。)が、傷病について E までの間において、その傷病により政令で定める程度の障害の状態に該当するに至ったときは、その者は、その期間内に企業型記録関連運営管理機関等に障害給付金の支給を請求することができるとされている。

選択肢

① 30,000円	② 50,000円
③ 70,000円	④ 100,000円

⑤ 安定的な財政運営
⑥ 継続給付を受けなくなってから３か月以内
⑦ 継続して１年以上被保険者であった期間を有し、その資格を喪失した後６か月以内
⑧ 国民健康保険の運営方針の策定
⑨ 事務の標準化及び広域化の促進
⑩ 障害認定日から65歳に達する日
⑪ 障害認定日から75歳に達する日の前日
⑫ 初診日から65歳に達する日の前日
⑬ 初診日から75歳に達する日　⑭ 自立した日常生活
⑮ 船舶所有者に使用されなくなってから６か月以内
⑯ その資格を喪失した後３か月以内
⑰ その地域における医療及び介護
⑱ その保健医療の向上及び福祉の増進
⑲ 地域住民との身近な関係性の構築
⑳ 要介護状態等の軽減又は悪化の防止

答５ 船保法30条、法72条１項２号、令２条１項、令６条１項、介保法115条の46,1項、国保法４条２項、確拠法37条１項。

A ⑯ **その資格を喪失した後３か月以内**
B ② **50,000円**
C ⑱ **その保健医療の向上及び福祉の増進**
D ⑤ **安定的な財政運営**
E ⑪ **障害認定日から75歳に達する日の前日**

[補足説明]

Aについて、船員保険法の規定による葬祭料は、次の(1)、(2)のいずれかに該当する場合においては、被保険者又は被保険者であった者により生計を維持していた者であって、葬祭を行うものに対して支給するものであり、資格喪失後の葬祭料としては、下記(2)の場合に限定される。したがって、健康保険法による資格喪失後の埋葬料の支給要件にあるような「⑥継続給付を受けなくなってから３か月以内」は、空欄Aを埋める語句としては適切ではない。

(1) 被保険者が職務外の事由により死亡したとき
(2) 被保険者であった者が、その資格を喪失した後３月以内に職務外の事由により死亡したとき

☆問6　次の文中の［　　　］の部分を選択肢の中の最も適切な語句で埋め、完全な文章とせよ。
□□□
R2-選

1　「平成29年度社会保障費用統計(国立社会保障・人口問題研究所)」によると、平成29年度の社会保障給付費(ILO基準)の総額は約［　A　］円である。部門別にみると、額が最も大きいのは「［　B　］」であり、総額に占める割合は45.6%となっている。

2　介護保険法第67条第1項及び介護保険法施行規則第103条の規定によると、市町村は、保険給付を受けることができる第1号被保険者である要介護被保険者等が保険料を滞納しており、かつ、当該保険料の納期限から［　C　］が経過するまでの間に当該保険料を納付しない場合においては、当該保険料の滞納につき災害その他の政令で定める特別の事情があると認める場合を除き、厚生労働省令で定めるところにより、保険給付の全部又は一部の支払を一時差し止めるものとするとされている。

3　国民健康保険法第13条の規定によると、国民健康保険組合は、同種の事業又は業務に従事する者で当該組合の地区内に住所を有するものを組合員として組織し、当該組合の地区は、［　D　］の区域によるものとされている。ただし、特別の理由があるときは、この区域によらないことができるとされている。

4　国民年金の第1号被保険者が、国民年金基金に加入し、月額20,000円を納付している場合において、この者が個人型確定拠出年金に加入し、掛金を拠出するときは、月額で［　E　］円まで拠出することができる。なお、この者は、掛金を毎月定額で納付するものとする。

選択肢

① 3,000	② 23,000
③ 48,000	④ 68,000
⑤ 1　年	⑥ 1年6か月
⑦ 1又は2以上の市町村	⑧ 1又は2以上の都道府県
⑨ 2以上の隣接する市町村	⑩ 2以上の隣接する都道府県
⑪ 2　年	⑫ 6か月
⑬ 100兆	⑭ 120兆
⑮ 140兆	⑯ 160兆
⑰ 医　療	⑱ 介護対策
⑲ 年　金	⑳ 福祉その他

答6 「平成29年度社会保障費用統計(国立社会保障・人口問題研究所)」、介保法67条1項、則103条、国保法13条1項、2項、確拠法69条、令36条1号。

A ⑭ **120兆**
B ⑲ **年　金**
C ⑥ **1年6か月**
D ⑦ **1又は2以上の市町村**
E ③ **48,000**

[補足説明]

Eについて、確定拠出年金個人型年金の第1号加入者の拠出限度額(月額)については、国民年金の付加保険料又は国民年金基金の掛金の納付に係る額があるときは、68,000円から付加保険料又は国民年金基金の掛金の額を控除した額をその月に係る拠出限度額とするため、設問の場合は、国民年金基金の掛金を月額20,000円納付していることから、Eに入る金額としては、68,000−20,000＝48,000(円)が正解となる。

☆問7 次の文中の［　　］の部分を選択肢の中の最も適切な語句で埋め、完全な文章とせよ。

□□□
R3-選改

1　市町村(特別区を含む。以下本問において同じ。)は、当該市町村の国民健康保険に関する特別会計において負担する［ A ］に要する費用(当該市町村が属する都道府県の国民健康保険に関する特別会計において負担する前期高齢者納付金等及び後期高齢者支援金等、介護納付金並びに流行初期医療確保拠出金等の納付に要する費用を含む。)、財政安定化基金拠出金の納付に要する費用その他の［ B ］に充てるため、被保険者の属する世帯の世帯主(当該市町村の区域内に住所を有する世帯主に限る。)から国民健康保険の保険料を徴収しなければならない。ただし、地方税法の規定により国民健康保険税を課するときは、この限りでない。

2　船員保険法第93条では、「被保険者が職務上の事由により行方不明となったときは、その期間、［ C ］に対し、行方不明手当金を支給する。ただし、行方不明の期間が一月未満であるときは、この限りでない。」と規定している。

3　児童手当法第８条第３項の規定によると、同法第７条の認定をした一般受給資格者及び施設等受給資格者(以下本問において「受給資格者」という。)が住所を変更した場合又は災害その他やむを得ない理由により同法第７条の規定による認定の請求をすることができなかった場合において、住所を変更した後又はやむを得ない理由がやんだ後［ D ］以内にその請求をしたときは、児童手当の支給は、同法第８条第２項の規定にかかわらず、受給資格者が住所を変更した日又はやむを得ない理由により当該認定の請求をすることができなくなった日の属する月の翌月から始めるとされている。

4　確定給付企業年金法第41条第３項の規定によると、脱退一時金を受けるための要件として、規約において、［ E ］を超える加入者期間を定めてはならないとされている。

選択肢

① 3 年	② 5 年
③ 10 年	④ 15 日
⑤ 15 年	⑥ 25 日
⑦ 35 日	⑧ 45 日
⑨ 遺 族	⑩ 国民健康保険事業に要する費用
⑪ 国民健康保険事業費納付金の納付	
⑫ 国民健康保険保険給付費等交付金の交付	
⑬ 地域支援事業等の調整額の交付	
⑭ 特定給付額及び特定納付費用額の合算額の納付	
⑮ 特定健康診査等に要する費用	
⑯ 特別高額医療費共同事業拠出金に要した費用	
⑰ 配偶者又は子	⑱ 被扶養者
⑲ 民法上の相続人	⑳ 療養の給付等に要する費用

☆答7 国保法76条1項、船保法93条、児童手当法8条3項、確給法41条3項。

A ⑪ **国民健康保険事業費納付金の納付**
B ⑩ **国民健康保険事業に要する費用**
C ⑱ **被扶養者**
D ④ **15 日**
E ① **3 年**

✪問8 □□□ R4-選改

次の文中の［　　　］の部分を選択肢の中の最も適切な語句で埋め、完全な文章とせよ。

1　厚生労働省から令和３年11月に公表された「令和元年度国民医療費の概況」によると、令和元年度の国民医療費は44兆3,895億円である。年齢階級別国民医療費の構成割合についてみると、「65歳以上」の構成割合は［　A　］パーセントとなっている。

2　企業型確定拠出年金の加入者又は企業型確定拠出年金の加入者であった者(当該確定拠出年金に個人別管理資産がある者に限る。)が死亡したときは、その者の遺族に、死亡した者の死亡の当時主としてその収入によって生計を維持されていなかった配偶者及び実父母、死亡した者の死亡の当時主としてその収入によって生計を維持されていた子、養父母及び兄弟姉妹がいた場合、死亡一時金を受け取ることができる遺族の第１順位は、［　B　］となる。ただし、死亡した者は、死亡する前に死亡一時金を受ける者を指定してその旨を企業型記録関連運営管理機関等に対して表示していなかったものとする。

3　(改正により削除)

4　介護保険法における「要介護状態」とは、［　D　］があるために、入浴、排せつ、食事等の日常生活における基本的な動作の全部又は一部について、［　E　］の期間にわたり継続して、常時介護を要すると見込まれる状態であって、その介護の必要の程度に応じて厚生労働省令で定める区分のいずれかに該当するもの(要支援状態に該当するものを除く。)をいう。ただし、「要介護状態」にある40歳以上65歳未満の者であって、その「要介護状態」の原因である［　D　］が加齢に伴って生ずる心身の変化に起因する疾病であって政令で定めるもの(以下「特定疾病」という。)によって生じたものであり、当該特定疾病ががん(医師が一般に認められている医学的知見に基づき回復の見込みがない状態に至ったと判断したものに限る。)である場合の継続見込期間については、その余命が［　E　］に満たないと判断される場合にあっては、死亡までの間とする。

選択肢
① 3か月 ② 6か月
③ 12か月
④ 15歳に達する日以後の最初の3月31日までの間にある者
⑤ 18か月
⑥ 18歳に達する日以後の最初の3月31日までの間にある者
⑦ 31.0 ⑧ 46.0
⑨ 61.0 ⑩ 76.0
⑪ 加齢に伴って生ずる心身の変化に起因する疾病
⑫ 義務教育就学前の児童
⑬ 子 ⑭ 実父母
⑮ 小学校終了前の児童
⑯ 心身の機能の低下 ⑰ 身体上又は精神上の障害
⑱ 配偶者 ⑲ 慢性的な認知機能の悪化
⑳ 養父母

答8 確拠法40条、法41条1項、2項、介保法7条1項、3項2号、令2条1号、則2条、「令和元年度国民医療費の概況(厚生労働省)」。

A ⑨ **61.0**
B ⑱ **配偶者**
C (改正により削除)
D ⑰ **身体上又は精神上の障害**
E ② **6か月**

☆問9 □□□ R5-選改

次の文中の [　　] の部分を選択肢の中の最も適切な語句で埋め、完全な文章とせよ。なお、本問の「５」は「令和４年版厚生労働白書(厚生労働省)」を参照しており、当該白書又は当該白書が引用している調査による用語及び統計等を利用している。

1　船員保険法第69条第５項の規定によると、傷病手当金の支給期間は、同一の疾病又は負傷及びこれにより発した疾病に関しては、その支給を始めた日から通算して [A] 間とされている。

2　高齢者医療確保法第20条の規定によると、保険者は、特定健康診査等実施計画に基づき、厚生労働省令で定めるところにより、[B] 以上の加入者に対し、特定健康診査を行うものとする。ただし、加入者が特定健康診査に相当する健康診査を受け、その結果を証明する書面の提出を受けたとき、又は同法第26条第２項の規定により特定健康診査に関する記録の送付を受けたときは、この限りでない。

3　確定給付企業年金法第57条では、「掛金の額は、給付に要する費用の額の予想額及び予定運用収入の額に照らし、厚生労働省令で定めるところにより、将来にわたって [C] ができるように計算されるものでなければならない。」と規定している。

4　３歳以上支給対象児童１人を監護し、かつ、この児童と生計を同じくしている日本国内に住所を有する父に支給する児童手当の額は、１か月につき [D] である。なお、この児童は施設入所等児童ではないものとする。

5　高齢化が更に進行し、「団塊の世代」の全員が75歳以上となる2025(令和７)年の日本では、およそ [E] 人に１人が75歳以上高齢者となり、認知症の高齢者の割合や、世帯主が高齢者の単独世帯・夫婦のみの世帯の割合が増加していくと推計されている。

選択肢

① 3.5	② 5.5
③ 7.5	④ 9.5
⑤ 1年	⑥ 1年6か月
⑦ 2年	⑧ 3年
⑨ 35歳	⑩ 40歳
⑪ 65歳	⑫ 75歳
⑬ 10,000円	⑭ 15,000円
⑮ 20,000円	⑯ 30,000円
⑰ 掛金を負担すること	⑱ 財政の均衡を保つこと
⑲ 積立金の額が最低積立基準額を満たすこと	
⑳ 必要な給付を行うこと	

答9 船保法69条5項、高齢者医療確保法20条、確給法57条、児童手当法6条1項1号2項4号、3項、「令和4年版厚生労働白書(厚生労働省)」P.348 。

A ⑧ **3年**
B ⑩ **40歳**
C ⑱ **財政の均衡を保つこと**
D ⑬ **10,000円**
E ② **5.5**

☆問10 難・・・AB

□□□

R6-選

次の文中の[　　　]の部分を選択肢の中の最も適切な語句で埋め、完全な文章とせよ。

1　厚生労働省から令和５年７月に公表された「2022(令和４)年 国民生活基礎調査の概況」によると、公的年金・恩給を受給している高齢者世帯における公的年金・恩給の総所得に占める割合別世帯数の構成割合についてみると、公的年金・恩給の総所得に占める割合が[　A　]の世帯が44.0%となっている。なお、国民生活基礎調査において、「高齢者世帯」とは、65歳以上の者のみで構成するか、又はこれに18歳未満の未婚の者が加わった世帯をいう。

2　厚生労働省から令和５年８月に公表された「令和３年度介護保険事業状況報告(年報)」によると、令和３年度末において、第１号被保険者のうち要介護又は要支援の認定者(以下本肢において「認定者」という。)は677万人であり、第１号被保険者に占める認定者の割合は全国平均で[　B　]%となっている。

3　国民健康保険法第１条では、「この法律は、国民健康保険事業の健全な運営を確保し、もつて[　C　]に寄与することを目的とする。」と規定している。

4　高齢者医療確保法第１条では、「この法律は、国民の高齢期における適切な医療の確保を図るため、医療費の適正化を推進するための計画の作成及び保険者による健康診査等の実施に関する措置を講ずるとともに、高齢者の医療について、国民の[　D　]の理念等に基づき、前期高齢者に係る保険者間の[　E　]の調整、後期高齢者に対する適切な医療の給付等を行うために必要な制度を設け、もつて国民保健の向上及び高齢者の福祉の増進を図ることを目的とする。」と規定している。

選択肢

① 3.9	② 18.9
③ 33.9	④ 48.9
⑤ 40 ~ 60%未満	⑥ 60 ~ 80%未満
⑦ 80 ~ 100%未満	⑧ 100%
⑨ 給付費用	⑩ 給付割合
⑪ 共助連帯	⑫ 共同連帯
⑬ 自助と共助	⑭ 自助と連帯
⑮ 社会保険及び国民福祉の向上	⑯ 社会保険及び国民保健の向上
⑰ 社会保障及び国民福祉の向上	⑱ 社会保障及び国民保健の向上
⑲ 費用負担	⑳ 負担割合

☆答10 国保法 1 条、高齢者医療確保法 1 条、「2022(令和 4)年国民生活基礎調査の概況(厚生労働省)」、「令和 3 年度介護保険事業状況報告(年報)(厚生労働省)」。

A ⑧ **100%**
B ② **18.9**
C ⑱ **社会保障及び国民保健の向上**
D ⑫ **共同連帯**
E ⑲ **費用負担**

過去問検索索引

改正等により、問題の趣旨を損なわずに補正することが困難であると判断した問題および規定自体がなくなってしまった問題の頁数欄には、「—」と表記しています。

また、MEMO欄には、お手持ちのテキストの該当頁数などを書き込んで、学習に役立ててください。

【選択式】

●健保

問題番号	頁数	MEMO
H27-選	218	
H28-選	220	
H29-選	222	
H30-選	224	
R元-選	226	
R2-選	228	
R3-選	230	
R4-選	232	
R5-選	234	
R6-選	236	

●社一

問題番号	頁数	MEMO
H27-選	350	
H28-選	352	
H29-選	354	
H30-選	356	
R元-選	358	
R2-選	360	
R3-選	362	
R4-選	364	
R5-選	366	
R6-選	368	

【択一式】

●健保

問題番号		頁数	MEMO
H29	H29-2A	64	
	H29-2B	70	
	H29-2C	56	
	H29-2D	54	
	H29-2E	114	
	H29-3A	168	
	H29-3B	210	
	H29-3C	136	
	H29-3D	158	
	H29-3E	128	
	H29-4ア	104	
	H29-4イ	190	
	H29-4ウ	98	
	H29-4エ	42	
	H29-4オ	106	
	H29-5A	196	
	H29-5B	34	
	H29-5C	30	
	H29-5D	162	
	H29-5E	128	
	H29-6A	−	
	H29-6B	112	
	H29-6C	60	
	H29-6D	64	
	H29-6E	132	
	H29-7A	142	
	H29-7B	130	
	H29-7C	154	
	H29-7D	192	
	H29-7E	200	
	H29-8A	164	
	H29-8B	156	
	H29-8C	152	
	H29-8D	170	
	H29-8E	186	

問題番号		頁数	MEMO
H29	H29-9ア	38	
	H29-9イ	40	
	H29-9ウ	38	
	H29-9エ	72	
	H29-9オ	38	
	H29-10A	194	
	H29-10B	92	
	H29-10C	100	
	H29-10D	78	
	H29-10E	84	
H30	H30-1ア	12	
	H30-1イ	214	
	H30-1ウ	14	
	H30-1エ	22	
	H30-1オ	12	
	H30-2A	126	
	H30-2B	158	
	H30-2C	62	
	H30-2D	86	
	H30-2E	190	
	H30-3A	192	
	H30-3B	160	
	H30-3C	96	
	H30-3D	78	
	H30-3E	56	
	H30-4A	24	
	H30-4B	68	
	H30-4C	64	
	H30-4D	98	
	H30-4E	6	
	H30-5ア	22	
	H30-5イ	20	
	H30-5ウ	122	
	H30-5エ	114	
	H30-5オ	106	

問題番号		頁数	MEMO
H30	H30-6A	148	
	H30-6B	122	
	H30-6C	118	
	H30-6D	198	
	H30-6E	206	
	H30-7A	198	
	H30-7B	22	
	H30-7C	162	
	H30-7D	212	
	H30-7E	150	
	H30-8ア	40	
	H30-8イ	40	
	H30-8ウ	8	
	H30-8エ	38	
	H30-8オ	76	
	H30-9A	186	
	H30-9B	84	
	H30-9C	188	
	H30-9D	164	
	H30-9E	168	
	H30-10A	6	
	H30-10B	56	
	H30-10C	42	
	H30-10D	152	
	H30-10E	50	
R元	R元-1A	10	
	R元-1B	62	
	R元-1C	18	
	R元-1D	12	
	R元-1E	12	
	R元-2A	82	
	R元-2B	150	
	R元-2C	146	
	R元-2D	158	
	R元-2E	172	

問題番号		頁数	MEMO
	R3-4ア	210	
	R3-4イ	24	
	R3-4ウ	202	
	R3-4エ	200	
	R3-4オ	42	
	R3-5A	212	
	R3-5B	34	
	R3-5C	80	
	R3-5D	62	
	R3-5E	50	
	R3-6A	214	
	R3-6B	212	
	R3-6C	196	
	R3-6D	186	
	R3-6E	142	
	R3-7A	22	
	R3-7B	176	
R3	R3-7C	134	
	R3-7D	176	
	R3-7E	116	
	R3-8ア	40	
	R3-8イ	−	
	R3-8ウ	72	
	R3-8エ	46	
	R3-8オ	58	
	R3-9A	176	
	R3-9B	184	
	R3-9C	168	
	R3-9D	164	
	R3-9E	4	
	R3-10A	82	
	R3-10B	78	
	R3-10C	112	
	R3-10D	118	
	R3-10E	150	

問題番号		頁数	MEMO
	R4-1A	4	
	R4-1B	20	
	R4-1C	66	
	R4-1D	190	
	R4-1E	90	
	R4-2A	4	
	R4-2B	82	
	R4-2C	170	
	R4-2D	50	
	R4-2E	66	
	R4-3ア	172	
	R4-3イ	162	
	R4-3ウ	100	
	R4-3エ	168	
	R4-3オ	154	
	R4-4A	60	
	R4-4B	56	
R4	R4-4C	104	
	R4-4D	146	
	R4-4E	14	
	R4-5A	10	
	R4-5B	18	
	R4-5C	18	
	R4-5D	180	
	R4-5E	172	
	R4-6A	200	
	R4-6B	206	
	R4-6C	208	
	R4-6D	34	
	R4-6E	196	
	R4-7A	64	
	R4-7B	68	
	R4-7C	208	
	R4-7D	84	
	R4-7E	196	

問題番号		頁数	MEMO
	R4-8A	86	
	R4-8B	76	
	R4-8C	78	
	R4-8D	86	
	R4-8E	86	
	R4-9A	194	
	R4-9B	178	
R4	R4-9C	182	
	R4-9D	148	
	R4-9E	162	
	R4-10A	116	
	R4-10B	114	
	R4-10C	114	
	R4-10D	96	
	R4-10E	204	
	R5-1A	26	
	R5-1B	16	
	R5-1C	12	
	R5-1D	24	
	R5-1E	138	
	R5-2A	60	
	R5-2B	156	
	R5-2C	84	
	R5-2D	206	
	R5-2E	52	
R5	R5-3ア	90	
	R5-3イ	140	
	R5-3ウ	116	
	R5-3エ	158	
	R5-3オ	214	
	R5-4A	142	
	R5-4B	170	
	R5-4C	20	
	R5-4D	122	
	R5-4E	176	

【択一式】

●社一

問題番号		頁数	MEMO
H27	H27-3ｱ	244	
	H27-3ｲ	244	
	H27-3ｳ	256	
	H27-3ｴ	250	
	H27-3ｵ	246	
	H27-6A	266	
	H27-6B	266	
	H27-6C	290	
	H27-6D	290	
	H27-6E	290	
	H27-7A	294	
	H27-7B	298	
	H27-7C	304	
	H27-7D	304	
	H27-7E	298	
	H27-8A	310	
	H27-8B	314	
	H27-8C	—	
	H27-8D	312	
	H27-8E	316	
	H27-9A	344	
	H27-9B	346	
	H27-9C	344	
	H27-9D	342	
	H27-9E	330	
	H27-10A	330	
	H27-10B	332	
	H27-10C	332	
	H27-10D	332	
	H27-10E	332	
H28	H28-3A	246	
	H28-3B	254	
	H28-3C	252	
	H28-3D	254	
	H28-3E	258	

問題番号		頁数	MEMO
H28	H28-6ｱ	262	
	H28-6ｲ	—	
	H28-6ｳ	292	
	H28-6ｴ	282	
	H28-6ｵ	302	
	H28-7A	272	
	H28-7B	272	
	H28-7C	274	
	H28-7D	274	
	H28-7E	274	
	H28-8A	318	
	H28-8B	318	
	H28-8C	318	
	H28-8D	320	
	H28-8E	322	
	H28-9A	328	
	H28-9B	328	
	H28-9C	328	
	H28-9D	328	
	H28-9E	330	
	H28-10A	340	
	H28-10B	340	
	H28-10C	330	
	H28-10D	338	
	H28-10E	338	
H29	H29-3A	246	
	H29-3B	248	
	H29-3C	250	
	H29-3D	254	
	H29-3E	248	
	H29-6A	322	
	H29-6B	268	
	H29-6C	306	
	H29-6D	326	
	H29-6E	248	

問題番号		頁数	MEMO
H29	H29-7A	300	
	H29-7B	298	
	H29-7C	300	
	H29-7D	300	
	H29-7E	296	
	H29-8A	282	
	H29-8B	282	
	H29-8C	280	
	H29-8D	282	
	H29-8E	288	
	H29-9A	342	
	H29-9B	314	
	H29-9C	314	
	H29-9D	316	
	H29-9E	322	
	H29-10A	346	
	H29-10B	346	
	H29-10C	346	
	H29-10D	346	
	H29-10E	348	
H30	H30-5A	248	
	H30-5B	250	
	H30-5C	252	
	H30-5D	254	
	H30-5E	256	
	H30-6A	336	
	H30-6B	270	
	H30-6C	302	
	H30-6D	292	
	H30-6E	308	
	H30-7A	280	
	H30-7B	280	
	H30-7C	284	
	H30-7D	284	
	H30-7E	286	

	問題番号	頁数	MEMO
R4	R4-5A	246	
	R4-5B	248	
	R4-5C	252	
	R4-5D	254	
	R4-5E	256	
	R4-6A	318	
	R4-6B	320	
	R4-6C	320	
	R4-6D	322	
	R4-6E	322	
	R4-7A	282	
	R4-7B	284	
	R4-7C	288	
	R4-7D	292	
	R4-7E	292	
	R4-8A	262	
	R4-8B	292	
	R4-8C	296	
	R4-8D	270	
	R4-8E	262	
	R4-9A	264	
	R4-9B	276	
	R4-9C	302	
	R4-9D	290	
	R4-9E	284	
	R4-10A	308	
	R4-10B	264	
	R4-10C	308	
	R4-10D	272	
	R4-10E	298	
R5	R5-5A	250	
	R5-5B	250	
	R5-5C	254	
	R5-5D	256	
	R5-5E	258	

	問題番号	頁数	MEMO
R5	R5-6A	312	
	R5-6B	312	
	R5-6C	314	
	R5-6D	314	
	R5-6E	314	
	R5-7A	270	
	R5-7B	270	
	R5-7C	274	
	R5-7D	276	
	R5-7E	276	
	R5-8A	294	
	R5-8B	302	
	R5-8C	298	
	R5-8D	300	
	R5-8E	306	
	R5-9A	322	
	R5-9B	324	
	R5-9C	326	
	R5-9D	326	
	R5-9E	326	
	R5-10A	292	
	R5-10B	280	
	R5-10C	282	
	R5-10D	288	
	R5-10E	288	
R6	R6-5A	242	
	R6-5B	242	
	R6-5C	242	
	R6-5D	242	
	R6-5E	242	
	R6-6A	316	
	R6-6B	316	
	R6-6C	316	
	R6-6D	316	
	R6-6E	318	

	問題番号	頁数	MEMO
R6	R6-7A	310	
	R6-7B	310	
	R6-7C	310	
	R6-7D	310	
	R6-7E	310	
	R6-8A	260	
	R6-8B	260	
	R6-8C	260	
	R6-8D	260	
	R6-8E	260	
	R6-9ｱ	334	
	R6-9ｲ	334	
	R6-9ｳ	334	
	R6-9ｴ	334	
	R6-9ｵ	336	
	R6-10A	268	
	R6-10B	260	
	R6-10C	336	
	R6-10D	336	
	R6-10E	278	

Memo

Memo

Memo

執　筆　者

健保（健康保険法）　…………………………………………………………小泉　　悟
社一（社会保険に関する一般常識）　………………………………………如月　時子

2025年度版 よくわかる社労士
合格するための過去10年本試験問題集3 健保・社一

(2013年度版 2012年10月15日 初版 第1刷発行)
2024年10月11日 初 版 第1刷発行

編著者 TAC株式会社
(社会保険労務士講座)
発行者 多田敏男
発行所 TAC株式会社 出版事業部
(TAC出版)
〒101-8383
東京都千代田区神田三崎町3-2-18
電話 03(5276)9492(営業)
FAX 03(5276)9674
https://shuppan.tac-school.co.jp
印刷 株式会社 ワコー
製本 東京美術紙工協業組合

ISBN978-4-300-11384-4
N.D.C.364

乱丁・落丁による交換,および正誤のお問合せ対応は,該当書籍の改訂版刊行月末日までといたします。なお,交換につきましては,書籍の在庫状況等により,お受けできない場合もございます。
また,各種本試験の実施の延期,中止を理由とした本書の返品はお受けいたしません。返金もいたしかねますので,あらかじめご了承くださいますようお願い申し上げます。

TAC出版 書籍のご案内

TAC出版では、資格の学校TAC各講座の定評ある執筆陣による資格試験の参考書をはじめ、資格取得者の開業法や仕事術、実務書、ビジネス書、一般書などを発行しています！

TAC出版の書籍

＊一部書籍は、早稲田経営出版のブランドにて刊行しております。

資格・検定試験の受験対策書籍

- 日商簿記検定
- 建設業経理士
- 全経簿記上級
- 税　理　士
- 公認会計士
- 社会保険労務士
- 中小企業診断士
- 証券アナリスト
- ファイナンシャルプランナー(FP)
- 証券外務員
- 貸金業務取扱主任者
- 不動産鑑定士
- 宅地建物取引士
- 賃貸不動産経営管理士
- マンション管理士
- 管理業務主任者
- 司法書士
- 行政書士
- 司法試験
- 弁理士
- 公務員試験(大卒程度・高卒者)
- 情報処理試験
- 介護福祉士
- ケアマネジャー
- 電験三種　ほか

実務書・ビジネス書

- 会計実務、税法、税務、経理
- 総務、労務、人事
- ビジネススキル、マナー、就職、自己啓発
- 資格取得者の開業法、仕事術、営業術

一般書・エンタメ書

- ファッション
- エッセイ、レシピ
- スポーツ
- 旅行ガイド（おとな旅プレミアム/旅コン）

書籍の正誤に関するご確認とお問合せについて

書籍の記載内容に誤りではないかと思われる箇所がございましたら、以下の手順にてご確認とお問合せをしてくださいますよう、お願い申し上げます。
なお、正誤のお問合せ以外の**書籍内容に関する解説および受験指導などは、一切行っておりません。**
そのようなお問合せにつきましては、お答えいたしかねますので、あらかじめご了承ください。

1 「Cyber Book Store」にて正誤表を確認する

TAC出版書籍販売サイト「Cyber Book Store」の
トップページ内「正誤表」コーナーにて、正誤表をご確認ください。

CYBER BOOK STORE TAC出版書籍販売サイト

URL:https://bookstore.tac-school.co.jp/

2 1の正誤表がない、あるいは正誤表に該当箇所の記載がない ⇒ 下記①、②のどちらかの方法で文書にて問合せをする

★ご注意ください★

お電話でのお問合せは、お受けいたしません。
①、②のどちらの方法でも、お問合せの際には、「お名前」とともに、
「対象の書籍名(○級・第○回対策も含む)およびその版数(第○版・○○年度版など)」
「お問合せ該当箇所の頁数と行数」
「誤りと思われる記載」
「正しいとお考えになる記載とその根拠」
を明記してください。
なお、回答までに1週間前後を要する場合もございます。あらかじめご了承ください。

① ウェブページ「Cyber Book Store」内の「お問合せフォーム」より問合せをする

【お問合せフォームアドレス】

https://bookstore.tac-school.co.jp/inquiry/

② メールにより問合せをする

【メール宛先 TAC出版】

syuppan-h@tac-school.co.jp

※土日祝日はお問合せ対応をおこなっておりません。
※正誤のお問合せ対応は、該当書籍の改訂版刊行月末日までといたします。

乱丁・落丁による交換は、該当書籍の改訂版刊行月末日までといたします。なお、書籍の在庫状況等により、お受けできない場合もございます。
また、各種本試験の実施の延期、中止を理由とした本書の返品はお受けいたしません。返金もいたしかねますので、あらかじめご了承くださいますようお願い申し上げます。

(2022年7月現在)